LES MILLE ORCS

LES ROYAUMES OUBLIÉS

Entre parenthèses, après chaque titre, figure son numéro dans la collection ou (pour les ouvrages grand format) la mention GF.

I. La séquence des Avatars

Les dieux ont été chassés du Panthéon et se mêlent aux humains. L'histoire de Minuit et de Cynric, appelés à devenir de nouvelles divinités, a pour cadre trois villes légendaires et pour chef d'orchestre le sage Elminster, dont on reparlera dans la trilogie des Ombres, où il vole au secours de la déesse Mystra, menacée de perdre son pouvoir…

II. La séquence d'Ombre-Terre et du Val Bise

Deux apports majeurs dus à R.A. Salvatore : le monde souterrain habité par les Drows, et Drizzt Do'Urden, l'inoubliable Elfe Noir. Le parcours initiatique d'un héros (d'Ombre-Terre au Val Bise), l'histoire d'une société hyp.violente (avec la contribution d'Elaine Cunningham) et une ode à l'amitié (Wulfgar, Catie-Brie, Bruenor Battlehammer…). Cerise sur le gâteau, l'aventure continue !

III. La séquence des héros de Phlan

Une ville a… disparu ! Chargé de la retrouver, un groupe d'aventuriers conduit par le paladin Miltadies affronte tous les dangers.

IV. La séquence de la Pierre du Trouveur

La quête d'identité d'Alias, une guerrière amnésique portant sur l'avant-bras droit des tatouages qui font d'elle une meurtrière sans pitié.

V. La séquence de Shandril

L'histoire d'une jeune servante qui s'enfuit un jour de l'auberge de *La Lune Levante* et découvrira qu'elle est une magicienne. Par le créateur et grand maître d'œuvre des Royaumes.

R.A. SALVATORE

LES MILLE ORCS

Couverture de
Dennis Kauth

Fleuve Noir

Titre original :
The Thousand Orcs

Traduit de l'américain par
Michèle Zachayus

U.S., CANADA, ASIA, PACIFIC & LATIN AMERICA
Wizards of the Coast, Inc.
P.O. Box 707
Renton, WA 98057-0707
+1-800-324-6496

EUROPEAN HEADQUARTERS
Wizards of the Coast, Belgium
T Hofveld 6d
1702 Groot-Bijgaarden
Belgium
+322-467-3360

ISBN 2-265-08031-4
ISSN : 1272-2812

PRÉLUDE

— Il faut pousser, mes carnes ! rugit Tred McJointures à son « attelage » de deux chevaux plus trois nains. J'espère atteindre Haut-Fond avant que le soleil cogne sur mon crâne chauve !

Son beuglement se répercuta à flanc de paroi. Il était à la mesure de la stature du gaillard… Grand et costaud, même pour un nain, Tred était taillé pour recevoir les coups… et les rendre. Il portait une longue barbe jaune à la pointe passée sous la boucle de son ceinturon, et conservait, attachée en travers des omoplates, une hache de jet – communément appelée « flèche naine ».

— Ce serait plus facile si l'autre cheval ne pesait pas de tout son poids à l'arrière du chariot, triple buse ! hurla sur un des nains qui tiraient.

Tred lui flanqua un coup de fouet sur l'arrière-train.

Outré, le nain voulut s'arrêter. Mais il était assujetti au joug et le chariot continuait sur sa lancée… Mieux valait qu'il en fasse autant.

— Tu me le paieras ! jura-t-il. Compte sur moi !

Tout le monde éclata de rire.

Depuis leur départ de la citadelle Felbarr, une vingtaine de jours plus tôt, les nains avaient bien progressé le long des contreforts orientaux des monts Rauvin. En plaine, le groupe avait fait du troc avec une grande tribu barbare, appelée le Lion Noir. Avec Sundabar, Sylverymoon et Quaervarr, cette colonie barbare, baptisée le Puits de Beorunna, comptait au nombre des sites de commerce prisés par les sept mille nains de Felbarr. De façon typique, leurs caravanes convergeaient vers le Puits de Beorunna, y faisant affaires, puis retournaient dans les montagnes du Sud.

Ce groupe avait surpris les chefs de la communauté barbare en continuant au nord-ouest.

Tred était déterminé à ouvrir au commerce Haut-Fond et les autres petites villes jalonnant le fleuve Subrin, à l'ouest de l'Epine Dorsale du Monde. Selon la rumeur, et pour des raisons inconnues, entre Mithral Hall et les bourgs situés en amont du fleuve, le commerce s'était ralenti. Opportuniste dans l'âme, Tred voulait que Felbarr s'engouffre dans la brèche… A en croire d'autres rumeurs, après tout, on n'arrêtait plus d'extraire des mines de Haut-Fond, des pierres précieuses de toute beauté et même quelques artefacts antiques, de facture naine.

Profitant d'un hiver relativement clément, le petit groupe avait donc progressé sans incidents notables, dépassant la pointe de la Forêt des Sélénæ, au nord, pour atteindre les contreforts de l'Epine Dorsale du Monde. Les nains s'étaient un peu trop aventurés au nord, cependant, et avaient dû bifurquer plein sud, les montagnes sur leur droite… La température restait assez douce – mais pas au point de faire fondre la neige et de déclencher des avalanches en cascade, histoire d'obstruer les pistes. Ce matin-là, un des chevaux avait eu un abcès au sabot. Les nains ingénieux avaient réussi à l'en débarrasser, mais l'animal n'était plus en état de remplir son office. Tred l'avait donc fait hisser à l'arrière du chariot, divisant ensuite ses six compagnons en deux équipes.

Au fond, ils remplaçaient une bête de trait sans problème, progressant à la même allure que précédemment. Mais lorsque la seconde équipe approcha de la fin de son deuxième tour, elle traînait de plus en plus la patte…

— Quand le cheval sera-t-il de nouveau d'attaque, penses-tu ? demanda Duggan McJointures, le frère cadet de Tred.

Sa barbe jaune ne lui tombait même pas au milieu de la poitrine.

— Bah, demain, elle sera en pleine forme ! assura Tred.

Ses compagnons hochèrent doctement la tête.

Après tout, personne ne s'y connaissait mieux en chevaux que Tred. Non content de compter parmi les meilleurs forgerons de la citadelle Felbarr, il était aussi un éminent maréchal-ferrant. Chaque fois qu'une caravane arrivait dans la forteresse naine, immanquablement, Tred était sollicité pour ferrer tous les chevaux. Et le plus souvent à la demande du roi Emerus Couronneguerre en personne.

— Nous devrions peut-être camper pour la nuit, dit un des nains « d'attelage ». Mangeons un bon ragoût et vidons un tonneau de cervoise, ça nous ravigotera !

— Ho, ho ! rugirent ses compagnons avec allégresse, toujours enchantés à la perspective de boire.

— Bah ! grommela Tred avec une lippe boudeuse. Petites natures, va…

— Tu veux juste battre Smig de vitesse à Haut-Fond ! lança Duggan.

Crachant de dédain, Tred agita les mains. A quoi bon protester ? Tout le monde le savait déjà. Prétendant se détester cordialement, les deux rivaux acharnés, Tred et Smig, adoraient en réalité être en compétition. Ils ne vivaient que pour ça… Le bourg modeste de Haut-Fond, avec sa tour blanche caractéristique et son sorcier réputé, avait vu les gens affluer en prévision de l'hiver – des frontaliers qui auraient besoin d'armes de qualité, d'armures et de soins pour leurs chevaux. Tred et Smig le savaient autant l'un que l'autre. De même, tous deux avaient eu vent de la proclamation du roi Couronneguerre… Le souverain entendait lancer de grandes voies de commerce le long de l'Epine Dorsale du Monde. Depuis la reconquête de la citadelle naine, que les orcs avaient tenue pendant trois cents ans, la contrée située à l'ouest de Felbarr s'était considérablement apaisée. Et ce même si, à l'est, la région montagneuse restait le théâtre de l'agitation des monstres... Il existait un chemin reliant Ombre-Terre à Mithral Hall, mais jusque-là, on n'en avait découvert aucun de nature à ouvrir au reste du monde les terres s'étendant au nord du fief Battlehammer... Tous ceux qui accompagnaient Tred dans cette excursion – son frère Duggan, Nikwillig le cordonnier et les frères de celui-ci, Bokkum et Stokkum, transportant essentiellement de la bière destinée à Felbarr – s'étaient lancés dans l'aventure avec un bel empressement. La première caravane réaliserait les plus gros profits, s'arrogeant la part du lion dans les trésors des frontaliers. Plus important encore, la première caravane aurait le meilleur des droits d'exploitation, *et* la faveur du roi Couronneguerre.

A la veille du départ, Tred avait incité Smiggly « Smig » Stumpin à boire avec lui. *Après* avoir grassement soudoyé un prêtre Moradin pour obtenir une potion annihilant les effets délétères de l'alcool... Car c'était à qui roulerait le dernier sous la table...

Grâce à cette ruse, Tred estimait avoir gagné deux ou trois jours d'avance. Alors, qu'il soit damné s'il laissait le fâcheux abcès au sabot d'un cheval le retarder après un si bon départ au risque que Smig le rattrape !

— Faisons encore un bout de chemin, et nous nous reposerons.

Même Bokkum, qui avait le plus à perdre dans l'histoire, se joignit aux grognements de dépit.

— Allez, bande de fainéants ! rugit Tred. Vous tenez vraiment à camper cette nuit avec Smig et ses acolytes ?

— Bah, maugréa Stokkum, je parie qu'ils ne se sont même pas mis en route...

— De toute façon, les avalanches qu'il y a eues derrière nous les retarderont énormément, renchérit Nikwillig.

— En avant ! beugla Tred en jouant du fouet.

Cette fois, le pauvre cordonnier se redressa de toute sa taille en se tournant assez pour foudroyer le cocher du regard.

— Frappe-moi encore et je te taillerai une paire de chaussures que tu ne seras pas près d'oublier !

Entraîné par ses compagnons, il laissait ses bottes tracer des sillons dans la terre boueuse et la neige. Tred et les autres éclatèrent de rire. Avant que Nikwillig puisse continuer à déverser sa bile, Duggan entama un chant où il était question d'une grande cité naine mythique, une utopie, et de ses mines fabuleuses qui n'eurent pas déplu à Moradin en personne.

— Gravissons cette pente..., fredonna Duggan, abattons cette porte...

Les autres lui lancèrent des regards par en dessous. Chantait-il ou leur distribuait-il des ordres ?

— Quelle porte ? grogna Stokkum.

— Trouvons ce tunnel et continuons encore..., ajouta Duggan.

Cette fois, ses compagnons y furent.

— Ah, Upsen Downs ! s'écria Stokkum.

Ravis, tous reprirent le chant en chœur. Même Nikwillig n'y résista pas.

— « Gravissons cette pente
    « Abattons cette porte
    « Trouvons ce tunnel
    « Et continuons encore !

    « Traversons le pont embrasé
    « Et courons sous terre nous enfoncer
    « Trêve de jérémiades, sourions
    « Car voici la ville d'Upsen Downs !

    « Upsen Downs ! Upsen Downs !
    « Vous avez trouvé la ville d'Upsen Downs !
    « Upsen Downs ! Upsen Downs !
    « Trêve de jérémiades, sourions !

    « Là coule à flots la meilleure bière
    « Là se trouvent les meilleurs bretzels !
    « Avec le grand Muglump et son ragoût
    « Avec maître Bumble et ses quarante moûts !

    « Taillons, brisons, engrangeons le roc
    « Remontons-le à bras-le-corps
    « Fondons-le encore et encore
    « Upsen Downs a le plus bel or !

    « Upsen Downs ! Upsen Downs !
    « Vous avez trouvé la ville d'Upsen Downs !
    « Upsen Downs ! Upsen Downs !
    « Trêve de jérémiades, sourions !

Le vieux chant comptait de nombreux couplets. Quand les sept nains eurent fini, ils improvisèrent comme toujours, chacun y allant de ses rêves et désirs à exaucer dans un lieu aussi extraordinaire qu'Upsen Downs. Après tout, c'était tout le charme des chansons naines – *et* une façon subtile, pour un nain perspicace, de prendre la mesure d'un ami putatif… ou d'un ennemi en puissance.

Sans compter que la distraction était la bienvenue, surtout pour les trois malheureux qui tiraient en ahanant, l'échine courbée… Ils progressèrent le long de la piste rocailleuse, les montagnes se dressant à leur droite.

Sur le siège du cocher, Tred désignait tour à tour celui de ses compagnons qui devait ajouter un couplet de son cru. Tout allait bien jusqu'à ce qu'il repasse à son frère cadet, Duggan.

Les cinq autres continuaient de chantonner… sans que Duggan réagisse.

Ils finirent par s'arrêter.

— Eh bien ? grommela Tred. (Son petit frère avait l'air perplexe.) Chante, mon garçon !

— Je crois que je suis blessé…, répondit-il à mi-voix.

Soudain, Tred découvrit en sursaut la lance plantée dans le flanc de Duggan…

… Qui s'effondra, sous les cris horrifiés de son frère.

Une énorme roche dévala une pente devant les nains abasourdis, et rebondit en frappant Nikwillig à l'épaule.

Les chevaux terrifiés partirent au galop, la monture blessée et le pauvre Stokkum glissant par terre dans les cahots. Tred tira sur les rênes pour tenter de les maîtriser, car ses trois congénères risquaient d'être piétinés à mort. Surtout Nikwillig, apparemment évanoui.

Une autre roche s'abattit derrière le chariot, suivie d'une troisième. Les chevaux bifurquèrent vers la gauche, pour essayer de rebrousser chemin. Le chariot déstabilisé par la manœuvre brutale roula sur deux roues…

— A droite ! rugit Tred.

… Et se fracassa.

Les bêtes de trait libérées traînèrent sur la piste rocailleuse les trois nains encore attachés au harnais.

Derrière Tred, ses deux compagnons furent catapultés dans les airs. Lui aussi aurait subi le même sort, s'il n'avait eu une jambe coincée sous le siège du cocher. Il sentit ses os se briser sous la violence du choc, puis reçut un coup à la tête.

Le chariot continua sa roulade incontrôlée…

Par une chance incroyable, Tred ne fut pas écrasé dans la catastrophe… Il se retrouva au fond d'un tonneau vide au couvercle arraché. Comment ? Il n'aurait su le dire… Il roula dedans jusqu'au pied d'un contrefort, où le bois du tonneau transformé en bolide vola en éclats. A son tour, Tred fut catapulté dans une étrange et spectaculaire figure aérienne.

Aussi robuste et inaltérable que les rocs qui l'entouraient, le nain se releva… presque surpris que sa jambe brisée ne le porte plus, le précipitant à terre.

Plus têtu qu'une mule, il se redressa sur les coudes.

Alors, il *les* vit… Des orcs, en train de brandir des lances, des gourdins et des épées, massés autour du chariot détruit et des nains évanouis… Deux ou trois géants descendaient le versant pour les rejoindre. Non des géants des collines, auxquels Tred aurait pu s'attendre, mais ceux des glaces, plus grands encore et à la peau bleuie…

Il comprit qu'il ne s'agissait pas de pillards ordinaires.

Proche lui-même de l'évanouissement, Tred eut la présence d'esprit de se rabattre en arrière, roulant derrière une autre pente pour finir sa course contre une roche, sous des fourrés de ronces.

La bouche en sang, il tenta malgré tout de se redresser…

… Et ce fut le néant.

— Eh bien, tu es vivant ou pas ? maugréa une voix rocailleuse.

Tred rouvrit un œil, sous une croûte de sang séché, et distingua vaguement la silhouette familière de Nikwillig, accroupi près de lui dans les ronces.

— A la bonne heure !

Nikwillig lui passa un bras dans le dos pour l'aider à se redresser – un peu.

— Ne lève pas trop les fesses si tu ne veux pas que ces charognards t'arrachent aussi la peau !

Tred lui serra la main.

— Où sont les autres ? Mon frère… ?

— Les orcs les ont tués. Les chiens ! Les chevaux emballés m'ont traîné plus loin…

Tred resta sans réaction.

— Allez ! l'encouragea Nikwillig. Nous devons atteindre Haut-Fond et prévenir le roi Couronneguerre.

— Pars en avant. J'ai une jambe cassée. Je te retarderai trop.

— Bah, quel imbécile tu peux faire ! Cesse de dire n'importe quoi !

Au prix d'une grosse saccade, Nikwillig l'arracha à son « lit » de ronces.

— Bah toi-même ! grogna Tred.

— Parce que si j'étais à ta place, tu m'abandonnerais, peut-être ?

Le reproche indigné porta.

— Trouve-moi un bâton, vieux crétin !

Peu après, bras dessus, bras dessous, les deux rescapés, des durs à cuire, se remirent en route pour Haut-Fond, la tête bourdonnant de plans de vengeance.

Comment auraient-ils pu savoir qu'une centaine d'autres bandes de pillards, sortis de leurs trous en haute montagne, écumaient déjà la contrée ?

PREMIÈRE PARTIE

UNE ROUTE PLUS LONGUE QUE PRÉVUE

Quand Gaspard Pointepique et *sa* petite armée de foudres-de-guerre sont arrivés au Val Bise en annonçant le trépas de Gandalug Battlehammer, le premier et *neuvième* roi de Mithral Hall, j'ai su que Bruenor n'aurait d'autre choix que de réintégrer le foyer de ses ancêtres pour y reprendre le pouvoir... Son devoir envers son clan n'exigerait pas moins de lui. Et dès qu'on parle des nains, les rois et les clans passent avant tout.

A cette annonce, j'ai été sensible à la peine de mon ami... Oh, Bruenor ne pleurait pas tant la fin du souverain que la nécessité pour lui de renoncer à sa propre existence aventureuse... Après tout, Gandalug avait eu une vie longue et haute en couleur – même pour un nain. Donc, si Bruenor était naturellement attristé par le décès d'un aïeul, l'eût-il très peu connu, il se trouvait bien plus chagriné par la perspective d'embrasser une existence désormais routinière, tracée d'avance.

Je sus aussitôt que je l'accompagnerais. Mais je savais aussi que je ne supporterais pas longtemps d'être claquemuré à Mithral Hall. J'ai l'aventure dans le sang. A moi les grands espaces et les nuits à la belle étoile ! Quand Gandalug fut rendu au clan Battlehammer, après la fameuse bataille qui nous opposa aux Drows, je l'ai enfin compris. Si notre petite troupe connaissait finalement la paix, j'ai vite constaté qu'un tel état de chose était à double tranchant...

Je me suis donc rapidement retrouvé avec Catti-Brie à cingler la Côte des Epées à bord du Farfadet des Mers, la fameuse nef du capitaine Deudermont, l'homme qui consacre ses jours et sa belle énergie à pourchasser les pirates.

Etrange, troublant même, quand on y pense... Aucun endroit au monde ne saurait donc me retenir durablement ? Ne suis-je nulle part « chez moi » ? Ma vie n'est-elle qu'une longue fuite en avant ? Quelle obsession m'habite ? A la réflexion, je ne suis pas si différent d'Entreri ou d'Ellifain, pour me laisser ainsi posséder par des forces obscures qui ne veulent pas toujours dire leur nom...

Ces interrogations me hantent. Je pourrais presque ajouter qu'elles navrent mon âme. Bon sang, pourquoi faut-il toujours que je reprenne la route ? Que je me remette en mouvement ? Qu'est-ce que je cherche aux quatre coins du monde ? Quels élans irrépressibles m'y poussent ? L'impérieux besoin d'être reconnu et accepté pour ce que je suis ? La *volonté d'étendre ma réputation afin de me convaincre moi-même que mon exil loin de Menzoberranzan reste une excellente chose ?*

Je retourne ces questions dans ma tête, comme si je prenais un malin plaisir à me torturer moi-même. Par chance, ces doutes exacerbés n'ont qu'un temps. Car dès que je me décide à prendre du recul, à m'armer de raison, leur côté ridicule me saute aux yeux.

Avec l'arrivée de Gaspard au Val Bise, la perspective d'aller poser nos baluchons à Mithral Hall et d'y prendre nos quartiers s'offrait à nous. Mais... il n'y a rien à faire, une telle vie n'est pas pour moi. Toutes mes inquiétudes concernaient d'ailleurs Catti-Brie, et le tour que prenaient nos relations. En quoi cet événement les affecterait-il ? Catti-Brie voudrait-elle rompre là, retourner dans le foyer de son enfance pour y fonder enfin une famille ? Verrait-elle, dans la renaissance de la forteresse naine, un signe du destin ? L'indication que, pour elle, cette vie aventureuse se terminait là ?

Et moi, dans tout ça ?

Bref, les nouvelles de Gaspard suscitèrent en nous tous des sentiments très mitigés... et beaucoup d'interrogations sur notre avenir.

Mais Bruenor n'est pas nain à tourner longtemps en rond – figurativement parlant. Un jeune et farouche gaillard, Dagnabbit, le fils du fameux général Dagna et un des héros acclamés de la libération de Mithral Hall, avait accompagné Gaspard. Après une entrevue privée avec lui, Bruenor était revenu vers moi dans un état de folle excitation... Je l'avais rarement vu comme ça. Il sautillait presque d'allégresse, brûlant d'envie de partir sur-le-champ. Et, à la surprise générale, il suggéra fortement à tous les nains qui étaient venus s'implanter à l'ombre du Cairn de Kelvin de s'en retourner avec lui à Mithral Hall.

Quand je m'en étonnai, Bruenor se contenta de me lancer une œillade complice, en m'assurant que j'y verrais bientôt plus clair, moi aussi. Il ajouta qu'il me restait à vivre la « plus belle aventure de ma vie »...

Ciel ! Rien que ça !

Il refuse toujours d'en dire plus, le bougre ! Et Dagnabbit se montre aussi peu disert, pour une fois, que mon irascible ami. J'ignore jusqu'à l'objectif de cette nouvelle péripétie.

Mais, en toute honnêteté, je me moque un peu des détails... Ce qui compte à mes yeux ? La promesse d'une belle aventure, en effet, pour des causes qui en valent la peine. C'est le secret, au fond. Viser toujours plus haut, c'est vivre. Vouloir constamment s'améliorer, changer le monde, s'enrichir, embellir les jours de ceux qu'on aime... Oui, en vérité, c'est le secret de cet objectif insaisissable entre tous – ou du moins très difficile à atteindre : le sentiment de l'accomplissement.

Certains pensent y réussir en ramenant l'ordre et la sécurité dans leur entourage. Ou en ayant enfin l'impression d'être chez eux et d'y planter leurs racines. Les nains, quant à eux, cherchent à accumuler les richesses matérielles, ou à forger des objets de toute beauté.

Moi, je brandis mes cimeterres.

C'est donc le cœur léger que je quittai le Val Bise avec mes amis... Soit des centaines de nains, un petit homme bougon (mais au fond aussi enchanté que nous), une femme éprise d'aventure, un puissant guerrier flanqué de son épouse et de leur fille... et moi, un elfe noir égaré là, avec sa panthère pour fidèle compagne.

Que la neige s'entasse donc ! Que la pluie tombe à verse et que le vent gonfle mon manteau à plaisir. Je m'en moque ! La route qui me tend les bras en vaut la peine !

— Drizzt Do'Urden

CHAPITRE PREMIER

ALLIANCE

Il arborait son plastron de maître comme s'il s'était agi d'une extension de sa propre couenne. Pas une pièce de métal noir qui ne fût ornée, ciselée et frappée de motifs en repoussé... Les brassières se prolongeaient par des piques incurvées, ainsi que les jointures de l'armure. Une armure apte à servir d'arme, même si le roi Obould Maintes-Flèches lui préférait sa grande épée, qu'il portait toujours harnachée dans le dos. Cette lame magnifique pouvait s'embraser à volonté.

Car cet orc madré bâti en force adorait jouer avec le feu, le regarder dévorer tout ce qu'on lui livrait en pâture... Il portait une couronne en fer noir sertie de quatre rubis étincelants – capables tous les quatre de lancer des boules de feu.

Bref, Obould était une arme vivante, le genre qu'il valait mieux éviter quand on savait où était son intérêt... Beaucoup de prétendants au trône s'étaient interrogés sur le point faible d'Obould... qui, lui, n'avait jamais hésité à les foudroyer sur place.

De tous ses atouts, cependant, le meilleur restait son mental affûté. Il savait exploiter les faiblesses d'autrui, les caractéristiques d'un champ de bataille, de quelque nature qu'il soit, et plus que tout, il savait être une source d'inspiration pour son entourage.

Donc, au contraire de ses congénères très intimidés, Obould foulait tête haute Neige Incandescente, le fief de roc et de glace de la géante Gerti Orelsdottr. Il se présentait non en inférieur mais en qualité de partenaire potentiel.

Et son cortège, calquant son attitude sur la sienne, respirait l'arrogance. A commencer par le fils le plus prometteur du monarque, Urlgen Troispoings – son casque à pointe, dont il se servait volontiers comme d'un bélier, lui faisait en effet comme un troisième poing...

Pourtant, bien des gardes à peau bleue mesuraient plus de deux fois leur taille, pesant plusieurs fois leur poids.

Tout indomptable qu'il se sentît, Obould accusa néanmoins le coup quand il fut introduit avec son escorte dans une immense salle qui était plus givre que roc...

Héritière présomptive de Jarl, le chef des tribus des géants de glace de l'Epine Dorsale du Monde, Gerti occupait un trône de pierre noire tendue de drap bleu.

A l'aune des critères de pratiquement toutes les races, Gerti était une beauté. Haute de plus de douze pieds, elle avait un corps magnifiquement bien tourné et musclé, à la teinte bleuie caractéristique. Le bleu soutenu de son regard saisissant savait se faire plus coupant que la glace, et si le fin modelé de ses longs doigts racés paraissait délicat, Gerti n'en était pas moins capable de broyer des pierres à mains nues... Elle portait ses cheveux longs – ses superbes mèches blondes balayaient sa voluptueuse cambrure. Taillé dans de la fourrure argentée de loup, son manteau était retenu sous la gorge par une fibule sertie d'éclats de gemmes – une fibule dont un elfe adulte eût volontiers fait sa boucle de ceinturon. Un collier de crocs ornait le cou de la belle. Une robe de cuir brun était tendue à craquer sous l'arrondi enchanteur de sa gorge pleine qui appelait la caresse. Fendue de côté, la robe donnait à admirer un ventre musclé et le galbe de jambes fines tout en procurant à la géante une enviable liberté de mouvements. Ses cuissardes s'ourlaient également d'une découpe de pelisse argentée. A en croire les rumeurs, ces superbes bottes montantes, ensorcelées, permettaient à leur propriétaire de couvrir d'incroyables distances en très peu de temps... En montagne, seuls les oiseaux pouvaient aller plus vite.

Obould prit la parole dans la langue des géants, sans faute ni accent.

— Salutations, Gerti.

Il se lança dans une grande révérence, faisant grincer sa cuirasse.

— Vous vous adresserez comme moi en disant Dame Orelsdottr, répondit la géante d'une voix sèche qui portait.

Obould se fendit d'une autre courbette.

— Dame Orelsdottr... Vous avez eu vent de nos raids couronnés de succès, n'est-ce pas ?

Gerti eut un ricanement dédaigneux. Son entourage l'imita.

— Vous avez tué une poignée de nains...

— Je vous apporte un trophée de cette victoire décisive.

— Un... trophée ? répéta la géante, ironique.

— Le nombre d'ennemis occis peut paraître insignifiant, cette victoire n'en marque pas moins d'une pierre blanche le premier succès de nos deux peuples.

Le froncement de sourcils de la géante ne découragea nullement Obould.

— Notre tactique a porté ses fruits, continua-t-il, en se tournant vers Urlgen.

Plus grand que son père mais moins costaud, l'orc approcha et vida sur le sol le contenu d'une grande besace.

Cinq têtes de nains roulèrent, dont celles des frères Stokkum et Bokkum, et de Duggan McJointures.

Grimaçant, Gerti détourna le regard.

— Vous appelez ça un trophée ?

— Des symboles de victoire, répondit Obould, pour la première fois décontenancé.

— Orner mes murs des têtes de races inférieures m'intéresse très peu, lâcha Gerti. J'aime la beauté. Pour moi, les têtes de nains n'entrent pas dans cette catégorie.

Obould la dévisagea, conscient qu'elle aurait pu en toute honnêteté ajouter aux nains les orcs… Loin de céder à l'affolement, toutefois, il garda son sang-froid. Et fit signe à son fils de ramasser et de ranger les restes macabres.

— Apportez-moi plutôt la tête d'Emerus Couronneguerre de Felbarr, dit Gerti. Voilà qui fera un trophée digne d'être conservé.

Front plissé, Obould ravala une réplique. La géante ne lui facilitait certainement pas la tâche. Jusqu'à récemment, le roi Obould Maintes-Flèches avait régné sur l'ancienne citadelle Felbarr. Jusqu'au retour d'Emerus Couronneguerre, qui l'avait chassé avec son clan… A l'époque, Obould combattait une autre tribu orc, ce qui l'avait amené à commettre cette grossière erreur tactique… La pire de sa vie. Couronneguerre et ses nains n'avaient pas laissé passer la chance de reprendre Felbarr aux orcs.

Obould voulait à toute force réparer le mal. Mais ces dernières années, Felbarr s'était considérablement fortifié. A présent, pas loin de sept mille nains y vivaient, renforçant toujours davantage leurs défenses.

Au prix d'un violent effort, le roi des orcs refoula sa colère. Il ne voulait pas que Gerti se réjouisse de l'avoir si bien piqué au vif.

— Ou mieux, ajouta-t-elle, apportez-moi la tête du roi de Mithral Hall. Celle de Gandalug Battlehammer ou de Bruenor, peu m'importe. Du marquis de Mirabar aussi, tant qu'on y est… Oui ! La tête rousse de cet adipeux matamore m'irait très bien ! Sans oublier, naturellement, son Sceptre.

La géante échangea des sourires entendus avec ses guerriers amusés.

— Vous souhaitez présenter à Dame Orelsdottr un trophée digne d'elle ? continua-t-elle. Apportez-moi donc la jolie tête de dame Alustriel de Sylverymoon. Oui, Obould…

— … *Sire* Obould, souligna fièrement l'orc…

… S'attirant le silence des gardes géants et la consternation de son escorte, qui se trouvait dans une position éminemment vulnérable.

Après un regard dur, Gerti hocha la tête.

Pour l'instant, tous deux décidèrent d'en rester là. Dame Alustriel était une cible quasi intouchable pour l'un comme pour l'autre. Même si sa cité resterait toujours à abattre. Sylverymoon était le joyau de la contrée.

Or, tant Gerti Orelsdottr qu'Obould Maintes-Flèches convoitaient les pierres précieuses.

Après une pause, le roi des orcs reprit la parole dans la langue des géants, s'appliquant dans sa diction et son énonciation.

Pour un résultat parfait.

— Je prépare l'assaut suivant.

— Son envergure ?

Secouant la tête, Obould haussa les épaules.

— Rien de démesuré. Une caravane ou une ville. Ça dépendra de notre artillerie de campagne...

Gerti réagit un peu trop, au goût de son interlocuteur.

— Une poignée de géants vaut mille orcs.

Rusé, il s'abstint de protester. L'attitude supérieure de Gerti n'était pas, à long terme, un problème. Il avait besoin de l'appui des géants de glace avant tout pour des raisons diplomatiques.

— Mes guerriers ont adoré bombarder les nains de roches, ajouta Gerti. (Un des géants, près du trône, sourit à ce souvenir agréable.) Très bien. Roi Obould, je vous confie quatre de mes guerriers pour votre prochaine offensive. Envoyez votre émissaire quand l'heure sera venue.

Obould s'inclina, dissimulant un sourire. A son insu, Gerti jouait entre ses mains...

Ces quatre géants seraient essentiels à sa cause.

Se redressant, le roi des orcs tapa le sol du pied ; ses compagnons l'escortèrent hors de la salle.

— Ce sont vos pions, dit Donnia Soldou à Gerti.

Obould venait de faire sa sortie.

Vêtue de noir de pied en cap, avec quelques touches de gris anthracite, la Drow évoluait à son aise au milieu des géants renfrognés. Sa folle arrogance était typique des elfes noirs. Elle avait menacé à mots couverts d'amener une armée dans l'Epine Dorsale du Monde pour y exterminer ceux qui oseraient se dresser contre elle... Ses subtils avertissements n'étaient pas tombés dans l'oreille de sourds. Et les elfes noirs adoraient s'imposer ainsi.

Naturellement, Donnia menaçait en vain. Elle ne disposait en réalité d'aucune armée. Elle appartenait à un groupuscule de quatre parias.

Ses longues nattes blanches lui couvraient la partie droite du visage – y compris l'œil.

— Ce sont des orcs, répondit Gerti Orelsdottr avec dédain. Les pions rêvés pour quiconque ourdit des machinations... Difficile de ne pas écraser Obould sur place, rien que pour le punir d'être aussi laid ! Ou si stupide... Par plaisir !

— Mais les desseins d'Obould servent les vôtres, souligna Donnia. Ses partisans sont nombreux. Assez, d'ailleurs, pour menacer les communautés naines et humaines de la région. Mais pas au point d'affronter les armées de grandes cités comme Sylverymoon.

— Il veut Felbarr pour la renommer la Citadelle Maintes-Flèches... Croyez-vous qu'il pourrait s'emparer d'un lieu aussi prospère sans encourir les foudres de dame Alustriel ?

— Sylverymoon est-il intervenu quand Obould et ses guerriers ont mis

Felbarr à sac la dernière fois ? (Donnia gloussa.) La Dame et ses conseillers ont bien d'autres chats à fouetter dans leur propre territoire. Tôt ou tard, Felbarr se retrouvera isolée. Mithral Hall ou la citadelle Adbar tenteront peut-être d'envoyer des renforts. Mais si nous fomentons assez d'agitation au sein des tribus des environs, Felbarr se retrouvera rapidement coupée du reste du monde.

— Je n'ai nul désir de me colleter des nains au fin fond de leurs boyaux puants ! grogna la géante des glaces.

— Pour ça, vous avez Obould et ses milliers de guerriers.

— Les nains les tailleront en pièces.

Souriant, Donnia haussa les épaules, comme si cela importait peu.

Gerti allait répondre quand elle se reprit, et hocha la tête.

Satisfaite, l'elfe noire garda le sourire. Ses compagnons et elle étaient tombés à pic. Le vieux Maingrise, Jarl Orel des géants de glace, était à l'article de la mort, disait-on. Et sa fille avait hâte de lui succéder. D'un orgueil démesuré, Gerti considérait les géants comme la toute première race des Royaumes, la plus grande. Elle était forcément destinée à dominer le monde.

Son fol orgueil et sa xénophobie surpassaient jusqu'à ceux des matrones de la ville natale de Donnia, Ched Nasad.

Et cela faisait d'elle, Gerti, une cible toute trouvée.

— Comment va Maingrise ? demanda Donnia, histoire d'aiguiser les appétits de la géante.

— Il n'a plus l'usage de la parole. Son règne touche à sa fin.

— Et vous êtes toute prête à lui succéder. Vous, dame Gerti Orelsdottr, entraînerez vos tribus sur les chemins de la gloire, et malheur à ceux qui tenteront de vous arrêter !

La géante prit la pose, sur son trône. Menton droit, tête haute, regard brillant… La fierté incarnée.

Donnia sourit sous cape.

— Je hais autant ces maudits géants que les nains ! grogna Urlgen en émergeant à l'air libre, avec ses compagnons. Si j'avais une chance de l'atteindre, je cracherais à la face de Gerti !

— Garde ça pour toi ! le tança son père. Tu n'as pas aimé que les géants bombardent les nains de roches ? Tu crois qu'abattre leurs défenses sera facile sans l'aide de nos alliés ?

— Alors pourquoi est-ce à nous de lancer l'attaque les premiers ? demanda un guerrier.

Pour la peine, Obould pivota et l'assomma d'un coup de poing.

Le débat était clos.

— Eh bien, nous verrons de quelle aide les géants nous seront, grogna Urlgen. Qu'ils commencent donc par aller démolir Mirabar !

Certains hochèrent la tête.

Une voix mélodieuse, aux antipodes des accents gutturaux des orcs, s'éleva. Pour musicale qu'elle fût aux oreilles, elle ne manquait pas moins de fermeté.

— Dois-je vous rappeler les choix que nous avons faits ?

Le groupe se retourna pour voir sortir de l'ombre Ad'non Kareese.

— Salut, Furtif.

Heureux du compliment, Ad'non s'inclina.

— Nous avons rencontré la grande sorcière, ajouta Obould.

— J'en ai eu vent...

L'orc gloussa.

— Naturellement, Furtif. Vous pouvez vous faufiler partout, pas vrai ?

— Partout, en toutes circonstances.

Jadis, il avait été au nombre des meilleurs éclaireurs de Ched Nasad, un voleur et un tueur à la réputation grandissante. Mal inspiré, il avait fini par s'attaquer à une puissante prêtresse... Sa déchéance fulgurante l'avait contraint à l'exil, loin d'Ombre-Terre.

Ces vingt dernières années, Donnia Soldou, une tueuse comme lui, la prêtresse Kaer'lic Suun Wett et le rusé Tos'un Armgo, un rescapé du raid désastreux de Menzoberranzan contre Mithral Hall, s'étaient bien davantage amusés à la surface du monde que dans leurs cités respectives. Et là au moins, ils jouissaient d'une liberté considérable...

A Ched Nasad comme à Menzoberranzan, tous quatre avaient été de vulgaires pions aux mains de puissances supérieures – à l'exception possible de Kaer'lic, une prêtresse de renom jusqu'à ce que la catastrophe la fauche elle aussi en pleine ascension... Plongés au milieu de races inférieures, les quatre disgraciés agissaient à leur convenance, en toute impunité. D'autant qu'ils affirmaient être l'avant-garde de redoutables armées drows, prêtes à fondre sur les peuples de la surface pour balayer les opposants comme des fétus de paille. A la plus petite allusion à cette calamité annoncée, le fier Obould et l'orgueilleuse Gerti Orelsdottr eux-mêmes s'agitaient nerveusement sur leur trône...

— Le choix ne vous appartient pas, Furtif ! protesta Urlgen. C'est à Obould d'en décider.

— Et à Gerti, rappela le Drow.

— Bah, nous bernerons facilement la sorcière !

La remarque d'Urlgen souleva l'assentiment général.

— Et en la bernant, c'est la ruine de ses plans comme de ceux de votre père que vous provoquerez, répliqua l'elfe noir, très calme. (Les clameurs d'allégresse cessèrent. Ad'non se tourna vers Obould.) Il faut s'en tenir assez longtemps à des objectifs modestes. Vous m'avez demandé mon avis, et je vous l'ai donné. Il n'a pas changé. De petits raids. Il s'agit de faire sortir l'ennemi du bois. Patiemment.

— Ça pourrait prendre des années ! se récria Urlgen.

Ad'non hocha la tête.

— Les habitants de ces régions sont habitués aux escarmouches continuelles entre les uns et les autres, répéta-t-il. C'est quasiment inévitable, dans un milieu naturel aussi hostile. Une caravane interceptée là, un village pillé ici… Ça arrive tous les jours, personne ne s'en émouvra outre mesure. Pourquoi ? Parce qu'au début, nul ne comprendra ce qui est vraiment en train de se passer… Pas un n'en mesurera la portée. Vous pouvez ponctionner les réserves d'or des nains, mais montrez-vous trop gourmands, et vous pousserez tous leurs clans à s'unir contre vous.

Il marqua une pause, le regard fixé sur le roi des orcs.

— Vous réveillerez la bête. Pensez un peu aux trois forteresses naines alliées contre votre peuple, se fournissant les unes les autres en biens, en armements, en équipements, en soldats… grâce à leurs réseaux de communication souterrains, rien de plus facile. Imaginez alors la bataille qui vous attendra si vous voulez reprendre la citadelle de Maintes-Flèches… Des milliers de nains arrivant d'Adbar en renfort, et équipés par les meilleurs métaux que Mithral Hall puisse fournir… Cette forteresse, la plus petite des trois, a repoussé l'armée de Menzoberranzan ! Ça devrait vous donner à réfléchir.

A ce nom honni – Menzoberranzan ! –, suffisant à instiller la terreur dans les cœurs, les orcs frissonnèrent.

— Sans compter qu'il faudra surveiller Sylverymoon… N'oublions pas qu'Alustriel est l'amie des nains de Mithral Hall. Nous ne devrons jamais laisser Mithral Hall et Mirabar devenir alliés.

— Bah, Mirabar hait ces nouveaux venus !

— Exact, mais d'un point de vue économique seulement, tempéra le conseiller drow. Alors que Gerti et vous menacerez leur existence. C'est tout de même très différent. Quand on craint pour sa vie, on en arrive à contracter des alliances surprenantes.

— Comme celle qui me lie à Gerti ?

Ad'non y réfléchit avant de secouer la tête.

— Non. Gerti et vous avez compris que vous aviez tout à gagner à vous allier. Et vous n'avez pas peur.

— Naturellement non !

— Vous ne le devriez pas. Jouez le jeu comme je vous le conseille, et comme nous l'avons planifié de longue date, mon ami. (Le Drow se rapprocha et ajouta, pour les seules oreilles du roi :) Prouvez à tous que vous êtes au-dessus de la mêlée. Et que nul autre que vous n'est en mesure, par le truchement d'alliances puissantes, de reconquérir votre citadelle.

Se redressant de toute sa taille, Obould hocha la tête.

— Je ne te demanderai pas comment s'est déroulée ton entrevue avec Obould, lâcha la prêtresse Kaer'lic Suun Wett dès qu'Ad'non l'eut rejointe.

Ils se trouvaient dans une pièce richement décorée du réseau souterrain qui s'étendait à l'extrême sud de l'Epine Dorsale du Monde, non loin des grottes de Neige Incandescente…

Les épaules bien découplées, Kaer'lic avait perdu un œil au combat près d'un siècle plus tôt. Plutôt que de le faire repousser par magie, la jeune prêtresse avait préféré le remplacer par celui d'une araignée géante, à facettes multiples. Elle prétendait qu'il était parfaitement opérationnel, lui permettant même de voir ce qui échappait aux autres… Ses trois amis, eux, savaient à quoi s'en tenir.

Bien des fois, d'humeur taquine, Ad'non et Donnia s'étaient approchés d'elle en catimini, sur sa droite, la prenant en défaut.

Mais les araignées et tout ce qui se rattachait à elles, de près ou de loin, faisaient toujours grosse impression sur les elfes noirs. Tos'un Armgo, le dernier venu, avait été très intimidé… jusqu'à ce que ses trois compagnons le mettent dans la confidence.

Le haussement d'épaules d'Ad'non, en réponse à la remarque de Kaer'lic, se passait de commentaire. Avec un orc, tout se passait invariablement comme prévu. Pas de surprises… Si Obould était plus malin que ses congénères, à l'aune des critères drows, ça ne voulait franchement pas dire grand-chose…

— Dame Gerti mène sa barque, naturellement, ajouta Donnia. Elle croit dur comme fer que sa destinée est de régner sur l'Epine Dorsale du Monde. Elle ne reculera devant rien pour y parvenir.

— Et pourquoi pas ? lança Tos'un. Gerti Orelsdottr est rusée. Entre les guerriers d'Obould et la grogne des trolls des landes, le chaos pourrait très bien lui permettre de réussir son coup.

— Quoi qu'il advienne, en tout cas, nous saurons en tirer profit, déclara Donnia avec satisfaction.

Tous quatre sourirent d'un air entendu.

— Dire que j'ai envisagé à un moment de retourner à Menzoberranzan…, lâcha Tos'un Armgo. Faut-il être bête !

Ses amis éclatèrent de rire.

Puis Donnia et Ad'non échangèrent un long regard langoureux. Les amants se retrouvaient après une longue séparation. Et parler conquête, chaos et profit était toujours tellement stimulant !

Ils sortirent presque en courant de la pièce au luxe décadent pour se précipiter dans leurs appartements privés…

Kaer'lic hurla de rire.

— Ces deux-là finiront par expirer dans les bras l'un de l'autre, tant ils y mettent du cœur !

— Il doit y avoir des façons pires de mourir…, soupira Tos'un, le fils de la Maison Barrison Del'Armgo.

La prêtresse redoubla d'hilarité.

Eux deux étaient également amants – à temps partiel. Et en de brèves occasions… Kaer'lic avait toujours mieux à faire. D'ailleurs, un esclave lui suffisait la plupart du temps, quand ça la démangeait. Elle ne recherchait pas de partenaire digne de ce nom.

— Nous devrions étendre nos raids à la forêt des Sélénæ, ajouta-t-elle, d'humeur égrillarde. En convainquant Obould de capturer pour nous un couple de jeunes elfes de lune…

— Juste un couple ? maugréa Tos'un. Plusieurs, ce serait mieux.

Kaer'lic en pleura de rire.

Adossé aux moelleuses fourrures de son canapé, le guerrier s'étonna encore d'avoir envisagé un retour à Menzoberranzan, avec son sinistre cortège de dangers sournois, d'inconforts et d'assujettissements réservés aux mâles de l'espèce…

CHAPITRE II

INDÉSIRABLES

Entre les cimes enneigées de l'Epine Dorsale du Monde, le vent hurlait aux oreilles des intrépides voyageurs. Un peu plus au sud, du côté des routes de Luskan, le printemps céderait bientôt la place à l'été. Mais sur les hauts plateaux, le vent était rarement chaud, et les excursions rarement faciles.

Pourtant, Bruenor Battlehammer n'avait pas voulu suivre d'autre trajet pour rallier Mithral Hall. Avec ses amis, il avait quitté le Val Bise sans encombre. Et pour cause... Les bandits de grands chemins ou les monstres solitaires n'approcheraient pas d'une armée de près de cinq cents nains ! En montagne, les vaillants guerriers avaient essuyé des tempêtes de neige sans perdre courage. Puis, alors que Drizzt et ses amis pensaient apercevoir bientôt les tours de Luskan, au sud, leur groupe avait bifurqué à l'est.

L'elfe noir s'était étonné de ce changement d'itinéraire. Une route plus directe, peut-être, mais pas plus rapide et certainement pas moins périlleuse...

A cette interrogation logique, Bruenor s'était contenté de conseiller à Drizzt la patience. Il ne perdrait rien pour attendre !

En plusieurs dizaines de jours ponctués de chants de marche, les nains avaient beaucoup progressé.

Peu après la bifurcation à l'est, et à la surprise de Drizzt, de Catti-Brie et de Wulfgar, Bruenor avait retenu Régis à ses côtés. Il ne cessait de se pencher vers lui pour lui parler des dieux savaient quoi. Et le petit homme dodelinait souvent de la tête.

— Que sait-il que nous ignorons ? lança Catti-Brie à Drizzt.

Ne sachant qu'en penser, le Drow haussa les épaules. Il n'arrivait plus à déchiffrer Régis.

— Nous devrions percer ce mystère, grommela la jeune femme, irritée.

— Quand Bruenor voudra nous en dire plus, il le fera, assura Drizzt.

Sa compagne grimaça.

— Nous les avons tous deux détournés de plus d'un mauvais coup...

Es-tu décidé à en savoir plus avant qu'une nouvelle catastrophe ne s'abatte sur nous ?

Dire que Gaspard Pointepique jouait aussi les conseillers auprès de Bruenor... Catti-Brie n'avait pas tort de prédire le pire.

Le Drow gloussa.

— Et que devrions-nous faire ?

— Eh bien, puisque Bruenor ne parlera pas sous la torture, occupons-nous de Régis. Son seuil de tolérance à la douleur est beaucoup moins élevé, comme chacun sait...

— Tu veux le torturer ? s'écria Drizzt, incrédule.

— Ou le faire boire, ou le piéger... Peu importe, pourvu qu'on ait des réponses ! Dès que Bruenor aura le dos tourné, Wulfgar nous amènera ce petit rat par la peau du cou.

Dépassé, Drizzt rit de bon cœur... et se félicita que le nain ne l'ait pas choisi comme confident. Catti-Brie n'avait pas l'air de plaisanter.

Comme les nuits précédentes, Drizzt et elle campèrent un peu à l'écart des nains – tant pour assurer la garde que pour échapper aux rodomontades de Gaspard Pointepique et de ses Nazetripe. Ce soir-là cependant, Gaspard rejoignit le couple au coin du feu. Et tendit une main intriguée vers la chevelure auburn de la jeune femme, avant de lâcher à ses pieds un sac au contenu visqueux.

— Tu as bonne mine, ma fille ! Mets ça sur ta peau tous les soirs avant de te coucher.

Elle baissa les yeux sur le sac, puis les releva vers Drizzt. Adossé à une paroi rocheuse, il passa les doigts dans la crinière blanche qui offrait un contraste saisissant avec son teint d'ébène et ses yeux violets. A l'évidence, le foudre-de-guerre l'amusait.

— Sur mon visage ? demanda Catti-Brie. (Gaspard hocha vigoureusement la tête.) Laisse-moi deviner... Ça me fera pousser la barbe !

— Une belle, bien drue ! Et rousse comme les reflets de tes boucles ! Ce sera magnifique !

Le front plissé, la jeune femme jeta un regard par en dessous au Drow, qui réprima mal un gloussement.

— Ne t'en mets pas trop sur les joues, hein, ma fille ? recommanda Gaspard.

Drizzt ne put retenir un éclat de rire.

A cet instant, Wulfgar le barbare rejoignit le trio. De haute taille et de belle carrure, le jeune homme musclé avait soigneusement taillé sa barbe blonde. Ses amis voulaient y voir le signe qu'il avait enfin triomphé de ses démons.

Il portait en bandoulière un sac très... remuant.

Sa curiosité piquée au vif, Gaspard en sautilla d'allégresse.

— Eh, que nous apportes-tu là, mon garçon ?

— Le dîner, répondit Wulfgar.

Dans le sac, la créature gémit.

S'humectant les lèvres, Gaspard se frotta les mains.

— On en aura à peine assez pour nous, ajouta le barbare. Désolé.

— Bah ! Je me contenterai d'une patte !

Une main posée sur le front de Gaspard, le bras tendu, Wulfgar le tint à distance respectueuse.

— Il y en a à peine assez pour nous, répéta-t-il. Les restes iront à ma femme et à ma fille. Tu devras partager le repas des autres nains, j'en ai peur.

— Bah ! Tu ne l'as même pas achevé !

Sur ces mots, Gaspard s'apprêta à flanquer un coup de poing dans le sac, à l'aveuglette.

— Non ! hurlèrent en chœur Drizzt, Wulfgar et Catti-Brie.

L'elfe noir et la jeune femme se précipitèrent. Alors que le barbare s'écartait de Gaspard, il cogna le sac contre la paroi rocheuse.

Un autre gémissement s'éleva.

— Nous le voulons bien vif, expliqua Catti-Brie au nain perplexe.

— Vif ? Il gigote encore, l'animal !

Imitant Gaspard, la jeune femme s'humecta les lèvres en se frottant les mains.

— Oh, oui ! s'exclama-t-elle, joyeuse.

Le foudre-de-guerre recula, les poings sur les hanches. Puis il éclata de rire.

— Tu feras une bonne naine, ma fille !

Se claquant les cuisses, il se détourna et retourna au campement principal de sa démarche bondissante.

Wulfgar s'empressa de libérer le « gibier » en douceur : un petit homme dodu en chemise rouge, veste et braies marron...

Furieux, le « gibier » se releva et s'épousseta.

Wulfgar faillit rire.

— Désolé...

Le regard noir, Régis flanqua un coup de pied au mollet du barbare.

Drizzt passa un bras autour des épaules du petit homme.

— Doucement, mon ami. Nous avons à te parler, c'est tout.

— Ah, oui ? Et me demander un entretien était impossible ?

L'elfe noir haussa les épaules.

— Il s'agit d'une entrevue secrète.

A ces mots, Régis se recroquevilla. Il avait vite compris...

Catti-Brie se chargea de mettre les points sur les *i*.

— Bruenor et toi faites bien des mystères ! Alors ? De quoi parlez-vous donc tant ?

— Bruenor vous le dira quand il le jugera bon !

— Nous ne nous trompions pas, souligna Drizzt. Il se trame quelque chose...

— En effet : Bruenor retourne à Mithral Hall pour y être couronné roi. C'est quelque chose !

— Il y a davantage en jeu, insista l'elfe noir. Je le vois clairement dans l'éclat de son regard, ou sa démarche sautillante.

Régis haussa les épaules.

— Il est ravi de ce retour aux sources.

— C'est bien notre destination ? demanda Catti-Brie.

— Oui. Moi, j'irai plus loin, au Fortin du Héraut.

Les amis avaient visité cette bibliothèque, située au nord-ouest de Sylverymoon, à l'époque où ils étaient sur la piste de Mithral Hall, un lieu jadis mythique.

— Bruenor m'a demandé de faire des recherches pour lui.

— Dans quel domaine ? demanda le Drow.

— Tout ce qui concerne le règne de Gandalug...

— Et pourquoi cela ? insista Catti-Brie.

Que cachait donc Régis ?

— Demandez-le-lui..., s'éleva une voix familière.

Tous se tournèrent pour voir arriver Bruenor en personne.

— Qu'est-ce qui vous en empêche ? Au lieu d'enlever Régis ?

— Parce que tu nous répondrais ? le défia Catti-Brie.

— Non... Bah ! Espérer vous surprendre, c'est vouloir l'impossible ! s'emporta Bruenor.

— Nous surprendre ? répéta Wulfgar. Comment ça ?

— Une aventure, fiston ! La plus magnifique de toutes !

— J'en ai déjà vécu de fabuleuses..., rappela Drizzt.

— Asseyez-vous ! rugit Bruenor, tout excité.

Tous les cinq s'assirent autour du feu de camp.

Lançant une œillade complice à sa fille, le nain vida le contenu de son sac : des vivres, du vin et de la bière.

Après la distribution, il se lança vivement dans un programme qu'il avait eu du mal à taire jusqu'à ce soir.

— Demain, nous aborderons la vallée de Khedrun, puis atteindrons Mirabar.

— Mirabar ? se récrièrent Catti-Brie et Drizzt à l'unisson, aussi sceptiques l'un que l'autre.

La cité minière de Mirabar était en concurrence directe avec Mithral Hall.

— Vous connaissez Dagnabbit ? ajouta Bruenor. (Ses amis hochèrent la tête.) Tu as toujours ta panthère, Drizzt ? Oui ? Appelle-la, s'il te plaît. Qu'elle fasse la chasse aux espions, s'il y en a...

Perplexe, le Drow obéit. Il tira de sa bourse la figurine d'onyx qui représentait une panthère.

— Guenhwyvar...

Une brume grise virevolta autour de la figurine, l'enveloppa... et prit rapidement corps.

La majestueuse panthère noire attendit patiemment les instructions de Drizzt.

Penché à son oreille, il les lui murmura, et elle disparut dans la nuit. Satisfait, Bruenor hocha la tête.

— Les nains de Mirabar donneraient cher pour s'emparer de Mithral Hall. (Jusque-là, rien de nouveau…, jugèrent les amis réunis.) Ils cherchent le moyen de reprendre l'avantage dans la production des minéraux.

Après avoir jeté des regards circonspects à la ronde, comme s'ils étaient cernés par des nuées d'espions, Bruenor fit signe à ses amis de se pencher vers lui en tendant l'oreille.

— Ils cherchent surtout Gauntlgrym, chuchota-t-il.

— C'est quoi ? demanda Wulfgar, aussi perdu que Catti-Brie.

Comme si tout cela était parfaitement logique, Drizzt hocha la tête.

— La forteresse antique, précisa Bruenor, antérieure à Mithral Hall, aux citadelles Adbar et Felbarr… En ce temps-là, nous formions un seul clan, les Delzoun.

— Il y a des siècles, renchérit le Drow, on perdit toute trace de Gauntlgrym. De mémoire de nain…

Bruenor lui fit un clin d'œil.

— Maintenant que Gandalug a rejoint les Halls de Moradin, plus aucun vivant ne peut en parler, en effet.

Catti-Brie, Wulfgar et Drizzt arrondirent les yeux.

— Gandalug connaissait Gauntlgrym ? demanda le Drow.

— Il ne l'avait jamais vue, non. Elle est tombée bien avant sa naissance… Mais du temps de sa jeunesse, d'autres nains en gardaient encore le souvenir vivace… (Bruenor dévisagea ses amis tour à tour.) Bref, ceux de Mirabar ne cherchent pas où il faut.

— Que savait Gandalug ? demanda Catti-Brie.

— Il n'en savait pas beaucoup plus sur Gauntlgrym que moi sur Mithral Hall quand je me suis lancé avec vous à sa recherche…, admit Bruenor. Moins, même. Mais si nous retrouvons ce lieu mythique, le jeu en aura valu la chandelle ! Ah, les trésors qui nous tendent déjà les bras, les amis !

Il continua, intarissable, sur l'art légendaire des nains de Gauntlgrym, leurs armements investis d'un grand pouvoir – à commencer par des boucliers capables de résister au souffle des dragons…

S'il ne quittait pas Bruenor des yeux, Drizzt lui prêtait cependant une oreille distraite. A première vue, l'aventure valait effectivement son pesant d'or… L'elfe n'avait plus vu son ami aussi excité depuis des années.

De même, les yeux verts de Catti-Brie pétillaient autant que ceux, bleus, de Wulfgar… Après avoir passé six ans entre les griffes du démon Errtu, le barbare était enfin en voie de la guérison. Sa femme Delly et sa fille Colson l'accompagnaient partout. Un fait très rassurant.

Régis, qui avait pourtant déjà dû entendre Bruenor en parler sur tous les tons, se penchait aussi, gagné par la ferveur contagieuse du nain.

Mais pourquoi donc passer par Mirabar ? Ils n'y seraient pas les bienvenus. Pourquoi Dagnabbit n'y allait-il pas seul ? A tous les coups, lui passerait inaperçu.

Le Drow garda ses pensées pour lui. Quand le roi Gandalug avait averti Bruenor de l'antagonisme croissant de Mirabar vis-à-vis de Mithral Hall, Drizzt et Catti-Brie cinglaient la Côte des Epées à bord du *Farfadet des Mers.*

Dès le retour des jeunes gens, Bruenor leur avait reproché leur longue absence.

Le Conseil des Pierres Etincelantes, l'organe exécutif de Mirabar qui réunissait des nains et des hommes, parlait en termes chaleureux de ses frères du clan Battlehammer... Mais des sources proches de ce conseil avaient répété à Bruenor bien des commentaires perfides et peu flatteurs à son égard. Et les machinations ourdies par le marquis de Mirabar avaient souvent flanqué des maux de tête à Gandalug...

Bruenor passerait donc par Mirabar, déterminé à affronter ses fourbes détracteurs, et à s'affirmer comme le neuvième souverain de sa dynastie.

Bref, le Drow ne doutait pas de vivre une nouvelle aventure fertile en rebondissements.

Pourtant, il se remémora sa découverte du monde de la surface, à l'époque où il avait également cru aller au-devant d'une fantastique aventure aux côtés de ses semblables... Et il revit en pensée le massacre gratuit des elfes blancs qui s'en était suivi... Il se rappela l'enfant qui s'était couverte du sang de sa mère pour se faire passer pour morte...

Cette nuit-là, Drizzt l'avait sauvée de ses frères sanguinaires.

Et en vérité, ce drame avait incité l'elfe noir à se lancer dans une nouvelle vie, loin de ses infâmes congénères.

Des années plus tard, Drizzt avait tué cette fillette devenue adulte... Il revit Ellifain, mortellement blessée dans une des grottes du repaire des pirates, ravie à la perspective d'emporter l'elfe noir dans sa tombe...

Mais Drizzt lui avait survécu.

En toute bonne foi, il n'avait rien à se reprocher. Comment aurait-il pu prévoir les tourments que vivrait la rescapée pendant des dizaines d'années ? Comment aurait-il deviné qu'Ellifain sombrerait dans la folie et accablerait son sauveur de tous ses maux ?

Mais sur un autre plan – plus profond et sans rapport avec la raison – ce duel fatidique contre Ellifain avait profondément affecté Drizzt Do'Urden. Il quittait le Val Bise en ne songeant qu'à de nouvelles aventures, heureux de reprendre la route avec ses amis... Et pourtant, ce n'était plus tout à fait pareil. Sa conviction de faire œuvre utile en se consacrant à la recherche d'antiques royaumes ou de trésors s'était émoussée. Il ne s'était jamais considéré comme un personnage important sur la scène politique du monde, se contentant d'améliorer par ses actes les conditions de vie de son entourage et de contribuer au bonheur de ceux qu'il aimait. Depuis toujours, il saisissait la différence fondamentale entre le bien et le mal. Et restait, de son point de vue, un champion de la justice et du bien.

Mais... et Ellifain ?

Prêtant une oreille distraite à ses amis, au coin du feu, un sourire fermement accroché à ses lèvres, il se répéta que cette toute nouvelle aventure lui plairait.

Il devait le croire.

La cité de Mirabar n'avait rien de très attirant. Des bâtisses carrées et quelques tours ceintes de murailles. Tout respirait le contrôle, l'efficacité…

Pour un nain comme Bruenor, c'était admirable – jusqu'à un certain point. Alors que les voyageurs approchaient des portes nord, Drizzt et Catti-Brie, eux, jugèrent la ville parfaitement ordinaire et sans attraits.

— Que c'est terne, par rapport à Sylverymoon ! s'exclama le Drow.

— Même Menzoberranzan est plus jolie…, renchérit Catti-Brie.

Drizzt dut en convenir.

Et, aux portes nord, les gardes se révélèrent comme de juste à l'image de leur cité : d'un abord rébarbatif. Hallebardes plantées en terre à la verticale, l'armure argentée des quatre humains scintillait au soleil matinal. Bruenor reconnut sur leurs boucliers l'emblème royal de Mirabar : une hache couleur vermillon à double tranchant sur champ sable. L'approche d'une armée naine dut ébranler les soldats mais, à leur grand mérite, ils gardèrent la pose sans frémir, impassibles.

Bruenor fit passer son chariot à l'avant de la colonne. Dagnabbit, le jeune cocher à la barbe blonde, tira sur les rênes pour immobiliser l'attelage devant les portes.

Se dressant, Bruenor mit les poings sur les hanches.

— Votre nom, et la raison de votre visite… ? lança un des gardes.

— J'ai rendez-vous avec le conseil des Pierres Etincelantes, répondit Bruenor. Et la raison de ma venue ne concerne que lui.

— Vous devez répondre aux questions de la garde, visiteur, insista un des soldats.

— Ah oui ? Et vous voulez mon nom ? Bruenor Battlehammer, crétin ! Le *roi* Bruenor Battlehammer ! Courez donc l'annoncer aux conseillers qui m'attendent, et qu'on en finisse !

Les gardes échangèrent des regards nerveux.

— Vous avez tout de même entendu parler de moi, non ? s'impatienta Bruenor. Et de Mithral Hall ?

Un des soldats prit un cor à son ceinturon et en tira une série de sons brefs. Peu après, un nain couturé de cicatrices, en cotte de mailles, poussa une petite porte habilement dissimulée près des grands battants de la ville. Lui aussi arborait les armes de Mirabar sur son plastron.

— Eh bien, c'est au moins quelque chose…, grommela Bruenor. Heureux de voir que votre supérieur est un nain, mes gaillards ! Vous êtes peut-être moins stupides que vous en avez l'air, après tout…

— Salut, roi Bruenor ! Torgar Delzoun Frappemarteau, à votre service.

Il s'inclina si bas que sa longue barbe noire balaya la poussière.

— Salut, Torgar, répondit Bruenor en s'inclinant à son tour, fort gracieusement. Je vois que vos gardes prennent leur mission très à cœur.

— Je les ai moi-même entraînés.

Bruenor fit une autre courbette.

— Nous sommes crottés et fatigués. Nous aimerions dormir ici cette nuit. Auriez-vous la bonté de nous ouvrir ?

Se penchant d'un côté et de l'autre, Torgar examina la caravane, dubitatif. Et ouvrit des yeux ronds en découvrant une femme et un Drow, qui ne cherchaient nullement à se dissimuler.

— Ce n'est pas possible !

— Allons, grogna Bruenor, vous en avez forcément entendu parler. Le nom de Drizzt ne vous rappelle rien ?

— Quelle importance ? Aucun Drow maudit n'entrera dans ma cité ! Pas tant que je serai le commandant de la Hache de Mirabar !

Réagissant au coup d'œil appuyé de Bruenor, Drizzt souriant s'inclina avec déférence.

— Bon... Entendu, il campera à l'extérieur, soupira Bruenor. Et nous ?

— Où voudriez-vous qu'on loge cinq cents visiteurs tombés du ciel ? s'exclama Torgar, les bras en croix. Certes, ils nous seraient très utiles dans les mines...

— Combien d'entre nous pourriez-vous recevoir ?

— Une vingtaine, vous compris.

— D'accord. Gaspard, avec trois de tes guerriers, Dagnabbit et moi, ça fait déjà cinq. Plus Régis... (Bruenor regarda Torgar.) Vous avez quelque chose contre les petits hommes ?

Haussant les épaules, Torgar secoua la tête.

— Bon... Six. Dagnabbit et Gaspard, vous direz aux marchands de désigner quatorze d'entre eux pour entrer en ville avec leurs marchandises. Allez, pressons !

Peu après, Torgar Delzoun Frappemarteau et les vingt nains choisis franchirent les portes de Mirabar. Bruenor avait tout du fameux roi guerrier de Mithral Hall dont on faisait des gorges chaudes. Il gardait, sanglés dans le dos, sa hache et son bouclier orné de l'emblème du clan : la chope de bière débordant de mousse. Ainsi que son heaume cabossé, dont il manquait une corne...

Un roi nain était avant tout un être pragmatique, né pour l'action.

— Alors, qui est votre marquis aujourd'hui ? demanda Bruenor.

Torgar écarquilla les yeux.

— Elastul Raurym.

— Prévenez-le que je désire lui parler.

— Vous plaisantez ? Son carnet de rendez-vous est plein six mois à l'avance ! On ne peut pas se pointer comme ça et demander à être reçu...

Bruenor riva sur son interlocuteur des yeux noirs.

— Je ne *demande* pas un entretien, j'en *accorde* un ! Allez, pressons !

Surpris par ce brusque changement d'attitude chez son royal visiteur, Torgar plissa le front...

Tous deux s'affrontèrent du regard.

— Le protocole...

— ... Est bon pour les humains, les gnomes et les elfes ! coupa Bruenor. Je ne suis pas un homme, certainement pas un elfe et encore moins un gnome barbu ! Je vous parle de nain à nain...

Il posa une main ferme sur l'épaule de Torgar, et ce petit geste sembla suffire. Rasséréné, le commandant de la Hache de Mirabar prit l'air grave, comme si on venait de lui rappeler quelque chose d'important.

— Je cours le prévenir.

Au préalable, Torgar montra aux vingt visiteurs où dormir la nuit : une grande maison en pierre, au mobilier chiche. Les trois chariots sélectionnés s'aligneraient dans la cour.

— Je reviendrai, promit Torgar. Les petits colifichets blancs qui sont accrochés aux panneaux mobiles de vos chariots m'intriguent, je l'avoue.

— C'est de la cornedentelle, expliqua Bruenor. Elle est taillée dans des arêtes de truite. Mon ami est très doué.

Il désigna Régis, qui rougit de plaisir.

— Vous avez de quoi tailler d'autres objets sur place ? demanda Torgar.

— J'ai quelques pièces, oui.

— Demain matin, vous me montrerez ça. J'en achèterai peut-être.

Sur ces mots, Torgar s'en fut prévenir le marquis de la visite inopinée du roi de Mithral Hall.

— Tu l'as fait manger dans ta main..., dit Régis.

Bruenor le regarda.

— A notre arrivée, expliqua le petit homme, il était agressif, et ne demandait qu'à se battre. Maintenant, j'ai l'impression que reprendre la route à nos côtés ne lui déplairait pas...

Une exagération ? Peut-être pas tant que ça...

Bruenor sourit. Dagnabitt l'avait tenu informé des imprécations de Mirabar contre Mithral Hall. Et, détail pas si surprenant à la réflexion, les nains de Mirabar étaient les plus virulents, pas les humains. Voilà pourquoi Bruenor avait tenu à se présenter dans cette ville en personne. D'ailleurs, les conditions de vie et le climat de Mirabar convenaient beaucoup mieux aux humains qu'aux nains. Que ceux-ci aient donc l'occasion de voir en chair et en os un de leurs authentiques monarques : Bruenor Battlehammer, une légende vivante... Qu'ils entendent parler de Mithral Hall par ceux qui en venaient... Alors, les nains de Mirabar cesseraient sans doute de l'accabler de tous leurs maux.

Et ils se souviendraient peut-être de leur héritage.

— Pourquoi nous avoir refusé l'hospitalité ? soupira Catti-Brie. C'est tout de même troublant...

Drizzt et elle campaient sur un promontoire, à l'est de la caravane. D'où ils étaient, ils dominaient la ville.

Intrigué, l'elfe noir lut de la compassion, dans les yeux de sa compagne. Et il comprit qu'elle réagissait en fait à sa propre tristesse.

— Non. Je dois accepter les choses telles qu'elles sont. Certaines ne changeront jamais.

— Ton expression dément tes paroles.

Drizzt se força à sourire.

— Non...

Catti-Brie n'était pas dupe.

— Tu repenses à cette elfe...

Le Drow tourna ses regards vers Mirabar.

— J'aurais tant voulu qu'on la sauve...

— Nous l'aurions tous souhaité.

— Je regrette que tu m'aies administré la potion. La lui donner l'aurait sauvée.

— Certes. Et ensuite, Bruenor m'aurait tuée. (Un sourire s'épanouissant sur son beau visage, Catti-Brie força son compagnon à se retourner vers elle.) C'est vraiment ce que tu aurais voulu ?

Devant tant de charme et de légèreté, Drizzt rendit les armes.

— C'est si difficile... Parfois, je regrette que les choses n'aient pas pu se dérouler autrement. Toutes les histoires devraient bien se terminer !

— Et tu fais tout pour ça. Drizzt, personne ne peut t'en demander plus.

Elle avait raison... Soupirant, il continua à contempler Mirabar en repensant à Ellifain.

Le soleil se couchait. Un vent froid balayait les rues de la ville. Dagnabbit sortit, et revint peu avant l'aube. Il passa la journée claquemuré en compagnie de Bruenor, à débattre de la situation politique.

Régis était avec les marchands.

Quelques nains de Mirabar – et moins d'humains encore – eurent la curiosité d'approcher des trois chariots d'exposition-vente. Ceux d'entre eux qui marchandèrent partirent de prix très bas, en démordant à peine. Pour finir, les artisans du clan Battlehammer eurent le regret de devoir refuser la vente.

A une exception près.

Dans l'après-midi, Torgar revint avec une dizaine d'amis et, après une franche poignée de main, demanda à Régis de lui présenter son travail.

Le petit homme hésita. Devait-il recourir à son pendentif ensorcelé, le rubis, pour « convaincre » ses clients potentiels de dénouer les cordons de leur bourse ? Il repoussa la tentation. D'autant que les nains, forts de leur entêtement bien connu, n'étaient guère influençables. La magie « de suggestion » n'avait pas prise sur eux – ou difficilement.

En outre, si Régis était pris sur le fait, ça n'améliorerait en rien des relations déjà tendues entre Mirabar et Mithral Hall.

De la fenêtre de leur chambre qui donnait sur la cour, Bruenor et Dagnabbit virent avec satisfaction d'autres nains approcher des chariots. Ce fut presque la bousculade.

Les humains, restés à l'écart en simples observateurs, faisaient grise mine.

— En venant ici, observa Dagnabbit, tu vas certainement changer les relations entre nos deux communautés. Les nains de Mirabar seront moins enclins ensuite à nous agonir d'insultes à la moindre contrariété...

— Alors que les humains, eux, n'ont pas fini de pester ! jubila Bruenor.

Peu après, lesté d'un plein sac d'achats, Torgar monta frapper à la porte. Bruenor ouvrit.

— Vous venez me dire que votre marquis est débordé, c'est ça ?

— Il a une multitude d'affaires à régler...

— Il ne vous a même pas reçu, je parierais, lança Dagnabbit.

Torgar haussa les épaules.

— Et vous ? insista Bruenor. Et vos garçons ? Vous aussi avez trop à faire pour venir trinquer avec nous, au moins ?

— Je n'ai plus un sou vaillant en poche.

— Qui vous a demandé quelque chose ?

Torgar se mordilla les lèvres.

— Je ne peux pas parler au nom de Mirabar.

— Qui vous l'a demandé ? répéta Bruenor. Un bon nain s'en fourre toujours plus dans la bouche qu'il n'en recrache... Malgré tout, vous avez sûrement plein d'histoires à raconter. Ça vaudra bien le prix d'une ou deux tournées.

Il y eut donc une fête improvisée ce soir-là, dans la grande maison d'aspect ordinaire. Plus de cent nains y firent un tour, et beaucoup finirent la nuit en ronflant sur le parquet.

A la pointe du jour, Bruenor ne fut pas surpris de découvrir un piquet de surveillance autour de la maison.

Des soldats humains à l'air revêche. Pas des nains.

Pour Bruenor et ses amis, il était temps de repartir.

Torgar et ses partisans auraient sans doute droit quelque temps à la soupe à la grimace. Quand Bruenor lui fit part de ses inquiétudes à ce sujet, Torgar se contenta de sourire avec un clin d'œil complice.

Et lorsque les chariots franchirent les portes de Mirabar, Bruenor lui cria :

— Vous serez toujours le bienvenu à Mithral Hall avec tous vos amis, Torgar Delzoun Frappemarteau ! Il y a à boire et à manger tant qu'on veut, et un bon lit douillet où se réchauffer !

Les gardes humains se rembrunirent un peu plus.

— Tu adores mettre les pieds dans le plat, toi ! lança Régis.

Bruenor jubila.

— Le marquis était trop occupé pour me recevoir ? Crois-moi, avant longtemps, il s'en mordra les doigts !

Drizzt, Catti-Brie et Wulfgar reprirent leur place au sein de la caravane.

— Que s'est-il passé ? demanda le Drow.

— Un soupçon d'intrigue, une pincée de rigolade et un piment bien rouge ! répondit gaiement Bruenor. Si Mirabar entre demain en guerre ouverte contre Mithral Hall, quelques centaines de ses petits guerriers manqueront à l'appel...

CHAPITRE III

LA RETRAITE TRIOMPHALE

— Continue à courir, Tred ! le tança Nikwillig.

Effondré contre une roche, le nain blessé transpirait abondamment.

— Ma jambe ne me porte plus… Continue, toi ! Je me charge de donner du fil à retordre à nos ennemis.

Nikwillig n'en doutait pas.

— Très bien. Arrêtons-nous et battons-nous.

— Bah ! Ces chiens arrivent…

— Des chiens morts ! jura Nikwillig avec une belle détermination.

Le marchand avait cédé la place au guerrier qui sommeille au fond de tout nain qui se respecte… Et la transformation spectaculaire ramena un sourire sur les lèvres de Tred en dépit de leur situation désespérée. Si les rôles avaient été inversés, Tred non plus n'aurait jamais abandonné son compagnon blessé.

— Il nous faut un plan.

— Et du feu, renchérit Nikwillig…

… A l'instant où un hurlement lointain éclatait…

Pas si lointain, d'ailleurs.

D'autres lui firent écho.

Les nains y puisèrent un certain réconfort.

— Ils n'arrivent pas en masse, déduisit Tred.

— Ils sont disséminés.

Une heure plus tard, les hurlements s'étaient nettement rapprochés. Assis près d'un feu ronflant, les bras croisés, Tred avait posé sa hache en travers des genoux. Martelant le sol poussiéreux d'une botte impatiente, il attendait ses ennemis de pied ferme.

Sur le côté, à l'ombre d'un empilement de roches, un crépitement suspect troublait occasionnellement la scène… Se mordillant les lèvres, Tred espérait que la corde tiendrait assez longtemps pour jouer son rôle. Elle était enroulée autour du tronc d'un pin…

Quand un premier monstre aux yeux rougeoyants apparut, Tred s'aspergea d'eau.

— Vous aimez votre viande bien arrosée, mes mignons ?

Alors que les loups énormes bondissaient, Tred flanqua un coup de pied dans les braises. Les brandons qui voltigèrent à la ronde avec des crépitements les arrêtèrent dans leur élan.

Déséquilibré dès qu'il voulut prendre appui sur sa jambe blessée, Tred s'écroula avec un cri de détresse.

Au même instant, le vieux pin libéré s'abattit sur le feu de camp selon la trajectoire qu'avaient prévue les nains rusés. Tred eut la barbe roussie sous une pluie d'étincelles. Grognant, il surmonta ses douleurs pour se remettre en garde.

Avec des couinements plaintifs, les worgs ou loups géants détalèrent en se mordant là où leur fourrure menaçait de prendre feu. Dans leur frénésie, ils se retournèrent même contre leurs congénères.

Séparant Tred des loups, le pin brûla.

Puis des formes sombres s'élancèrent...

D'un coup de hache, le nain terrassa un premier prédateur, éventra un deuxième d'un habile changement de prise sur la cognée et fendit le crâne d'un troisième...

Epée au poing, Nikwillig rejoignit son ami et, dos à dos, ils affrontèrent les deux worgs suivants.

Frustrées, les bêtes jaugèrent leurs proies. Nikwillig tira une dague de son ceinturon et la décocha au monstre le plus proche. Touché au flanc, celui-ci déguerpit en couinant dans la nuit.

Son congénère échaudé détala aussi.

— Nous avons remporté la première manche, dit Tred en s'écartant du feu.

— D'autres reviendront à la charge... Mais n'oublions pas que les orcs les guident. Plus d'orcs, plus de worgs...

Les deux nains sourirent.

— Allons à la chasse aux orcs ! conclut Tred.

Ils progressèrent aussi rapidement que possible sur un terrain accidenté et très boisé. Le plus souvent, Nikwillig portait son compagnon. Stoïques, ils ne se plaignaient pas. Et les worgs échaudés ne semblaient pas pressés de revenir à l'attaque.

Arrivés sur un éperon rocheux, les nains repérèrent des feux de camp disséminés, dans le lointain.

— Ces orcs ne sont pas malins..., lâcha Tred.

Son compagnon secoua la tête.

Un nouvel objectif en vue, ils redoublèrent d'allure. Quand il ne put plus marcher sur sa jambe blessée, Tred sautilla à cloche-pied. Chaque fois qu'il tombait, il se relevait en crachant sur ses égratignures, histoire de les anesthésier. Lorsqu'ils tombèrent sur un loup isolé, qui grogna en dénudant ses

crocs, Tred lui planta sa hache dans le flanc et Nikwillig l'acheva rapidement avant que le campement orc, désormais tout proche, soit alerté.

Peu après, alors que l'horizon rosissait sous les premières lueurs du jour,
les deux nains rampèrent derrière un monticule et risquèrent un coup d'œil
par une trouée, entre un tronc d'arbre abattu et des roches. Trois orcs veil-
laient au coin d'un feu mourant, leurs camarades assoupis à proximité. Un
worg blessé léchait ses plaies en grognant de dépit, tandis qu'un des orcs
lui reprochait avec hargne son incapacité à ne faire qu'une bouchée des
petits fuyards…

Un index posé sur ses lèvres, Nikwillig indiqua à son compagnon de ne
pas bouger puis s'éloigna. De toute évidence, les orcs ne s'attendaient pas
à de la visite…

Souriant, Tred regarda son ami ramper à la lisière du campement et
commencer par égorger deux orcs dans leur sommeil. Mais dès que le
worg alerté releva le museau, Tred réagit en se redressant d'un bond.

— C'est moi que vous voulez, mes salauds ? rugit-il. Eh bien me voilà !

Les trois sentinelles et le loup bondirent à leur tour, pendant que
Nikwillig poignardait le troisième orc encore assoupi.

Hache brandie d'une main experte, l'orc le plus proche se rua sur Tred.
Mais le nain non plus n'était pas un doux rêveur né de la dernière pluie…
Il surprit l'orc aguerri en lui jetant une pierre au visage… avant de lui asse-
ner un maître coup, dont le monstre ne se relèverait pas de sitôt.

Les deux derniers orcs découvrirent leurs camarades égorgés… et le
second nain.

— Deux contre deux ! grogna Nikwillig en orc.

— Nous avons un loup ! riposta l'un des monstres.

Le worg ne fut manifestement pas de cet avis : il détala en couinant.

Un des orcs voulut l'imiter. Sans hésiter, Tred lui décocha sa hache dans
le dos.

Le voyant désarmé, et blessé à la jambe, le second monstre chargea épée
haute.

Nikwillig ne pouvait pas s'interposer à temps. Il courut récupérer sa
hache, se retourna… et constata que Tred avait la situation – *et* son adversaire – bien en main.

Hurlant le nom de son frère assassiné, Tred maintenait écartés les bras
de l'orc tout en lui assenant force coups de tête au visage et au torse…

L'orc eut rapidement les os broyés.

— Je crois que tu peux le lâcher, dit Nikwillig.

Hors de lui, Tred agrippa sa victime toute molle par l'entrejambe pour la
soulever à bout de bras et la catapulter au pied d'une pente.

Le monstre réduit en charpie roula contre un roc.

Nikwillig fit le tour du campement.

— Beaucoup de vivres…

— Ce sale orc m'a égratigné !

Alors seulement, son compagnon remarqua que Tred avait reçu une nouvelle blessure, au torse.

— Rassemble des provisions, le temps que je me confectionne un pansement, ajouta Tred.

Peu après, les compagnons se remirent en route. Sans une plainte.

Tred avait déjà perdu beaucoup de sang. Et chaque fois qu'il se tordait la cheville et trébuchait, sa blessure saignait un peu plus. Stoïque, il refusait de ralentir. Et plus personne – bipède ou quadrupède –, ne semblait pressé de les prendre en chasse.

Quand Tred et Nikwillig, campant sur une crête, découvrirent un hameau dans le lointain, ils échangèrent un regard inquiet.

— Y aller risque d'attirer les orcs et les loups…, soupira Tred.

— Ne pas y aller risque de te condamner à mort, répliqua Nikwillig, d'un réalisme brutal. Nous ne sommes pas près d'arriver à Mithral Hall. A supposer qu'on trouve notre chemin, d'ailleurs…

— Ces villageois sauraient se battre, à ton avis ?

— Ils vivent en haute montagne, non ?

Exact… Haussant les épaules, Tred suivit Nikwillig en direction du hameau défendu par une enceinte de pierre.

Un couple en promenade vit arriver les nains.

— Que venez-vous faire là ? lança la femme, par-dessus la muraille.

— Un tour…, lâcha Nikwillig, laconique. Mon compagnon blessé a besoin de soins et de repos.

A point nommé, Tred s'effondra, inanimé.

L'homme et la femme sautèrent par-dessus la petite muraille pour venir en aide aux voyageurs. Elle examina le nain évanoui.

— Vous venez de Mithral Hall ? demanda le villageois.

— Felbarr, répondit Nikwillig. Nous allions à Haut-Fond quand on nous a attaqués.

— Haut-Fond ? répéta la femme. C'est loin.

— La traque fut longue…

— Qui vous a agressés ? demanda l'homme. Des orcs ?

— Oui, et des géants.

— Des géants des collines ? Ça fait un bout de temps qu'on n'en a plus revu…

— Non, pas des collines. Ceux-là ont la peau bleuie. Et ils sont hargneux. Des géants des glaces.

Le couple échangea un regard alarmé. Manifestement, les montagnards entraient parfois en conflit avec les géants des glaces. Au fil des décennies, le vieux Maingrise, Jarl Orel, n'avait pas toujours cantonné ses guerriers au fond de leurs grottes. Même si, par bonheur, leurs raids avaient été peu nombreux. Mais après les dragons, très rares, les géants des glaces restaient les monstres les plus dangereux de toute la région.

L'étoffe des cauchemars.

— Ce nain a besoin d'être soigné, en effet, reprit la femme. Il lui faudra un bon lit et un repas chaud. Qu'il soit encore vivant tient du miracle !

— Bah ! Tred est si laid que même la mort ne veut pas de lui ! plaisanta Nikwillig.

Rouvrant un œil, Tred leva une main faible vers son ami, comme pour lui caresser la joue avec gratitude. Et dès que Nikwillig se pencha vers lui, il lui fit un pied-de-nez.

Ravi, Tred se rallongea, un petit sourire flottant sur ses lèvres.

Le hameau, Talons Claquants, multiplia les rondes. Un tiers de la population, soit soixante-dix âmes, assura à tour de rôle des gardes de huit heures d'affilée. Après deux jours passés à récupérer, Nikwillig prêta main-forte aux villageois sur les dents, aidant même à superviser la construction de fortifications supplémentaires.

Tred, lui, n'était plus en état de participer. A quoi que ce fût. Il dormit la journée entière, puis la nuit suivante. Après ça, il se réveilla juste le temps de dévorer l'énorme repas que les villageois eurent la bonté de lui offrir. Le seul prêtre que comptait le bourg avait des connaissances très limitées en magie. Et les maigres dons thérapeutiques qu'il prodigua à son patient lui firent beaucoup moins de bien que du repos complet. Tout simplement.

Le cinquième jour, Tred put quitter le lit, redevenu quasiment lui-même.

Le dixième jour, il brûlait de reprendre la route.

— Nous partons pour Mithral Hall, annonça-t-il au matin. (Tous les humains de Talons Claquants parurent navrés du départ de « leurs » nains.) Ne vous inquiétez pas, nous demanderons au roi Gandalug de vous envoyer des guerriers.

— Le roi Bruenor, vous voulez dire, le reprit un des villageois. Du moins, s'il a quitté le Val Bise pour revenir vers son peuple…

— Ah, oui ?

— A ce qu'il paraît…

Avec un soupir, une pensée émue à la mémoire de Gandalug, Nikwillig reprit :

— Le roi Bruenor donc, un nain qui nous fait honneur à tous.

— Je doute qu'il nous envoie des guerriers, répondit l'homme. D'ailleurs, je ne suis pas persuadé que nous en ayons besoin.

— Eh bien, intervint Tred, nous l'informerons de la situation, et il décidera. C'est le roi, après tout.

Ce matin-là, les deux nains quittèrent le hameau avec leur besace pleine de vivres et des indications détaillées sur l'itinéraire conduisant à Mithral Hall. Ils avertiraient le roi Bruenor de la situation préoccupante, puis regagneraient la citadelle Felbarr par les souterrains d'Ombre-Terre – ceux du niveau supérieur.

Mais Tred n'en resterait pas là. Il avait toutes les intentions de lever une petite armée et de revenir chasser les orcs pour venger son frère.

Dans l'immédiat, il s'agissait de rallier Mithral Hall. Indications ou pas, s'orienter en haute montagne n'avait rien de simple. Les pistes tortueuses prêtaient souvent à confusion. La moindre erreur pouvait coûter cher.

— Bon sang, c'est le mauvais ruisseau ! grogna Tred, de bon matin.

Ils se dirigeaient au sud-est alors que Mithral Hall se situait au sud-ouest de Talons Claquants.

Ils étaient perdus, et ils le savaient. Cependant, ils ne cherchèrent pas à rebrousser chemin. Longer le cours d'eau les avait amenés à négocier deux pentes abruptes. Remonter par là serait plus ardu encore. Revenir sur ses pas, quand on avait déjà fait un si long chemin, paraissait absurde.

Ils persévérèrent. Et durent descendre à flanc de falaise, le long d'une cascade.

— Si on rebroussait chemin ? lança Nikwillig, fatigué.

— Bah ! grogna son compagnon de fort méchante humeur – avant de déraper.

Glisser sur des galets humides eut au moins le mérite d'accélérer grandement sa descente...

Ils continuèrent en silence.

Le soir approchant, ils cherchaient où bivouaquer quand, au sommet d'une autre falaise, ils découvrirent la grande vallée qui s'étendait au-delà, vers l'est et l'ouest.

— Les caravanes pourraient passer par là, en route pour Mithral Hall, dit Tred. Alors, ce sera l'ouest !

Nikwillig et lui se réjouissaient déjà d'avoir, le lendemain, un périple beaucoup moins difficile en vue.

Comment auraient-ils pu deviner qu'ils se tenaient en fait au nord du défilé Fell, le théâtre d'une âpre bataille passée...

Y rôdaient les fantômes redoutables des vaincus.

En masse.

CHAPITRE IV

DES LOYAUTÉS CONFLICTUELLES

Le conseiller nain, Agrathan Durmarteau, était mal à l'aise. Dans la salle, l'agitation des humains empirait.

— Vous auriez dû lui accorder une audience ! protesta Shoudra Brillétoile, le Sceptre de Mirabar.

Ses yeux bleus lancèrent des éclairs.

Secouant sa longue chevelure de jais qui faisait l'envie des dames de la cité, Shoudra était une belle jeune femme aux traits délicats, âgée d'une trentaine d'années. Féminine jusqu'au bout des ongles, elle étonnait toujours par son extraordinaire force de caractère. Volontaire, elle était capable de tenir tête aux hommes les plus durs de son entourage.

Calé sur son trône, le marquis de Mirabar agita vaguement les mains.

— J'avais mieux à faire que recevoir un visiteur inattendu, tout souverain de Mithral Hall qu'il fût... D'ailleurs, établir les traités commerciaux est de votre ressort, pas du mien.

— Le roi Bruenor ne venait pas conclure de tels traités, et vous le savez !

Secouant la tête, Elastul regarda ses quatre « Marteaux », de vieux guerriers à son service.

Djaffar, le chef, prit la parole.

— Shoudra pourrait amadouer jusqu'aux nains...

Elastul et ses conseillers ricanèrent.

Le front plissé, Brillétoile croisa les bras.

Agrathan soupira. Le marquis et sa clique n'étaient pas très raffinés... Et ils en prenaient souvent à leur aise avec le protocole. Mais au contraire des conseillers et du Sceptre de Mirabar, qui étaient élus, Agrathan occupait un poste héréditaire.

— Il a demandé à vous voir, marquis, reprit Shoudra. Vous, pas le conseil ni moi.

— Et qu'étais-je censé faire avec lui ? Dîner ? Lui expliquer qu'il deviendrait bientôt quantité négligeable ?

Brillétoile lui lançant un regard, Agrathan se racla la gorge pour attirer l'attention.

— Sous-estimer Bruenor n'est pas conseillé. D'autant qu'il a su s'entourer de personnages remarquables...

— Peu importe ! grommela Elastul en se calant sur son trône. Cette vieille relique de Gandalug a rendu l'âme, que les pierres broient ses os, et Bruenor hérite d'un royaume sur le déclin...

Shoudra et Agrathan échangèrent un autre regard – complice, celui-là. Tous deux devinaient la suite.

— Plus de vingt métallurgistes et alchimistes à mon service ! jubila Elastul. Je les paie grassement, et le résultat ne se fera pas attendre !

Histoire de cacher son scepticisme, Agrathan baissa la tête pendant que le marquis décrivait une fois de plus les efforts déployés par ses équipes pour renforcer le métal extrait des mines de Mirabar. Depuis de longues années pourtant, les métallurgistes promettaient d'obtenir des métaux d'une force et d'une souplesse incomparables...

Pures vantardises, de l'avis d'Agrathan.

Un siècle plus tôt, il avait cessé de travailler dans les mines pour prêcher la bonne parole du dieu Dumathoin, le Gardien des Secrets Sous la Montagne. Il savait donc de source sûre que les alchimistes engagés par Elustar mentaient. Si l'amélioration hypothétique des métaux n'était pas au nombre des secrets de Dumathoin, c'est qu'il s'agissait d'une chimère.

Une chose était certaine : ces métallurgistes et ces alchimistes réussissaient haut la main l'exploit d'entretenir l'intérêt et l'enthousiasme du marquis crédule depuis des années... avec aucun résultat concret à l'appui ! Ces fins renards se gorgeaient de l'or d'Elustar – le seul métal dont on vît la couleur. Sur les deux mille nains que comptait la population de Mirabar, plusieurs centaines consacraient leur énergie à chasser les monstres des mines. Et les mille mineurs avaient une production plutôt faible, au regard des quotas établis par le Conseil des Pierres Etincelantes. On se risquait peu dans les niveaux inférieurs de la mine, où les prédateurs abondaient. Pourtant, on y aurait trouvé de meilleurs filons à exploiter...

Il n'y avait pas un seul nain parmi ces prétendus spécialistes – qui s'y entendaient à soutirer son or au marquis –, affirmant comprendre si bien la nature des métaux. D'ailleurs, si des procédés de raffinage existaient, pourquoi n'étaient-ils pas en pratique depuis des siècles déjà ? Qu'attendaient ces « experts » pour rabaisser les nains du monde entier au rang de simples fournisseurs de matière première ? Les aigrefins promettaient des armes, des armures et des objets assez résistants pour reléguer au second plan tout ce que Mithral Hall pourrait produire.

Dans ce cas, où étaient ces armements de légende ?

— A supposer que vos spécialistes tiennent leurs promesses, dit Shoudra Brillétoile, le roi Bruenor et Mithral Hall n'auront toujours rien de « quantités négligeables ». Leur production reste d'un bon tiers supérieure à la nôtre.

— Quoi qu'il en soit, répliqua le marquis, je n'avais rien à dire à Bruenor Battlehammer. Pourquoi est-il venu ici ? Qui l'avait invité ?

— Alors, insista Shoudra, pourquoi l'avoir admis en nos murs ?

Elastul avait bel et bien ordonné qu'on laisse entrer Bruenor. Sans prévenir ses conseillers ou le Sceptre de Mirabar, qui l'avaient appris en voyant arriver en ville les chariots du clan Battlehammer...

— J'ai eu tort de croire en la loyauté de mes concitoyens, rétorqua Elastul.

Une pierre dans le jardin d'Agrathan...

Seuls des nains s'étaient approchés des visiteurs. Aucun humain. Et Agrathan restait le porte-parole – plus ou moins officieux – de sa communauté.

— Avez-vous parlé à maître Frappemarteau ?

— Que voudriez-vous que je réponde ?

Si les dirigeants humains considéraient Agrathan comme le chef des nains de Mirabar, ceux-ci n'étaient pas toujours de cet avis.

— Je voudrais que vous lui rappeliez où va sa loyauté !

Non sans effort, Agrathan refoula une bouffée de violence. La loyauté de Torgar Delzoun Frappemarteau était sans faille. Depuis des siècles, il servait le marquis de Mirabar – un rang où plusieurs générations d'hommes s'étaient déjà succédées. Le marquis actuel et ses conseillers, au statut de vétérans indûment glorifié, n'auraient même pas pu imaginer le genre de monstres que Torgar et ses frères d'armes avaient jadis chassés des tunnels supérieurs d'Ombre-Terre. Quand des hordes d'orcs avaient attaqué Mirabar, cent soixante-dix ans plus tôt, Torgar et une poignée de nains avaient tenu les remparts est, le gros de l'armée bataillant ferme aux remparts ouest...

Torgar Delzoun Frappemarteau méritait dix fois son poste de commandant en chef de la Hache de Mirabar. Ses cicatrices et le nombre de ses victoires en attestaient assez.

Pourtant, le marquis Elustar n'avait pas entièrement tort... Même s'il ne s'agissait pas tant de loyauté que de discernement, au fond. En fraternisant avec leurs concurrents de Mithral Hall, Torgar et ses compagnons avaient cédé à une impulsion purement amicale, dénuée d'arrière-pensées.

Peu après, Agrathan et Shoudra quittèrent le palais, retrouvant le soleil rasant de fin d'après-midi. La bise mordante rappelait qu'à Mirabar, l'hiver n'était jamais loin.

— Vous aborderez Torgar avec plus de douceur et de tact que le marquis ? demanda la jeune femme, souriant.

En sa qualité de Sceptre de Mirabar, Shoudra avait tout pouvoir pour ratifier les accords commerciaux contractés entre les différentes parties. Bien sûr, l'ascension de Mithral Hall lui avait fait de l'ombre... Mais contrairement à nombre de ses concitoyens, les humains comme les nains, elle avait su en prendre son parti. Du point de vue de Shoudra, pour vaincre Mithral Hall sur son propre terrain, il fallait augmenter la production, en commençant par détecter et exploiter de meilleurs filons. L'ascension d'une cité rivale, en matière de commerce, devrait logiquement contribuer à rendre Mirabar plus forte.

— Je ferai part de ce que je veux à Torgar et à ses camarades, répondit Agrathan. Mais… vous le connaissez. On ne peut pas tout lui dire.

— Il est loyal envers Mirabar.

L'air dubitatif, Agrathan hocha la tête. Au fond, il n'était plus sûr de rien. Shoudra Brillétoile lui posa une main sur l'épaule.

— Est-il loyal envers sa ville ou son peuple ? Estime-t-il que son vrai chef est le marquis ou… le roi Bruenor de Mithral Hall ?

— Du temps de vos aïeux, Torgar se battait déjà au nom du marquis de Mirabar, rappela Agrathan.

Si Shoudra acquiesça, elle non plus ne parut guère convaincue.

— Vos semblables n'auraient pas dû commercer et trinquer avec les visiteurs.

— La tentation était forte ! De beaux achats, de la bonne bière, des récits palpitants à écouter… Nous rêvions tous d'entendre raconter la bataille du Val du Gardien. Et croyez-vous que vos vies seraient meilleures si les Drows avaient envahi Mithral Hall ?

— Eh bien, si les elfes noirs avaient pu faire plus de ravages avant d'être repoussés…

Outré, Agrathan ravala une verte réplique en voyant la jeune femme espiègle lui sourire.

— Bah !

— Donc, si je vous suis bien, Mirabar devrait être reconnaissant à Mithral Hall d'avoir chassé les Drows ?

Après réflexion, Agrathan haussa les épaules. Il refusait de s'impliquer.

Shoudra sourit encore. A l'évidence, le cœur du nain lui soufflait une chose, sa raison autre chose… Mais en tout cas, il n'y avait pas de quoi rire. Agrathan était un membre éminent du Conseil des Pierres Etincelantes. Et qu'il nourrisse maintenant des sentiments mitigés vis-à-vis de Mithral Hall inquiétait Shoudra. Par le passé, il avait pourtant lancé les attaques les plus virulentes contre le clan Battlehammer, avec quelques suggestions concrètes à la clé pour l'affaiblir. Un jour, il avait même présenté au conseil un plan visant à infiltrer le royaume voisin pour remplacer en secret ses stocks de charbon par une qualité plus médiocre… Les conséquences auraient été désastreuses.

Combien de tirades haineuses Agrathan Durmarteau n'avait-il pas déclamées contre le clan Battlehammer ? Jusqu'à ce qu'il rencontre Bruenor et ses compagnons…

— Dites-moi, y avait-il aussi le fameux Drow ?

— Drizzt Do'Urden ? Oui, mais on ne l'a pas autorisé à entrer.

Dans les contrées du Nord, l'elfe noir s'était taillé une réputation formidable. Un héros de légende…

— Les Hache ne permettront jamais que des Drows, quels qu'ils soient,

arpentent nos rues ! décréta Agrathan. En tout cas, Torgar les a vus...
Drizzt, la fille et le fils de Bruenor...

— Est-il aussi beau qu'on le dit ?

Agrathan grimaça.

— C'est un Drow, femme stupide !

Elle éclata de rire.

Le nain secoua la tête en soupirant.

Ils gagnèrent une place, en ville, où logeait Shoudra Brillétoile. Au
centre de l'esplanade triangulaire, un escalier conduisait à la zone la plus
sévèrement gardée de Mirabar : l'accès principal à Sousville – le véritable
Mirabar, de l'avis des nains. La cité souterraine.

Agrathan escorta Shoudra devant sa porte, puis s'attarda longuement,
perdu dans ses pensées... Il ne s'était jamais senti aussi troublé. Porter le
message du marquis à Torgar était de son devoir. Un message qui sèmerait
forcément la zizanie... Mithral Hall était un sujet épineux. Bien des nains
de Mirabar avaient même réclamé la confiscation pure et simple des marchandises des caravanes de Mithral Hall, qui passaient à l'ouest... De tels
actes auraient naturellement conduit à une déclaration de guerre.

D'autres nains, plus modérés, rappelaient que leurs ancêtres avaient
vécu à Mithral Hall – parfaitement heureux.

Soupirant, Agrathan descendit l'escalier central de Sousville, passa
devant les gardes humains puis gagna le monte-charge, qu'il actionna. Plusieurs centaines de pieds plus bas, il atteignit un second niveau, sévèrement gardé lui aussi – par des nains aguerris, exclusivement. Des portes
cerclées de fer et des herses en protégeaient les accès.

Agrathan annonça à ses congénères qu'une grande réunion se tiendrait
dans le hall des Feux, au coucher du soleil. Tous devraient y être.

Ensuite, il repartit tête basse en marmonnant. Comment gérer une situation aussi délicate ?

S'il ne manquait pas de tact – comme le prouvaient ses hautes fonctions
dans une ville dominée par les humains – Agathran restait avant tout un
nain. Et la subtilité n'était évidemment pas son fort.

Le hall des Feux où s'assemblaient les nains de Mirabar était très souvent bruyant. Mais là, en présence des deux mille nains au complet que
comptait la ville, et avec un sujet prêtant autant à la controverse, ce fut car-
rément le chaos.

— Alors maintenant, rugit Torgar Frappemarteau, on prétend me dicter
ce que je dois écouter ou pas, c'est ça ? La bière était fameuse, et les récits
palpitants !

Ceux qui l'avaient accompagné à la réception improvisée du clan
Battlehammer braillèrent leur approbation. Certains montrèrent à leurs
camarades les beaux objets en cornedentelle qu'ils avaient acquis à des
prix préférentiels.

— Je pourrais la revendre à Nesmé dix fois le prix que je l'ai payé ! cria un nain roux en exhibant la figurine d'une plantureuse guerrière barbare. Que dis-tu de ça, prêtre ?

Découragé par des réactions qui n'avaient rien de surprenant, Agrathan s'affala sur son siège.

— Je suis venu vous porter les paroles du marquis Elastul. Il tient à rappeler que tous les membres du clan Battlehammer ne sont pas nos amis. Ils nous coupent l'herbe sous les pieds...

— L'un de nous peut-il affirmer qu'il vit mieux depuis la renaissance de Mithral Hall ? l'interrompit un autre nain roux. Avant, nous avions une vie meilleure et la bourse plus garnie !

— Balivernes ! réagit Torgar.

— De la part d'un gars endetté qui ne sait plus à qui emprunter, ça ne manque pas de sel ! répliqua le rouquin. Tu as besoin d'argent ? Les beaux récits du roi Bruenor vont-ils te remplir la panse, à ton avis ?

Torgar rejoignit Agrathan sur son estrade et attendit que le silence revienne.

— Vous savez ce que j'entends ? répondit-il, très calme. Le discours de la jalousie et de l'envie... Pas autre chose. A vous écouter parler du clan Battlehammer, on jurerait que nous sommes en guerre. Mais nos concurrents ont simplement rouvert les mines qui leur appartenaient bien avant que Mirabar n'existe ! Prétendez-vous leur interdire d'exploiter leur propre héritage ? Nous sommes là à fomenter leur ruine alors que nous devrions au contraire chercher à nous élever à leur hauteur !

— Ils volent nos parts de marché ! cria quelqu'un, dans le fond de la salle. Tu l'oublies ?

— Ils ne nous volent rien qu'ils n'aient gagné à la sueur de leur front... Ils ont de meilleures mines, de meilleurs métaux... Pourquoi ? Ils ont dû combattre les orcs, les duergars et jusqu'aux Drows eux-mêmes pour ça ! Personne ne leur a fait de cadeaux ! Vous ne pouvez pas en vouloir au roi Bruenor et à ses guerriers de travailler dur et de lutter plus durement encore !

Des cris et des clameurs éclatèrent d'un bout à l'autre de la salle. Les uns étaient d'accord, les autres pas... On en vint aux mains.

Sur leur estrade, Torgar et Agrathan échangèrent un long regard. Si aucun des deux n'avait complètement gagné l'autre à ses vues, ils commençaient néanmoins à y voir plus clair...

— Eh, prêtre, cria-t-on, tu continues à prendre fait et cause pour les humains au détriment de ton peuple ?

Là... C'était dit.

Torgar, Agrathan et beaucoup d'autres furent choqués. Le silence revint.

Plongé dans la confusion, Torgar fut contraint à l'analyse. Comment avait-on pu en arriver là ? Devoir choisir entre les nains de Mithral Hall et la communauté mixte de Mirabar ?

Pour Agrathan, un des membres les plus influents du Conseil des Pierres Etincelantes, le choix était moins délicat. Sa loyauté allait à Mirabar.

Quant aux remarques du marquis, si Agrathan les avait jugées insultantes vis-à-vis de Torgar Delzoun Frappemarteau, il fallait pourtant admettre qu'elles n'étaient pas sans fondement.

La foi d'Agrathan en sa propre communauté d'élection fut quelque peu ébranlée quand, un instant plus tard, les portes du hall claquèrent à la volée. Des soldats de la Hache de Mirabar entrèrent et formèrent rapidement des cordons de sécurité avant l'apparition du marquis, du Sceptre et de quelques conseillers.

— Les humains de Mirabar attendent un autre comportement de la part de leurs concitoyens nains ! fustigea Elastul.

Un rappel que la cité avait assez d'ennemis, à l'extérieur, sans devoir aussi se livrer à des luttes intestines.

Le marquis aurait dû en rester là.

— Vous devez admettre que Torgar Frappemarteau et ses amis ont gravement manqué de discernement en fraternisant avec les menteurs... hum... les *bardes* du clan Battlehammer. Prenez garde, maître Frappemarteau, de ne pas perdre votre rang de commandant. Quant à vous autres, si vous avez pu vous laisser embobiner par cette fausse légende qu'est Bruenor Battlehammer, souvenez-vous où va votre loyauté. Et rappelez-vous aussi que Mithral Hall menace notre ville.

Sous le regard sévère d'Elastul, peu de nains baissèrent la tête. Beaucoup se redressèrent au contraire de toute leur taille...

Torgar allait-il jeter ses insignes de commandant aux pieds du marquis ? Agrathan se le demanda.

— Dispersez-vous, je l'ordonne ! rugit Elastul. Au travail !

Le front bas, les yeux luisant de colère, les nains obéirent.

Le marquis et ses soldats repartirent.

— Ainsi parlent les vrais rois..., maugréa Torgar en passant devant Agrathan.

Il cracha aux pieds du prêtre-conseiller.

Shoudra et lui restèrent seuls.

— Le marquis n'aurait pas dû arriver comme ça...

— Beaucoup de ses conseillers ont insisté, expliqua la jeune femme. Ils craignent les retombées de la visite inattendue du roi Bruenor sur nos citoyens nains.

— Eh bien, maintenant, c'est gagné, répondit Agrathan. Cette irruption a fait pire que le mal.

L'attitude de Torgar menaçait de créer une dissension au sein d'une communauté naguère soudée ?

Le marquis venait d'enfoncer le clou.

CHAPITRE V

OÙ RÔDENT LES FANTÔMES

Au sud de Mirabar, l'armée franchit un pont puis longea le fleuve Mirar dix jours durant. Au sud s'étendait la forêt de Lurkwood, refuge de nombreuses tribus orcs et autres créatures peu engageantes. Au nord se dressaient les hautes cimes de l'Epine Dorsale du Monde aux neiges éternelles.

Les pissenlits colonisaient la vallée de Khedrun. Mais les nains, toujours sur leurs gardes, ne laissèrent pas le temps radieux et la scène bucolique endormir leur méfiance innée. Si loin au nord, la nature restait sauvage, indomptable... Chaque nuit, la garde était doublée. Drizzt, Catti-Brie et Wulfgar ne dormaient que d'un œil. Et Guenhwyvar répondait immanquablement aux appels de l'elfe.

A l'est de la vallée, le Mirar s'enfonçait dans les contreforts de l'Epine Dorsale du Monde.

— Le terrain sera plus dur, prévint Bruenor ce soir-là. Demain midi, nous serons en vue des contreforts, et nous longerons la forêt.

Ses guerriers stoïques hochèrent la tête.

— Demain sera une rude journée.

Personne ne broncha.

Chacun retourna à son poste.

Wulfgar rejoignit sa femme et leur fille, Colson, dans leur chariot.

— La route n'est pas si difficile, dit Delly Curtie. Elle ne réserve pas plus de mauvaises surprises que les rues de Luskan, en tout cas.

— Jusque-là, répondit Wulfgar, nous avons eu de la chance.

Il tendit les bras. Sa femme lui confia le bébé avec soulagement.

Colson était en réalité la fille naturelle de Meralda Feringal, la châtelaine d'Auckney, un bourg de l'Epine Dorsale du Monde. Wulfgar l'avait sauvée des griffes du seigneur Feringal et de sa sœur tyrannique... Feringal avait cru que le barbare était l'infâme violeur de sa femme, victime d'un accident de carrosse, lors d'une excursion au village voisin...

L'infidèle Meralda avait inventé cette histoire de toutes pièces, afin de ménager son mari.

Wulfgar n'avait jamais connu Meralda charnellement. Mais quand il posait les yeux sur le bébé qu'il en était venu à tant chérir, il se surprenait à regretter que ce ne fût pas réellement sa fille.

Croisant le regard plein d'adoration de Delly, il se répéta qu'il avait une chance extraordinaire.

— Tu iras avec Drizzt et Catti-Brie cette nuit ?

Le barbare secoua la tête.

— Nous campons trop près de Lurkwood. Ils monteront la garde sans moi.

— Tu as peur pour nous deux...

Il ne le nia pas.

Elle fit mine de lui reprendre l'enfant.

Souriant, il recula.

— Pas question que tu te dérobes à tes devoirs pour moi ! protesta Delly.

Il éclata de rire.

— Mes devoirs ? C'est Colson, toujours ! Drizzt et Catti-Brie le savent. Lurkwood est le repaire des orcs. Tu crois que les rues de Luskan sont plus dangereuses que ces contrées sauvages ? On voit bien que tu n'es pas de la région ! Si les orcs attaquent en masse, le sang coulera. Des deux côtés... Tu n'as jamais vu de bataille, mon amour. Et j'aurais tant aimé t'épargner ça, mais...

Il secoua la tête.

— Alors, si les orcs attaquent, raisonna sa femme, tu les repousseras.

Les yeux baissés sur Colson, endormie dans ses bras, il sourit de plus belle.

Puis il releva la tête vers Delly.

— Aucun orc, aucun géant et aucun dragon ne vous feront du mal.

La jeune femme allait répondre, quand elle se ravisa.

Et hocha la tête.

Le jour suivant, la route fut beaucoup plus dure, en effet. Les prairies cédèrent la place à des pistes rocailleuses conduisant aux contreforts. Au sud, le terrain était plus plat. Mais ce choix aurait dangereusement rapproché le corps expéditionnaire de Lurkwood...

A chaque ravin ou zone particulièrement accidentée, les guerriers se massaient de part et d'autre des chariots, les soulevaient et traversaient à pied.

Avec tout le stoïcisme et le pragmatisme qui leur permettaient de forer des tunnels dans la roche, pouce après pouce.

Drizzt comprenait mieux le genre de détermination – et de réflexion à long terme – qui avait engendré des édifices aussi splendides que Mithral Hall. Ces trésors de patience typiques que déployaient les nains avaient permis à Bruenor de créer Aegis-fang. Sur la tête du marteau de guerre, il avait gravé une représentation parfaite des trois divinités naines. La moindre rayure aurait gâché cette œuvre d'art.

Après le deuxième jour loin de la passe Khedrun, le cri d'un éclaireur confirma les craintes de Bruenor.

— Des orcs sortent des bois !

— En formation ! beugla le roi.

Sur la gauche, à l'écart de la forêt, Drizzt et Catti-Brie virent avec quelle précision et quelle célérité les vétérans obéirent, à l'instant où une petite bande d'orcs fonçait à découvert, les chariots de tête pour objectif...

Mais les monstres avaient visiblement très mal évalué cet objectif... Car dès qu'ils découvrirent l'entière colonne des nains, dûment impressionnés, ils battirent en retraite avec une rapidité tout aussi cocasse.

Quelle différence avec la coordination calme et efficace des nains ! Enfin, de presque tous...

Sourds aux ordres de Bruenor, Gaspard Pointepique et ses Nazetripe s'étaient lancés dans leur « charge » caractéristique, avec force galopades, cris, sauts et gesticulations forcenées... Ils disparurent rapidement dans le sous-bois, aux trousses des monstres.

— Les orcs ont peut-être tendu un piège, dit Catti-Brie. Histoire de nous attirer sur leur territoire...

Au sud de la caravane, des clameurs éclatèrent. Des *morceaux* d'orcs commencèrent à voler dans les airs...

— Des orcs stupides, dans ce cas..., répondit Drizzt.

Le couple rejoignit Bruenor qui, poings sur les hanches, supervisait les manœuvres de ses guerriers.

— Vous venez vous joindre à la fête ?

Drizzt jeta un coup d'œil à la forêt, d'où montait un tumulte infernal, et secoua la tête.

— Trop dangereux.

— Avec ce maudit Gaspard, on peut dire adieu à la discipline ! pesta Bruenor.

Catapulté dans les airs, un orc vint atterrir aux pieds des guerriers *disciplinés* du roi de Mithral Hall. A la surprise générale, Gaspard Pointepique se jeta du haut d'une branche d'arbre pour suivre la même trajectoire que sa victime...

... Qui se redressait péniblement.

Recevoir Pointepique de plein fouet l'acheva. Couvert de feuilles et de brindilles, le foudre-de-guerre piétina l'orc dans un de ses accès de frénésie coutumiers, le réduisant en bouillie sanguinolente.

Satisfait, il continua à sautiller en tout sens.

— Tu peux repartir, mon roi ! brailla-t-il. Tout danger est écarté !

— Et Lurkwood ne sera plus jamais la même..., soupira Drizzt.

— Si j'étais un écureuil, renchérit Catti-Brie, et que j'assiste à *ça*, je foncerais me refaire une réserve de noisettes *ailleurs*...

— Je soudoierais un gros oiseau pour m'emmener loin de là au plus vite…, ajouta Régis.

— Devrions-nous tenir nos positions ? demanda Dagnabbit.

— Non, remettons-nous en route, ordonna Bruenor. Inutile de jouer avec le feu.

Peu après, Gaspard et ses héros rattrapèrent la caravane. Certains étaient blessés, mais s'en fichaient royalement. Tous braillaient des chants de guerre à tue-tête. On aurait dit de joyeux lurons de retour d'excursion.

— Avec Gaspard, je me demande souvent si je n'ai pas gâché ma belle jeunesse à m'entraîner soir et matin, au lieu d'aller m'amuser, moi aussi, confia Drizzt à son amie.

— Oui, répondit Catti-Brie, toi aussi, tu aurais pu tuer le temps à te cogner le crâne aux murs, c'est sûr…

— Sans heaume ?

— Absolument, confirma la jeune femme, très sérieuse. D'ailleurs, Bruenor a dû renforcer les parois. Question d'« intégrité structurelle du royaume », disait-il…

— Ah…

Confondu, Drizzt secoua la tête.

Les jours suivants, les orcs ne tentèrent plus rien. La progression était lente et laborieuse, mais les nains ne se plaignaient jamais. Même quand il leur fallut passer une journée pluvieuse à déblayer la piste des gravats d'une avalanche…

Au fil du temps cependant, ils commencèrent à grommeler entre eux. Bruenor ne paraissait pas pressé de bifurquer vers le sud…

Catti-Brie examina les empreintes partielles qui se détachaient dans la boue d'une sente.

— Des orcs… Il y a quelques jours, je dirais…

Bras croisés, Drizzt s'était adossé à une grosse roche. Et toute son attitude démontrait qu'il en savait plus long sur la question que la jeune femme.

Catti-Brie fronça les sourcils.

— Que sais-tu que j'ignore ?

Il sourit, espiègle.

— J'ai un meilleur angle de vue que toi.

Irritée, elle s'avisa que le Drow était peut-être à prendre au pied de la lettre. Se redressant, elle s'écarta, recula… et découvrit une autre empreinte, *beaucoup* plus grande.

— La trace de pied orc est plus ancienne, déclara la jeune femme.

— Comment le sais-tu ?

Drizzt ne jouait plus le rôle de l'instructeur. Il paraissait vraiment curieux d'entendre la réponse.

— Le géant pouvait traquer l'orc, pas l'inverse. Ou en tout cas, j'en doute fort.

— Qui te dit qu'ils ne faisaient pas route ensemble ?

Catti-Brie se pencha sur les traces.

— Il ne s'agit pas d'un géant des collines. (Il était bien connu que ces monstres-là s'alliaient souvent aux orcs.) Trop grand...

— Un géant des montagnes, alors...

Dubitative, la jeune femme secoua la tête. Les géants des montagnes ne portaient pas de bottes, se contentant parfois de feutre. Sinon, ils allaient pieds nus. Or, en l'occurrence, l'empreinte nette du talon indiquait une botte de belle qualité. Plus révélateur encore, la trace de ce pied était relativement fine et étroite. Alors que les géants des montagnes avaient d'énormes panards...

— Les géants de pierre pourraient porter des bottes, continua Catti-Brie. Ceux des glaces aussi.

— Alors, tu penses que notre ami pourchassait l'orc ?

Elle haussa les épaules, consciente que sa théorie ne reposait sur rien.

— Possible... Ou ils ont pu passer par là l'un après l'autre. Un pur hasard. A moins qu'ils ne fassent équipe.

— Un géant des glaces et un orc ? fit Drizzt, sceptique.

— Une humaine et un Drow ? rétorqua Catti-Brie, du tac au tac.

Il éclata de rire.

Sans plus y penser, ils continuèrent leur chemin. Les traces dataient... Et ces monstres-là, de toute façon, y réfléchiraient à deux fois avant d'attaquer cinq cents nains.

Il faisait chaud et sec. On piétinait plus qu'on avançait. Mais en route vers l'est, les nains n'essuyèrent pas d'autres assauts. Le soleil cognait. Quand le corps expéditionnaire eut gravi une nouvelle crête, le paysage qu'elle découvrit au-delà sembla... changé.

Des montagnes, au nord et au sud, encadraient un val rocailleux, à l'aspect énigmatique. De la brume nappait un sol aride. D'où pouvait-elle provenir ? Il n'y avait pas la moindre source d'eau en vue. Les rares touffes d'herbe devaient se gorger de rosée uniquement.

Au pied de la pente, Bruenor, Régis, Dagnabbit, Wulfgar et sa famille rejoignirent Drizzt et Catti-Brie.

Le plus souvent indéchiffrable, le Drow avait, pour une fois, l'air déconcerté.

— La vue te déplaît ? demanda Bruenor.

— J'ai... un étrange pressentiment, tenta d'expliquer Drizzt.

Il secoua la tête.

— J'ai aussi l'impression bizarre qu'on... nous épie, renchérit Catti-Brie.

— On l'est probablement, répondit Bruenor. Epiés...

Le front plissé, Wulfgar couvait sa femme et sa fille du regard.

— Ton chariot ne devrait pas rester en tête, Bruenor, lui rappela Drizzt.

— C'est aussi ce que je me tue à lui répéter ! grogna Dagnabbit.

N'en faisant qu'à sa tête, le roi fit signe de continuer.

— Qu'ont-ils à hésiter comme ça ?

— Tu ne le sens pas ? s'étonna Dagnabbit.

— Si je le sens ? se récria Bruenor. Je suis plongé dedans, courte barbe !
Bon, nous ne tarderons pas à bivouaquer, de toute façon... Ce promontoire, là-bas, me paraît très bien. Et je raconterai l'histoire.

— L'histoire ? répéta Catti-Brie.

— Celle du défilé Fell.

A ce nom, Dagnabbit pâlit... Il ne signifiait encore rien pour les compagnons humains ou drow de Bruenor. Avec son efficacité typique,
Dagnabbit fit passer le mot et bientôt, les chariots s'alignèrent le long du
plateau que Bruenor avait désigné.

Une fois tout le monde installé, il se percha sur le toit d'un chariot.

— Vous sentez confusément la présence de fantômes... et vous ne vous
trompez pas ! Dans cette vallée, ils grouillent littéralement ! Ceux des
nains Delzoun, tués par les orcs il y a des lustres... Et quelle bataille, mes
amis ! Des centaines de nos ancêtres ont péri en entraînant dans leur tombe
des milliers d'ennemis... Soyez forts ! Nous avons gagné la bataille du
défilé Fell. En chemin, si vous croisez des spectres orcs, moquez-vous
d'eux ! Si ce sont nos ancêtres, inclinez-vous avec respect.

Ses amis du Val Bise admirèrent le talent oratoire de Bruenor, qui savait
adopter les bonnes inflexions de voix et mettre l'emphase sur les mots clés
pour capter l'attention de son public. Bruenor Battlehammer admettait
volontiers la présence du surnaturel, dans la vallée hantée. Mais quant à
trahir la plus petite peur, ça, jamais !

— Nous aurions pu nous enfoncer plus au sud, en allant sur Nesmé...,
continua-t-il. Bah !

Beaucoup de nains hochèrent la tête, partageant ce sentiment.

— Je savais que mes guerriers sauraient côtoyer sans frémir les héros
morts d'antan ! Alors, poursuivons vaillamment notre route, en double file.
Et si vous apercevez un aïeul, un peu de courtoisie !

L'armée reprit son chemin dans le val, les chariots disposés en double
file selon les instructions, roulant deux par deux. Un nain entama un chant
de marche à la gloire d'une autre bataille épique... Bientôt, toute la vallée
résonna des fiers accents guerriers.

— Fantômes ou pas, glissa Drizzt à l'oreille de sa compagne, ils n'ose-
ront pas importuner ces braillards !

De son côté, Delly aussi souriait.

— Et dire que tu me rebattais les oreilles des dangers de la route ! Dire
que j'étais effrayée...

Wulfgar lui jeta un regard inquiet.

— Comment as-tu pu quitter cette merveilleuse vie aventureuse pour
aller végéter dans une ville de pouilleux ? Je ne te comprendrai jamais !

— Nous non plus, renchérit Catti-Brie, s'attirant un regard surpris du
barbare. (Elle lui dédia un sourire désarmant.) Nous non plus...

Le vent mugissait, longue plainte infinie... *Et* contrepoint parfait au chant guerrier. Ce que les nains prirent d'abord pour des galets blancs se révéla vite être des os. Il y en avait partout. Des crânes, des fémurs... certains à demi enfouis, d'autres jonchant le sol poussiéreux... On trouvait aussi des bouts de métal rouillé, des épées brisées, des armures pourries... Les filaments de brume leur conféraient parfois des formes étranges, de nature à exciter l'imagination.

Le clan Battlehammer chantait à tue-tête en suivant son indomptable souverain.

Ce soir-là, les chariots disposés en cercle, avec les chevaux nerveux au centre, les nains campèrent à la lumière des torches. Et beaucoup continuaient de chanter.

— Pas question que vous quittiez le bivouac cette nuit ! lança Bruenor à Drizzt et à Catti-Brie. Et inutile d'invoquer ton stupide félin, d'ailleurs !

— Tu crains que Guenhwyvar n'ouvre un portail que des importuns pourraient franchir ?

— De l'avis des prêtres, mieux vaut ne pas s'y risquer.

Drizzt hocha la tête.

— Raison de plus pour que lui et moi patrouillions ! protesta Catti-Brie.

— Non.

— Pourquoi ?

— Que sais-tu, Bruenor ? insista l'elfe noir.

Il se rapprocha. Ainsi que Catti-Brie, *et* Régis, qui espionnait ses amis comme à son habitude.

— L'endroit est hanté, pour sûr ! chuchota Bruenor.

— Par tes ancêtres, rappela la jeune femme.

— Et par un tas de monstres !

Bruenor soupira.

— Tu penses que Gauntlgrym n'est pas loin ? fit Drizzt.

Son ami haussa les épaules.

— J'en doute. Il doit plutôt se trouver du côté de Mirabar... Cette fameuse bataille était en train de tourner en faveur des orcs, quand nos aïeux ont réussi à prendre l'avantage en se montrant plus malins que leurs ennemis... Ce n'était pas très difficile ! Les Delzoun ont creusé quantité de galeries secrètes et de grottes dans les parages, en guise de refuges, d'aires de stockage et d'approvisionnement, d'armurerie... Bien sûr, ces sapes permettaient aussi de surprendre l'ennemi... Les combats furent rudes. Les orcs survivants durent se réfugier en haute montagne. Quant à moi, j'entends explorer ces réseaux et percer tous leurs secrets !

— Tout en repoussant les vilains monstres qui pourraient encore hanter les lieux..., ajouta Catti-Brie.

— Il faut bien faire le ménage de temps en temps ! approuva Bruenor. Autant que je m'en charge.

— Que *nous* nous en chargions, souligna Régis.

Le nain sourit.

— Tu comptes entraîner l'armée dans ces souterrains ? demanda Drizzt.

— Nous ne ferons que passer. Ensuite, nous retournerons à Mithral Hall, pour régler les formalités. Et au printemps, nous reviendrons.

— Pourquoi explorer tout de suite ce domaine, alors ?

— Réfléchis, elfe. En ce moment, nous pensons affronter le pire danger… Ecoute.

Drizzt obéit. Dans la pénombre, on entendait des interjections alarmées, quand une sentinelle criait aux fantômes. Le clan Battlehammer n'aurait pas une nuit très reposante…

Au matin pourtant, les nains reprirent gaillardement leur route en chantant. Ils refusaient de s'avouer vaincus par la peur.

— Observe les deux pics qui gardent la vallée, Drizzt : Monteffroi et Feucéleste. (Bruenor désignait une montagne, au sud, et l'autre au nord.) Note la configuration des lieux. J'aurai besoin de tes talents de forestier.

La nuit suivante fut à peine moins agitée.

Le lendemain midi, la caravane chantante avait bien progressé.

Soudain, le chariot proche de celui de Bruenor bringuebala, deux roues cassées. L'attelage rua en hennissant. Des nains se précipitèrent pour rattraper les caisses qui menaçaient de dégringoler, à l'arrière…

… Dans une fosse béante.

Drizzt bondit pour trancher le joug des chevaux et leur sauver la vie.

Le chariot était entraîné dans la fosse par son poids. Les deux cochers et Catti-Brie qui avaient tenté de rattraper des caisses allaient disparaître avec lui dans le vide…

Sans hésiter, Wulfgar plongea à plat ventre au bord du trou et happa les bouts du harnais que Drizzt venait de couper avec le joug. En fait, le chariot glissait sur une pente douce – sinon, le barbare serait tombé avec lui.

Une corde enroulée à la taille, Régis sauta à son tour dans le trou. Bruenor tenait l'autre extrémité de la corde.

— Je les tiens ! cria le petit homme peu après.

Dagnabbit et d'autres nains prêtèrent main-forte à Bruenor.

Catti-Brie la première réapparut, se hissant en sécurité à la force du poignet. Les deux cochers, secoués mais indemnes, suivirent.

— Régis ? cria Bruenor.

— Il y a plein de tunnels… *Ah !*

Les nains remontèrent aussitôt le petit homme à la surface. A bout de force, Wulfgar lâcha prise et le chariot s'écrasa au fond du trou.

Régis réapparut à son tour, blanc comme un linge.

— Qu'as-tu vu ? braillèrent les nains en chœur.

— J'ai cru que c'était toi…, bredouilla Régis à un des cochers rescapés. Je t'ai tendu la corde et… elle est *passée à travers* !

Bruenor lui tapota l'épaule.

— Allons, c'est fini. Tu es en sécurité maintenant.

Guère rassuré, Régis hocha la tête.

Delly étreignit Wulfgar avec fougue, l'embrassant.

— Tu viens de leur sauver la vie, à tous les trois ! Sans toi, ils seraient morts écrasés…

Pelotonnée contre Drizzt, Catti-Brie tourna les yeux vers le barbare et acquiesça.

Les poings sur les hanches, Bruenor se campa au bord de la fosse et beugla :

— Ohé, des fantômes ! Vous n'avez rien de mieux à fiche, par hasard ?

Un chœur de gémissements monta des entrailles de la terre.

Les nains reculèrent en masse.

Pas leur chef.

— Oh, j'en tremble dans mes bottes, dites donc ! Vous avez quelque chose à dire ? Montez donc nous le déclarer en face ! Sinon, fermez-la !

Les plaintes sépulcrales cessèrent.

Un grand silence retomba.

Les fantômes allaient-ils prendre Bruenor au mot ?

Peu à peu, rien ne se passant, les nains très éprouvés se détendirent.

Bruenor se tourna vers Dagnabbit.

— Que Gaspard et les autres s'encordent et passent devant en piétinant le sol tout leur content. Pas question que ça se reproduise.

Alors qu'on courait exécuter les ordres, Drizzt se rapprocha de son ami.

— On défie les morts maintenant ?

— Bah, pour eux, leurs simagrées ne prêtent pas à conséquence… Flotter dans les airs, ululer… Ils veulent juste distraire leur ennui en nous flanquant la frousse, je pense. S'en amuser. D'ailleurs, ils n'ont probablement pas conscience d'être morts.

— Je partage cet avis.

— Bon, repère l'endroit. Ce sera parfait pour entamer notre traque.

Sur ces mots, Bruenor l'indomptable retourna dans son chariot et continua comme si de rien n'était.

— Bonne route, Bruenor Battlehammer, chuchota Drizzt.

— Ne l'est-elle pas toujours ? lança Catti-Brie en lui enlaçant la taille.

Traverser le défilé Fell demanda trois journées de plus. Les fantômes pour escorte, le vent mugissait sans fin aux oreilles des nains. Par endroits, on éprouvait un sentiment indicible de désolation…

Combien d'âmes perdues hantaient de tels lieux ?

Au soir du troisième jour, perchée sur un éperon rocheux, Catti-Brie avisa le ruban d'argent d'un cours d'eau, à l'est.

— La Surbrin, dit Bruenor en souriant quand elle lui fit part de sa découverte.

La rivière coulait à l'est de Mithral Hall.

— Encore deux ou trois jours, ajouta le nain, et nous serons chez nous.

Les guerriers acclamèrent leur souverain intrépide, conquérant du défilé Fell !

— Je ne comprends toujours pas pourquoi nous sommes passés par là pour rentrer, confia Catti-Brie à son père.

— Appelle ça une mission de reconnaissance, si tu veux, répondit Bruenor. Nous étions sous la protection de l'armée. Nous y retournerons avec une bonne connaissance, justement, du terrain et de ses dangers.

— Tu penses qu'une fois couronné roi, on te laissera repartir à l'aventure à ta guise ? s'exclama la jeune femme.

— Comment ça, *on* me *laissera* ? s'insurgea Bruenor. Personne n'a à dicter sa conduite au roi ! Et je me passerai de la permission de tout le monde, ma fille !

Catti-Brie ne trouva rien à répondre.

— Au fait, n'étais-tu pas censée patrouiller avec Drizzt ?

— Aujourd'hui, il a pris Régis avec lui. A sa demande, je précise.

Bruenor secoua la tête.

— Quelle mouche l'a encore piqué, celui-là ?

Dire qu'en petit homme qui se respecte, Régis avait naguère adoré ses aises, le luxe, la douceur de vivre... On ne le reconnaissait plus, tant il avait changé. N'avait-il pas bravé sans une plainte les grands froids de l'Epine Dorsale du Monde, trouvant la force d'encourager ses amis à faire contre mauvaise fortune bon cœur ? Dans tous ses faits et gestes, Régis s'était pleinement investi alors que par le passé, il s'y entendait à se déguiser en courant d'air sitôt que la situation tournait au vinaigre ! Il n'y avait pas eu plus doué que lui pour se fondre dans le décor à la première alerte...

Bruenor et tout son entourage avaient du mal à le reconnaître. A en croire leurs yeux et leurs oreilles, parfois... Mais au moins, cette spectaculaire métamorphose était pour le mieux.

Wulfgar rejoignit Delly qui, oreille tendue, épiait une conversation d'ordre privé entre Bruenor et sa fille adoptive. Le barbare constata que sa femme était comme fascinée par Catti-Brie... Cherchait-elle à prendre sa mesure ?

Survenant par-derrière, Wulfgar enlaça la taille de Delly.

— Une femme remarquable...

— Je vois pourquoi tu l'aimais.

Il retourna son épouse vers lui.

— Je n'ai pas...

— Oh, si ! Inutile de me dorer la pilule !

Le front plissé, il ne sut que répondre.

— C'est une compagne fidèle... Sur la route, au combat...

— ... Et dans ta vie.

— Non ! insista Wulfgar. Autrefois, j'ai cru désirer notre union. C'était logique, en un sens... Mais aujourd'hui, je vois les choses différemment. Colson et toi, vous me... complétez.

— Qui a dit le contraire ?

— Tu viens de dire...

— ... Que Catti-Brie était la compagne de toute ta vie. C'est le cas, et tu ne peux que t'en féliciter. Inutile de chercher à prendre tes distances vis-à-vis d'elle !

— Je ne veux pas te blesser.

Delly continua à observer Catti-Brie.

— Elle non plus. C'est ton amie, et c'est très bien ainsi. (Elle s'écarta de Wulfgar pour lui sourire.) Bien sûr, je verrai toujours en elle une rivale. C'est plus fort que moi. Et je craindrai que ta flamme pour elle renaisse de ses cendres... Mais je sais me raisonner. J'ai confiance en toi et en ce que nous avons construit. Alors, ne te prive pas de la compagnie de Catti-Brie en croyant me protéger... Beaucoup d'hommes et de femmes seraient ravis d'avoir une amie comme elle.

— Et je le suis, admit Wulfgar, intrigué. Pourquoi me dis-tu tout ça maintenant ?

Delly sourit de plus belle.

— Bruenor parlait de revenir ici. Avec toi...

— Ma place est à vos côtés.

Elle secoua la tête.

— Quand la vie le permet, oui. Mais ta place est aussi et surtout aux côtés de tes amis de toujours. J'en ai conscience. Et je ne t'en aime que plus pour ça !

— Les chemins qu'ils suivent sont dangereux.

— Raison de plus pour que tu les protèges.

— Ce sont des nains ! s'exclama Nikwillig, au comble de l'excitation.

Il était perché sur la crête d'une colline.

A mi-chemin de la pente, Tred, qui ne voyait pas encore la caravane passer au sud, en contrebas, s'assit contre une roche et se prit la tête à deux mains. Très enflée, sa jambe gauche ne se pliait plus. Il ne pourrait plus continuer bien longtemps sans soins appropriés. Ou mieux, une intervention divine...

Naturellement, pas une plainte n'avait franchi ses lèvres pendant toute leur fuite. Mais les deux nains avaient conscience d'atteindre leurs limites...

Et à présent, le destin semblait enfin leur sourire.

— En fonçant au sud-est, ajouta Nikwillig, nous intercepterons sa trajectoire. D'attaque pour la dernière ligne droite ?

— S'il le faut, il le faut, répondit Tred. On n'a pas fait tout ce chemin pour s'avouer vaincus maintenant !

Hochant la tête, Nikwillig entama la descente de la colline, sur l'autre versant. Et s'immobilisa soudain.

Suivant la direction de son regard, Tred découvrit...

... Une panthère noire, toute proche !

— Ne bouge plus d'un poil, souffla Nikwillig à son compagnon.

Comme si Tred avait besoin de pareil conseil !

Que feraient-ils si l'énorme félin leur sautait à la gorge ?

Vendre chèrement leur peau... C'était tout ce qu'ils pouvaient encore espérer.

Les secondes s'égrenèrent.

Grognant, Tred brandit sa hache en un geste de défi.

La panthère ne parut pas réagir. Elle semblait même... blasée ?

Un petit homme aux cheveux châtains fit son apparition.

— Ne faites pas ça ! Quand Guenhwyvar est d'humeur joueuse, c'est dur de l'arrêter !

— C'est votre grand chat ? s'enquit Tred.

— L'amie d'un ami, disons...

— Qui êtes-vous ?

— Je pourrais vous poser la même question ! C'est d'ailleurs ce que je fais, tiens !

— Nous vous répondrons quand vous nous aurez répondu, répliqua Tred.

Le petit homme se lança dans une révérence.

— Régis de Mithral Hall. L'ami du roi Bruenor Battlehammer, et l'éclaireur de la caravane que votre compagnon a remarquée là-bas... De retour du Val Bise.

Tred et Nikwillig se détendirent.

— Le roi de Mithral Hall a d'étranges fréquentations, observa Tred.

— Vous n'avez pas idée à quel point ! s'exclama Régis en tournant la tête.

Les deux rescapés suivirent la direction de son regard, et découvrirent une autre silhouette sombre.

Celle d'un Drow.

Tred faillit en tomber de saisissement.

Aussi choqué, Nikwillig tituba, se rattrapant de justesse.

— A qui ai-je l'honneur ? lança Régis. Si vous n'avez pas reconnu Drizzt Do'Urden et sa panthère Guenhwyvar, c'est que vous n'êtes vraiment pas du coin !

Nikwillig reprit ses esprits.

— Une minute ! L'ami de Bruenor... Le célèbre Drow... Bien sûr qu'on en a entendu parler !

— Dans quelle région ? demanda Drizzt.

Nikwillig se rapprocha de Tred, et tous deux cherchèrent à se rendre plus présentables en s'époussetant.

— Je suis Tred McJointures, et voilà mon ami Nikwillig. Nous venons de la citadelle Felbarr, du royaume d'Emerus Couronneguerre.

— Vous venez de loin, observa Drizzt.

— De plus loin encore que vous ne pensez, répondit Tred. Notre route était semée d'embûches, les orcs et les géants nous ont attaqués, et nous avons fini par nous égarer !

— Vous nous raconterez tout ça, dit l'elfe noir. Mais pas ici ni maintenant. Allons rejoindre Bruenor et les autres.

— Bruenor est dans cette caravane ? s'écria Nikwillig.

— A l'annonce du décès de Gandalug Battlehammer, il a quitté le Val Bise pour être couronné roi à Mithral Hall.

— Moradin l'a accueilli dans sa forge, ajouta Tred.

C'était une bénédiction traditionnelle, chez les nains.

Drizzt hocha la tête.

— En effet. Et que Moradin guide Bruenor.

— Qu'il nous ramène sains et saufs à notre caravane, surtout ! lança Régis nerveusement.

Comme s'il s'attendait à ce que des hordes de géants surgissent soudain pour les lapider…

— Guenhwyvar, continue de surveiller les parages, ordonna Drizzt.

Quand il fit mine de se rapprocher des deux rescapés, ceux-ci se crispèrent d'instinct.

Il s'arrêta.

— Régis, emmène-les auprès de Bruenor. Je patrouillerai avec Guenhwyvar.

Il salua et s'éclipsa.

Au grand soulagement des survivants.

— Voyons, les reprit Régis, vous n'avez rien à craindre ! Avec Drizzt et sa panthère, vous voilà plus en sécurité que vous ne sauriez l'imaginer !

L'air sceptique, les deux nains échangèrent un regard avant de hocher vaguement la tête.

Le petit homme leur décocha un clin d'œil.

— Pas d'inquiétude. Vous vous habituerez à lui…

CHAPITRE VI

PLUS MALIN QU'UN ORC NE DEVRAIT L'ÊTRE…

L'arrivée des deux nains avait plongé dans l'excitation le hameau de Talons Claquants. Mais au cœur de l'Epine Dorsale du Monde, l'excitation n'augurait souvent rien de bon. Les nains partis, remis de leurs craintes, les villageois furent ravis de cet épisode finalement sans danger qui avait mis un peu de piquant dans leur vie.

Non qu'ils jettent pour autant la prudence aux orties… Les jours suivants, ils limitèrent leurs excursions en montagne, doublèrent la garde diurne et triplèrent les rondes nocturnes.

L'expérience amère leur avait appris à ne jamais laisser les circonstances ou un calme trompeur endormir leur méfiance.

Même après dix jours, la vigilance des villageois ne se relâcha pas.

Le soir venu, Carelman Deusous se sentait fatigué. Mais pas question de s'adosser au mur d'enceinte, sinon il piquerait du nez… Peu après minuit, alors qu'il allait répondre aux cris de ses camarades pour assurer que tout était normal de son côté, une énorme roche surgie de nulle part s'écrasa sur lui…

Il mourut sur le coup.

Il n'entendit pas les hurlements, autour de lui, ou le bombardement du hameau par les géants, pas plus qu'il ne vit ensuite déferler des orcs chevauchant leurs worgs…

Il n'assista pas au massacre.

Il était déjà mort.

Le marquis Elastul lissait ses bacchantes rousses. Beaucoup de nains y voyaient un geste de fierté. Encore qu'aucun humain n'aurait pu rivaliser avec eux en matière de pilosité…

— Que vais-je faire de vous, Torgar Frappemarteau ? demanda Elastul.

Les quatre gardes d'élite chuchotèrent entre eux.

— J'ignorais que vous deviez « faire quelque chose de moi », seigneur, répondit le nain. Je servais déjà Mirabar bien avant votre venue au monde et bien avant la naissance de votre père… Je n'ai guère besoin de vous, à la vérité.

Devant ce rappel fort peu diplomate, le marquis se rembrunit.

— Justement, cet héritage me pose problème. Le peuple de Mirabar voit en vous un des meilleurs commandants de la Hache. Votre réputation vous honore.

— Bah, marquis, vous allez me faire rougir…

Elastul poussa un lourd soupir. Il allait répondre quand les portes de la salle d'audience s'ouvrirent à la volée.

Une entrée fracassante pour le Sceptre de Mirabar.

Shoudra Brillétoile vint s'incliner devant Elastul.

— Marquis…

— Je suis tenté d'arracher l'insigne de la Hache de l'armure de Torgar, ici présent. Dire que vous avez fraternisé avec nos ennemis !

— Qui traitez-vous d'ennemis ? répliqua le nain.

— Dois-je vous rappeler tout ce que le clan Battlehammer nous a volé ?

— Ce qu'il nous a volé ? Mais rien du tout ! explosa Torgar. Au contraire, nous avons fait affaire !

— Je me fiche de leur caravane ! Je parlais des mines de l'Est, et vous le savez ! Depuis la réouverture des mines de Mithral Hall, notre commerce est en chute libre. Demandez donc à Shoudra. Elle est bien placée pour vous expliquer les difficultés qu'elle rencontre à reconduire des contrats ou à attirer une nouvelle clientèle !

— C'est exact, confirma Shoudra. Depuis la renaissance de Mithral Hall, mon rôle s'est considérablement compliqué.

— Comme le nôtre, souligna Torgar. Et de mon point de vue, surmonter les difficultés ne peut que nous rendre meilleurs.

— Le clan Battlehammer n'est pas l'ami de Mirabar ! martela Elastul.

— Pas plus qu'il n'est notre ennemi, répliqua Torgar. Vous devriez mesurer vos propos.

Le marquis se leva si brusquement que par réflexe, le nain porta la main à son épaule droite, près du manche de sa hache harnachée dans le dos.

L'humain et ses quatre gardes écarquillèrent les yeux.

— Le roi Bruenor était venu en ami, reprit Torgar après un petit silence. Et il a été admis dans notre ville en tant que tel.

— Dites plutôt qu'il voulait prendre la mesure de ses principaux concurrents, dit Shoudra.

Torgar se contenta de hausser les épaules.

— Et après avoir laissé entrer dans nos murs un héros de légende, vous auriez voulu que ses semblables le fuient comme la peste, c'est ça ?

— Bien des nains de Mirabar voudraient qu'on espionne le roi Bruenor à Mithral Hall, rappela Elastul. Que nos agents aillent saboter ses forges, inonder ses tunnels, trafiquer les armements qui sont mis en vente pour décevoir sa clientèle…

Torgar aurait été bien en peine de le nier, lui qui, par le passé, avait tant voué Mithral Hall aux gémonies... Mais attribuer tous ses maux aux absents était une chose. Faire la connaissance de ceux qu'on avait toujours tenus pour responsables de ses malheurs en était une autre... Et désormais, concurrence ou pas, Torgar n'hésiterait plus à prendre les armes pour défendre le clan Battlehammer qu'il avait jadis tellement vilipendé.

— Ne vous est-il jamais venu à l'idée que nous prenions le problème à l'envers ? ajouta Torgar. (Le marquis et Shoudra échangèrent un regard intrigué.) Pourquoi ne pas unir nos talents et nos forces pour le plus grand bien de tous ?

— Comment ça ? demanda Elastul.

— Ils ont les meilleurs filons. Les nôtres ne soutiendront jamais la comparaison, quand bien même nous creuserions la terre à n'en plus finir. Ils ont en outre des artisans géniaux. Mais nous aussi ! Alors pourquoi ne pas nous partager le travail – et le marché ? Nos meilleurs ouvriers réunis s'occuperaient des meilleures pièces, pendant que nos apprentis et les autres forgeraient des roues, des rambardes, des objets d'usage courant au lieu d'armes ou de cuirasses... Vous voyez ce que je veux dire ?

Le marquis ouvrit des yeux ronds comme des soucoupes. Non parce que cette suggestion l'intriguait. Nullement.

Torgar comprit qu'il venait de dépasser les bornes.

Au prix d'un violent effort, Elastul réprima l'explosion de colère qui menaçait. Muet de rage, il tremblait de tous ses membres.

— Bon..., soupira Torgar. Ce que j'en disais...

Le marquis retrouva sa voix.

— Pourquoi est-ce que je n'ordonne pas qu'on vous traîne séance tenante en place publique pour y être flagellé ? Pourquoi je n'ordonne pas votre comparution immédiate devant un tribunal d'exception pour haute trahison ? Comment *osez-vous* ? Par votre faute, les nains de cette ville menacent d'entrer en sédition contre leurs légitimes dirigeants ! Vous voudriez qu'on pactise avec notre principal rival, qui nous a déjà coûté des fortunes ? Comment avez-vous le front de suggérer que Mirabar fasse des avances amicales à Mithral Hall ?

Shoudra Brillétoile posa une main apaisante sur le bras du marquis, tentant de le calmer. Elle fit discrètement signe au nain de s'éclipser.

Mais Torgar ne l'entendit pas de cette oreille.

— Vous haïssez Bruenor et son clan, et vous avez peut-être raison... Mais j'y vois là surtout une preuve de notre propre faiblesse.

« Vous voulez me casser, arracher mes insignes ? Allez-y ! Mais quant à me faire subir le supplice du fouet, là, c'est vous qui transgressez les règles !

Torgar Delzoun Frappemarteau tourna les talons et sortit en trombe.

— J'aurai sa tête sur un piquet ! fulmina Elastul.

— Et la révolte de deux mille citadins sur les bras..., prophétisa Shoudra. Mon bon marquis, je ne suis pas en complet désaccord avec vous. Mais vu la réaction de nos concitoyens nains, je vois mal ce que nous gagnerions à jeter de l'huile sur le feu...

Elastul lui décocha un regard menaçant.

Tête baissée en signe de déférence, la jeune femme recula.

Au propre comme au figuré.

Comment la simple visite d'un monarque étranger avait-elle pu à ce point semer le trouble et la zizanie à Mirabar ?

Si le marquis s'entêtait sur cette voie, la situation risquait rapidement de tourner à la catastrophe.

En tout cas, le roi Bruenor avait admirablement su manœuvrer en se présentant là où il savait par avance qu'il ne serait pas le bienvenu… Sans pour autant qu'on l'empêche d'entrer.

Une belle ruse politique, que Shoudra applaudissait en silence.

D'autant que le marquis semblait jouer le jeu de Bruenor à la perfection.

Obould et son fils contemplèrent les ruines de Talons Claquants.

— Des prisonniers ?

— Très peu.

— Tu les interrogeras ?

Surpris, Urlgen se redressa de toute sa taille.

Obould lui flanqua une taloche sur la nuque.

— Qu'avons-nous besoin de savoir ? s'écria le jeune orc, perplexe.

— Tout ce que tu pourras leur soutirer, répondit son père en articulant chaque syllabe avec une lenteur vexante.

Comme s'il s'adressait à un nourrisson.

Urlgen se renfrogna.

— Tu sais au moins conduire un interrogatoire ? insista Obould. (Piqué au vif par cette remarque ridicule, son fils grogna.) C'est comme la torture, sauf que tu poses des questions tout en t'amusant.

Le sourire retrouvé, Urlgen rejoignit les autres monstres, dans le hameau dévasté. Ceux-ci « s'amusaient » déjà avec de rares survivants.

Une heure plus tard, le jeune orc retourna vers son père, qui débattait politique avec les géants leurs alliés.

Il annonça que deux nains avaient survécu au précédent raid.

— Des nains ? se récria Obould. De passage dans ce stupide village ?

Il fronça les sourcils. Une bande d'orcs venait d'être décimée par des nains en maraude – ou en fuite, justement –, quelques jours plus tôt.

— Ils étaient blessés, ajouta Urlgen.

— Et ils sont morts là ?

— Non. Ils ont repris des forces – *et* la route, à la recherche de Mithral Hall.

— C'était quand ?

— C'est tout récent…

Obould en fut tout excité.

— On repart en chasse ? proposa-t-il aux géants bleus des glaces.

Ceux-ci hochèrent la tête avec empressement.

Mais Obould se rappela les avertissements d'Ad'non Kareese…

Traquer les fuyards au sud rapprocherait dangereusement les orcs et leurs alliés de Mithral Hall, et risquerait de précipiter les choses...

— Tu ne peux pas... ! s'écria Urlgen, voyant l'expression de son père changer.

— Je peux, assura Obould. Laissons-les fuir. Quand les autres nains seront avertis de ce qui se passe, ils reviendront par ici en force... Et la bataille sera merveilleuse !

Urlgen sourit.

Son père avait sciemment passé sous silence le nom de Mithral Hall. Par simple prudence. Car très excitables de nature, les jeunes orcs auraient foncé au sud sans réfléchir.

Bref, les nains ne perdaient rien pour attendre.

CHAPITRE VII

LE CÉRÉMONIAL AFFÉRENT À LA ROYAUTÉ

A dessein, Bruenor n'invita pas Gaspard Pointepique à assister à son entrevue avec les deux nains originaires de la citadelle Felbarr. Régis l'avait prévenu par avance de ce qu'il entendrait. Il n'en faudrait pas plus pour que les foudres de guerre foncent sus aux orcs en criant vengeance sur tous les tons…

Nikwillig et Tred racontèrent donc leur épopée dramatique à un groupe qui comptait plus d'étrangers que de nains. Il y avait notamment Drizzt, Catti-Brie, Wulfgar et Régis.

— Une belle évasion, les félicita Bruenor quand ils eurent achevé leur récit. Le roi Emerus Couronneguerre sera fier de vous.

Les survivants rosirent, ravis du compliment.

— Dagnabbit ? ajouta Bruenor. Ton avis ?

— Avec la brigade Nazetripe, je retournerais dans la région de la Surbrin, au nord, répondit le jeune nain après mûre réflexion. J'écraserais les pillards puis je reviendrais. Sinon, je longerais le fleuve en sens inverse, vers le sud, jusqu'à Mithral Hall.

Bruenor hocha la tête. Dagnabbit était assez doué, mais… trop prévisible.

— J'aimerais rendre à ces tueurs la monnaie de leur pièce ! lança Tred.

Nikwillig eut l'air mal à l'aise.

— Et ta jambe ?

— Bah, les prêtres de Bruenor m'ont bien soigné !

Geste à l'appui, Tred se leva et sautilla. A part quelques grimaces qu'il ne put tout à fait réprimer, il semblait pleinement rétabli, en effet.

Bruenor réfléchit.

— Pas question que vous risquiez encore votre vie tous les deux, ou le roi Emerus n'entendra jamais ce récit de votre bouche… Tred, vous pourrez vous joindre à nous. Nikwillig, vous irez à Mithral Hall avec les autres.

— Mon roi, intervint Dagnabbit, tu ne comptes tout de même pas te joindre à la chasse ?

Le jeune nain avait pour – délicate – mission d'assurer la sécurité de l'héritier du trône. En toute logique, Bruenor Battlehammer aurait dû rallier son fief et de là, diriger les contre-offensives.

Mais cette simple idée lui flanquait déjà des maux d'estomac.

Il lança un regard à Drizzt, qui hocha discrètement la tête.

— Qu'en penses-tu ?

— Je débusquerai plus facilement les orcs et les géants que Gaspard, répondit l'elfe noir. Et que Dagnabbit aussi, tout bon chasseur qu'il soit.

— Alors, viens avec nous ! s'exclama le jeune nain.

Mais il savait déjà où Drizzt voulait en venir.

— Je viendrai... avec mes amis. Ceux en qui j'ai toute confiance. Et qui savent le mieux faire équipe avec moi.

Geste à l'appui, l'elfe noir se tourna vers Catti-Brie, Wulfgar, Régis... et Bruenor.

Un large sourire s'épanouit sur les lèvres du roi.

— Non ! protesta Dagnabbit. Tu n'y penses pas ! Entraîner mon souverain comme ça...

— Le choix lui revient, mon ami, répondit Drizzt, souriant. Ce n'est pas à nous d'en décider. Une dernière chasse ?

— Qui a dit que ce serait la dernière ? se récria Bruenor, aux anges.

— *Dagnabbit* le dit !

Le jeune nain frustré martela le sol de ses bottes, provoquant l'hilarité générale.

— N'oublie pas d'emmener des guerriers avec toi, mon roi...

— Je commencerai par toi, mon fringant commandant, par vous, Tred, et par la brigade.

— Pas question ! grogna Dagnabbit.

— Mais tu viens de dire...

— C'était avant que j'apprenne tes intentions !

Bruenor comprit les inquiétudes de Dagnabbit.

— Entendu.

Gaspard était capable de se quereller avec les pierres, disait-on à Mithral Hall, et de faire des ravages avant de gagner... Il était aussi dangereux pour lui-même que pour son entourage.

— Tu sélectionneras toi-même nos compagnons. Vingt guerriers d'élite...

— Vingt-cinq ! coupa Dagnabbit.

— D'accord ! rugit Bruenor. Et dépêchons. Je veux partir en chasse aujourd'hui même. Nous avons des orcs et des géants à écraser comme des moustiques !

Il nota que Wulfgar souriait moins que Drizzt, Catti-Brie ou même Régis. Et fit signe à son fils adoptif... Epoux et père, Wulfgar avait maintenant le droit de soupeser les risques avant de foncer dans la gueule du loup, comme par le passé.

Le barbare serra les mâchoires, et partit.

— Tu n'y penses pas ! s'écria Shingles McRuff.

Ce nain courtaud et râble avait toujours l'air hargneux. Un bandeau passé sur une orbite vide, le borgne avait le côté droit du visage gâté. La moitié de sa barbe noire manquait.

— Oh si, j'y pense ! soutint Torgar Frappemarteau. Et toi ?

— Tu veux vraiment partir ?

L'exclamation attira l'attention générale, dans l'auberge bondée du plus haut niveau souterrain de la ville. Beaucoup de nains tirèrent leur chaise en direction de Torgar en lançant en chœur :

— Tu quittes Mirabar ?

— Mais non, stupides… (Son ton manquait singulièrement de conviction.) Mes aïeux ont toujours vécu là…

Au fond, Torgar voulait-il vraiment s'exiler ? Lui-même était tellement déboussolé qu'il n'en savait plus rien. Certes, repenser à Elastul le fichait en rogne, mais… En son âme et conscience, avait-il décidé de ne plus lier la dynastie Frappemarteau au destin de Mirabar ?

Il passa les mains dans ses cheveux.

— Bah !

Il se releva si vivement que sa chaise bascula en arrière et sortit en trombe. Au passage, il attrapa sur le comptoir une flasque de bière en jetant une pièce au tenancier amusé.

Dans la grotte où s'entassaient les logis du Premier Niveau de Sousville, il observa les structures et les strates géologiques qu'il connaissait pourtant si bien.

Son foyer.

— Stupide Elastul ! Imbéciles, tous, de ne pas voir en Bruenor l'ami qu'il ne demande qu'à être…

Il s'éloigna sans savoir que Shingles et bien d'autres, massés devant la fenêtre ouverte de l'auberge, l'avaient entendu.

— Il ne plaisante pas…

— Il s'en ira…

— Bah ! éclata Shingles. Que connaissez-vous, en dehors de la bière que vous buvez ? Et encore…

— La bière que je bois, je la connais ! riposta un des nains. Et justement, j'ai soif !

Tout le monde cria à boire.

Amusé, Shingles McRuff continua de regarder par la fenêtre, même si son vieil ami et frère d'armes avait disparu.

Oui, Torgar était sérieux… L'arrivée inopinée du roi Bruenor de Mithral Hall avait mis un nom sur les maux insidieux qui rongeaient une communauté naine insatisfaite. Et l'ennemi sans visage que ceux de Mirabar avaient toujours rendu responsable de leurs misères était venu vers eux en tendant la main de l'amitié.

Un concurrent ? Peut-être.

Un ennemi ? Certainement pas.

Torgar et ses compatriotes avaient du mal à digérer la réaction veni-meuse d'Elastul et des dirigeants de Mirabar – pratiquement tous humains.

Shingles McRuff réfléchit à la situation. Et à ses implications.

Il n'aimait pas la direction que ses déductions prenaient déjà.

— La culpabilité est un truc bizarre, non ? lança Delly Curtie.

Le barbare, de retour dans leur chariot, eut l'air sceptique.

— La culpabilité ? Ou une meilleure appréhension de ses responsabilités ?

— La culpabilité, trancha la jeune femme.

— En fondant une famille, j'ai accepté la responsabilité de sa protection.

— Et que pourrait-il nous arriver à toutes les deux, alors que deux cents nains en armes nous entourent ? Tu n'es pas en train de nous abandonner dans la nature, Wulfgar ! Nous sommes en sécurité. C'est toi qui affronte-ras le danger !

— Mais ce faisant, je tournerai le dos à mes responsabil…

— Oh, arrête avec ça ! explosa la jeune femme, attirant l'attention des nains proches. Tu fais ce que tu as à faire. Tu vis la vie qui t'est destinée.

— Tu as fait tout ce chemin avec moi…

— … En vivant pleinement *ma* vie. Je ne veux pas te perdre. Sûrement pas ! Mais je sais que si tu n'écoutes pas les élans de ton cœur, si tu restes ici toute la journée, je t'aurai déjà perdu… Viens avec nous à Mithral Hall si tu le désires vraiment, mon chéri. Sinon, cours rejoindre Bruenor et les autres.

— Et si je meurs loin de toi ?

La peur ne poussait pas Wulfgar à poser pareille question. La mort n'ef-frayait pas un guerrier doublé d'un aventurier de sa trempe. Et tant qu'il restait convaincu de suivre son destin, il ne reculerait devant rien.

Mourir sans combattre jusqu'à son dernier souffle ? Jamais !

— Cette pensée ne me quitte pas, avoua Delly. Si tu disparais, sache que Colson sera toujours fière de son père. Je ne te le cache pas, j'ai envisagé de te retenir près de moi. Ce ne serait pas difficile. Mais… Chaque fois que le vent caresse ton visage, tu es le plus heureux des hommes ! Colson et moi nous plierons aux décrets du destin, si un malheur t'arrivait. L'important est que tu suives toujours les élans de ton cœur, Wulfgar, fils de Beornegar.

Elle s'agenouilla devant le barbare assis pour lui passer les bras autour du cou.

— Et n'oublie pas de coller aux orcs une bonne raclée de ma part, hein ?

Séduit par les yeux pétillants de la jeune femme, Wulfgar sourit. Jamais son regard n'avait autant brillé. Il l'avait rencontrée dans les bas-fonds de Luskan, où elle travaillait comme servante de taverne. L'amour, la vie au grand air, l'aventure, l'enfant… Tous ces bonheurs avaient transformé Delly, qui resplendissait un peu plus chaque jour.

Wulfgar l'attira dans ses bras pour l'étreindre. Il repensa au jour où

Robillard l'avait lâché au cœur de Luskan en lui donnant à choisir entre deux alternatives : la route du sud, et la sécurité aux côtés de Delly et Colson. Ou celle du nord, pour courir rejoindre ses amis dans de nouvelles aventures...

En entendant Delly parler avec les accents de l'amour sincère, et de l'admiration, Wulfgar se félicita plus que jamais de son choix... Le nord.

Il adorait l'élue de son cœur.

— Je leur flanquerai une *double* raclée pour toi, mon amour, promit-il en l'embrassant.

D'humeur taquine, Delly s'écarta. Il se rapprocha pour prendre ses lèvres en un baiser passionné. Il se releva, la soulevant dans ses bras...

... Et Colson se réveilla en pleurant.

Ses parents dépités ne purent qu'en rire.

Sautillant comme une puce en chaleur, Gaspard Pointepique donnait voix à ses frustrations. Il tirait des coups de pied hargneux aux pierres, grosses ou petites, sans cesser de vociférer des imprécations.

Il s'immobilisa enfin, les poings sur les hanches.

— Nous avons le droit de participer aux combats !

— Nous partons en découdre avec une bande d'orcs et deux ou trois géants, répéta Bruenor. Je n'appelle pas ça des « combats ». Et encore moins si les Nazetripe sont de la fête... On n'aura même pas le temps de s'amuser.

— Nous sommes des guerriers !

— Un peu trop, oui ! rugit Bruenor, excédé.

Gaspard écarquilla les yeux.

— Hein ?

— Stupide ! Ne comprends-tu pas que ce sera ma dernière excursion avant longtemps ? A Mithral Hall, je redeviendrai le roi. Quelle barbe !

— De quoi parles-tu ? Tu es le meilleur souverain que...

D'un regard écœuré, Bruenor le fit taire.

— Faire assaut de mensonges avec des émissaires fielleux, *et* le joli cœur avec de sémillants seigneurs et de gentes dames tous plus idiots les uns que les autres... ! Combien de fois aurai-je encore l'occasion de manier ma hache de guerre dans les prochains cent ans, d'après toi ? A moins qu'une autre armée de Drows revienne à la charge... C'est ma dernière chance de prendre du bon temps ! Et tu voudrais me la gâcher avec ta bande d'exterminateurs fous à lier ? Dire que je te croyais mon ami !

Voilà qui jetait un éclairage nouveau sur la situation. Gaspard en fut décontenancé.

— Je suis ton ami, roi Bruenor, répondit-il, plus sobre qu'on ne l'avait jamais vu. Avec ma brigade, je préparerai ton retour à Mithral Hall... Pas trop vite, ajouta-t-il avec un clin d'œil exagéré. (Bruenor n'aurait pas cru qu'il comprendrait si bien.) Les rescapés de Felbarr sont peut-être tombés

sur une bande d'orcs, mais qui sait combien d'autres écument la région ?
Alors, bonne chasse, roi Bruenor ! En attendant ton retour triomphal !

En fanfare, jurant de mettre à mort les orcs et les géants, avec force pro-
testations d'amitié éternelle entre Mithral Hall et la citadelle Felbarr,
Bruenor, Dagnabbit, Tred, ses chers amis et vingt-cinq guerriers d'élite
s'enfoncèrent au nord, dans les montagnes. Les nains n'étaient pas un
peuple sanguinaire, mais les gobelinoïdes et les géants comptaient parmi
leurs pires ennemis.

Tous les membres de l'expédition (jusqu'à Régis !) étaient exaltés par la
perspective d'aventures fertiles en émotions. Ils faisaient même l'envie des
autres.

L'elfe noir avait l'impression de revivre le passé en retrouvant l'esprit de
camaraderie qui avait tellement enrichi son existence. Ses vieux frères
d'armes se comprenaient mieux les uns les autres, et acceptaient leur
destin par avance.

Quelle belle journée !

Comment Drizzt Do'Urden aurait-il pu deviner que ce serait en réalité le
jour le plus triste de sa vie ?

DEUXIÈME PARTIE

DANS LA GUEULE DU LOUP

Je n'ai pas peur de mourir.

Là, c'est dit. Je l'admets enfin. Depuis mon départ de Menzoberranzan, la mort ne m'effraie pas. Mais je le comprends seulement maintenant. A cause de mon ami, Bruenor Battlehammer.

Ce n'est pas de ma part une déclaration de courage, une fanfaronnade, ou je ne sais quelles prétentions de supériorité. C'est la vérité toute simple.

Je n'ai pas peur de mourir.

Je le ne souhaite pas. Si on m'attaque, je me défendrai jusqu'à mon dernier souffle. Mes amis m'accusent souvent de livrer des combats perdus d'avance – alors que jusqu'ici, nous nous en sommes toujours sortis vivants –, de me jeter dans la gueule du loup... Non. J'espère vivre éternellement, mes chers compagnons toujours à mes côtés.

Alors... Pourquoi cette absence de peur ? Les chemins que j'emprunte volontiers sont pourtant semés d'embûches. Au point qu'un jour ou l'autre, la mort frappera.

Cette perspective nous décourage-t-elle ? Nous incite-t-elle à rebrousser chemin ?

Jamais.

Maintenant, je sais pourquoi.

Grâce à Bruenor, je comprends pourquoi mourir ne m'épouvante pas.

J'avais cru être porté par la foi en ma déesse. D'ailleurs, elle reste mon réconfort. Mais c'est une partie de l'équation seulement, fondée sur la prière, la foi aveugle. Ça ne concerne pas ce qui guide réellement chacun de mes pas sur une route si dangereuse... Et qui me permet de rester d'un grand calme en toutes circonstances.

Je fais partie d'un concept supérieur à tout ce que je peux être, corps et âme.

Quand j'ai interrogé Bruenor sur ses raisons de se détourner de Mithral Hall, je lui ai simplement demandé comment réagirait son peuple s'il venait à mourir.

Sa réponse fut aussi simple qu'évidente : les nains s'en sortiraient mieux que s'il courait se terrer parmi eux...

Ainsi vivent et raisonnent les nains. Ils sortent toujours grandis de l'épreuve. Même ceux de leurs chefs qui ont trop tendance à vouloir protéger leurs guerriers – un peu comme Gaspard Pointepique – comprennent que défendre Bruenor de toute attaque, le préserver de tout péril, reviendrait à assassiner *le roi de Mithral Hall...*

Mithral Hall... Une théocratie au subtil parfum démocratique... Les ancêtres de Bruenor sont tombés au champ d'honneur et ses descendants périront sans doute de même, au combat. Quel peuple est jamais tout à fait préparé au trépas de son souverain ? Mais, bûcher royal après bûcher royal, Mithral Hall perdurera.

Quand les Drows ont attaqué, nul autre que Bruenor a mené la charge. Et qui a abattu matrone Baenre en personne sinon Bruenor ?

C'est bien le rôle du roi des nains. Un tel personnage comprend que le royaume et le clan passent avant lui, le souverain en titre. Les principes d'existence du clan sont les bons.

Si Bruenor n'y croyait pas, s'il se montrait incapable d'affronter l'adversité sans craindre pour sa vie, il ne régnerait tout simplement pas sur Mithral Hall. Un chef qui se terre à la première menace venue n'en est pas un. Et un dirigeant qui se croit irremplaçable est un fameux crétin.

Quel rapport avec moi, qui ne suis le chef de personne ? Au fond de mon cœur, je le sais, j'ai choisi la voie de la vérité et de la sincérité, avec les meilleures intentions du monde. Pour moi, il n'en existe pas d'autre. Elle me convient telle quelle.

Les épreuves ne manquent pas en chemin. D'ordre physique comme moral. A commencer par les peines de cœur. Le désespoir m'a poussé à revenir à Menzoberranzan et à m'y constituer prisonnier afin de sauver mes amis. Funeste erreur qui a failli coûter la vie à la femme que j'aime par-dessus tout ! J'ai vu Wulfgar, mortellement fatigué, quitter notre bande pour courir se jeter dans les pires guêpiers... J'aurais tant voulu le retenir ! Pourtant, je savais que je devais le laisser libre d'affronter son destin.

Parfois, se convaincre qu'on a pris le bon tournant devient difficile. L'agonie d'Ellifain me hantera sûrement jusqu'à mon dernier jour. Mais qu'aurais-je pu y changer ? Avec le recul du temps, j'ai compris que tout était joué d'avance. Si je revenais comme par magie cinquante ans en arrière et revivais cette nuit tragique en toute connaissance de cause, agirais-je différemment ? Non. Car hier comme aujourd'hui et demain, je suis les élans de mon cœur. J'agis en mon âme et conscience.

Que peut-on demander de plus ?

Ecouter son cœur ne met pas à l'abri des erreurs. Mais ça reste le meilleur des guides sur une route épineuse.

Et même en sachant d'expérience quelles blessures profondes on risque de récolter, je ne dévierai pas de ma voie.

Tant que je resterai persuadé de suivre la bonne, je continuerai. Et je mourrai heureux d'avoir fait partie d'un monde meilleur.

Qu'on soit un drow, un homme ou un nain, nul ne peut demander plus à la vie.

Je n'ai pas peur de mourir.

— Drizzt Do'Urden

CHAPITRE VIII

AU BORD DU DÉSASTRE

— Nous sommes perdus ! rugit le nain à la *longue* barbe blonde.

En avançant, l'air menaçant, il faillit marcher dessus. Les épaules larges, un cou de taureau, il avait un visage aux traits épais, presque caricaturaux : un nez énorme, une grande bouche aux dents carrées, des moustaches très fournies et d'immenses yeux noirs qui lui donnaient toujours un petit air perdu... Sa cotte de mailles posée près des couvertures, il avait gardé son heaume en métal surmonté des majestueux andouillers d'un cerf.

— Comment est-ce possible, imbécile ? Tu suivais les oiseaux dans le ciel, ou quoi ?

Son frère aîné haussa les épaules avec un petit « *oooooo* » plaintif.

Il baissa les yeux sur ses sandales, et flanqua un coup de pied à un caillou.

— Tu disais que tu pourrais m'y conduire ! s'indigna Ivan Larmoire. Fameux raccourci, oui ! Nous voilà égarés je ne sais où ! En tout cas, on n'est pas à Mithral Hall, c'est certain...

Se redressant, il ajusta sa tunique de mailles et la « cartouchière » d'arbalète, qu'il portait croisée de l'épaule gauche à la hanche droite.

— Tic, tic, tic, *boum* ! lança son frère, Pikel, pour la centième fois, en agitant un index d'admonestation.

La « cartouchière » contenait des carreaux d'arbalète d'un genre particulier. A chaque collision, la minuscule fiole d'*huile d'impact* équipant chaque carreau explosait...

L'arbalète en question était une réplique fidèle de l'arme de poing prisée par les elfes noirs d'Ombre-Terre.

— *Boum* toi-même, stupide ! grogna Ivan.

Ses yeux papillotants, Pikel incanta. Une branche ensorcelée s'enroula autour du poignet tendu du nain à la barbe blonde et le souleva presque de terre.

— Ce n'est pas le moment de jouer !

— Pas de *boum* ! insista Pikel, sentencieux.

Comme toujours, il avait l'air parfaitement ridicule, avec sa grande barbe teinte en vert, séparée en deux et rabattue derrière les oreilles pour être tressée à ses longs cheveux dans le dos... Il portait plusieurs robes vertes légères aux manches volumineuses, ceintes à la taille par une cordelette.

Ivan ricana. Ce n'était jamais bon signe.

L'ignorant, Pikel retourna près de leur petit camp, où une mijotée de légumes cuisait toujours.

Dix jours plus tôt, les deux frères avaient quitté le bourg de Carradoon en acceptant de représenter Cadderly, sa femme Danica et toute la congrégation au couronnement de Bruenor Battlehammer. Depuis des années, les frères Larmoire rêvaient justement de connaître Mithral Hall. La faute à Drizzt Do'Urden et à Catti-Brie, qui leur en avaient tant raconté !

Une occasion trop parfaite pour que les nains la ratent.

Druide de cœur – et de formation –, Pikel avait affirmé à son frère qu'il pourrait grandement raccourcir leur périple. Après tout, il parlait aux animaux, qui comprenaient *eux* ses mimiques et ses grognements inintelligibles. Seul Ivan pouvait en dire autant. Pikel prédisait le temps avec succès et avait mis au point une méthode de téléportation originale par le biais des arbres...

Hérissé par ce mode de déplacement pour le moins surprenant, Ivan s'en était plaint, peu ravi de se retrouver en un clin d'œil au cœur d'une forêt inconnue... Au début, il avait cru être à Shilmista, les bois elfiques de la région. Mais après une journée entière d'errance, les nains avaient dû se rendre à l'évidence... Ces terres-là n'avaient rien en commun avec la contrée magique d'Elbereth... Où qu'elle se situe, cette forêt sombre aux vents mordants était assez inquiétante.

— Veux-tu me libérer ? rugit Ivan.

— Hum hum...

De sa main libre, le nain blond attrapa son arbalète de poing, réussit à l'armer en s'aidant de la bouche et des dents, puis tira un carreau...

— *Oooo !* hurla Pikel à cette vue.

Un brandon au poing, il incanta et chargea.

Calme et déterminé, Ivan visa la branche ensorcelée de son arbalète... qu'il dévia au dernier instant pour tirer sur son frère...

Le carreau se ficha dans le gourdin magique de Pikel, et explosa.

Le druide resta pétrifié, la barbe et les cheveux fumant sur le côté droit... Il tenait un gourdin calciné.

— *Oooo*, gémit-il.

— Et ton arbre sera le suivant sur ma liste ! promit Ivan.

Joignant le geste à la parole, il tira un deuxième carreau.

Pikel lui sauta dessus.

Avec un bel effet « boomerang », la branche freina la chute des deux frères pour mieux les catapulter en sens inverse...

Ils atterrirent sur une pente herbue qu'ils dévalèrent bras et jambes emmêlés. Ils allaient continuer à se battre quand un grognement les immobilisa. Ils tournèrent la tête et virent...

… Un ours noir en train de dévorer leur mijotée de légumes.

Ivan repoussa son frère sans ménagement, bondissant sur ses pieds.

— Loué soit Moradin ! brailla-t-il en cherchant sa hache des yeux. J'aurai un nouveau manteau pour l'hiver !

Le beuglement de Pikel fit taire les oiseaux nocturnes.

— La ferme ! rugit Ivan.

Avisant son arme, il courut la récupérer, pivota et…

… Découvrit son frère confortablement lové contre l'ours, qui entamait une digestion heureuse.

— Tu n'as pas fait *ça* ! se lamenta Ivan.

— Hi hi hi !

Frustré, le nain blond planta sa hache dans une motte de terre.

— Maudit Cadderly !

Maudit Cadderly d'avoir fait de Pikel un monstre – aux yeux de son frère du moins…

Le prêtre avait apprivoisé un petit animal sauvage, un écureuil blanc baptisé Perceval, et Pikel avait pris exemple sur lui, multipliant les expériences embarrassantes – de l'avis d'Ivan.

A ce jour, les enfants de Cadderly et Danica comptaient parmi leurs amis un aigle, un couple de vautours chauves, une famille de belettes, trois poulets et l'âne Bobo…

A présent, un ours !

Ivan soupira.

Le plantigrade s'installa confortablement et commença à ronfler.

Pikel aussi.

Ivan soupira à pierre fendre.

— Je ne réclame pas des applaudissements à tout rompre, fit le gnome Nanfoodle, ses bras grêles croisés sur son étroite poitrine, en tapant impatiemment du pied, mais ce serait apprécié, ça, oui !

Avec son long nez crochu et sa demi-couronne de cheveux fins et blancs posée sur son crâne chauve, Nanfoodle n'avait rien d'imposant. C'était pourtant un des plus fameux alchimistes des contrées du Nord.

Elastul et Shoudra Brillétoile ne l'ignoraient pas.

Avec un grand sourire sincère, le marquis de Mirabar tapa dans ses mains. Nanfoodle venait de soumettre à son appréciation un bout de métal fondu ayant fait l'objet d'un traitement spécial. Le gnome ingénieux avait mis au point un nouveau bain de trempe permettant de renforcer les métaux.

Etudiant le résultat, le Sceptre de Mirabar adressa un signe d'appréciation au gnome, qui l'accepta avec joie. Tous deux étaient des amis de longue date. D'ailleurs, Elastul avait engagé Nanfoodle sur les recommandations de Shoudra.

— Et avec votre nouveau traitement, nos produits deviendront les meilleurs du Nord, conclut Elastul, ravi.

Le gnome hésita.

— Eh bien… Ils seront améliorés, c'est certain, mais…

— Mais ? Pas de « mais », mon bon Nanfoodle ! Shoudra a des contrats à faire signer, et il nous faudra le meilleur pour rattraper le terrain perdu ces dernières années !

— Les filons de nos concurrents sont plus riches, et leurs techniques irréprochables. Mon traitement renforcera nos produits en les rendant beaucoup plus résistants. Mais je doute que nous éclipsions les métaux de Mithral Hall.

Les poings serrés, Elastul s'affala sur son trône.

— Quoi qu'il en soit, reprit Nanfoodle, enthousiaste, c'est une percée fantastique !

Son exaltation ne fut pas contagieuse.

Shoudra fit un clin d'œil au gnome.

— Et la première, en toute objectivité. N'en déplaise à de nombreux alchimistes et à leurs prétentions, il n'y a eu à ce jour aucune amélioration qui ne soit d'ordre magique. Donc, nous progressons. D'autant que beaucoup de clients hésitent encore entre Mirabar et Mithral Hall. Bref, si la qualité de nos produits augmente sans hausse de prix à la clé, je serai en mesure de convaincre notre clientèle de signer de préférence avec nous.

Une perspective qui rendait le sourire à Elastul, quand Nanfoodle se racla la gorge, gêné.

— Eh bien…

— Eh bien ? répéta le marquis, échaudé.

— Les grains d'adamantine entrant dans le traitement ne sont pas bon marché…

Elastul se prit la tête à deux mains.

Derrière lui, ses quatre gardes d'élite marmonnèrent des jurons bien sentis.

— Vous utilisez l'adamantine ? fit Shoudra. Je croyais que vous recouriez au plomb, pour vos expériences.

— En effet, répondit le gnome. La formule de la fusion a d'abord été mise au point avec du plomb. Mais hélas, le résultat en était d'autant plus fragilisé.

— Une petite minute ! coupa Elastul, ironique, en se relevant. Vous avez trouvé comment mélanger les métaux ? Et découvert qu'avec ceux de bonne qualité, on obtient de meilleurs résultats qu'avec ceux qui sont bon marché ? C'est ça ?

Accablé, Nanfoodle baissa la tête.

— Oui, marquis.

— Jamais entendu parler des *alliages*, mon cher ?

— Si, marquis.

— Parce que vous venez de les réinventer, dirait-on !

— Oui, marquis.

— Et combien je vous paie pour découvrir ce que tout le monde sait ?

Une main apaisante posée sur le bras du marquis ulcéré, Shoudra Brillétoile s'interposa.

— Allons, c'est peut-être le premier pas vers une aventure très lucrative… Si la technique de notre ami permet de baisser les coûts de production, nous en tirerons bénéfice. Quoi qu'il en soit, tout ça me paraît plutôt bon signe. Un début très prometteur, en fait !

Son exubérance incita le gnome à redresser la tête.

Le marquis n'était pas convaincu.

— Admettons… Au travail, mon cher Nanfoodle. Revenez me voir quand vous aurez *vraiment* progressé.

Saluant sèchement, le gnome se retira.

Lui parti, Elastul rugit de colère.

— L'alchimie est la science de la vantardise…, soupira Shoudra.

Ne l'avait-elle pas assez répété au marquis ? Il dépensait des fortunes avec ses alchimistes et tout ça, pour quoi ? Pour quels résultats ?

— Où va-t-on comme ça ? lança Elastul. Le roi Bruenor se présente dans notre ville et sème la zizanie…

— Pour tous les articles de consommation courante ne nécessitant pas la qualité supérieure de Mithral Hall, nous restons en excellente position sur le marché, rappela Shoudra. Et il s'agit d'objets produits en très grande quantité. On ne fabrique pas autant d'épées ou de cuirasses que de jantes de roue, de charnières, de houes, de binettes et de charrues ! Mithral Hall s'est approprié une petite partie seulement de notre production.

— Oui, celle qui fait toute la réputation d'une cité minière…

— Exact, admit Shoudra en haussant les épaules.

A ses yeux, le clan Battlehammer serait néanmoins d'un voisinage toujours moins inquiétant que les anciens résidents de la forteresse, les maléfiques nains gris…

— Et voilà que le légendaire roi Bruenor retourne à Mithral Hall, pour tout arranger ! pesta Elastul.

— Son prédécesseur, Gandalug Battlehammer, jouissait également d'un grand renom, fit Shoudra, ironique. Un retour aux temps anciens, et tout et tout…

Elastul secoua la tête.

— Bruenor, lui, s'inscrit bel et bien dans le présent ! Avec ses singulières fréquentations et son clan vigoureux, il a donné un visage nouveau aux contrées du Nord… Son retour au pouvoir n'aura rien d'anodin, je le crains. Et vous aurez encore plus de mal à gagner de nouveaux débouchés pour assurer notre prospérité…

— Je ne suis pas de cet avis.

— Je ne tiens pas à en prendre le pari ! grogna Elastul. Il a suffi que Bruenor fasse une apparition à Mirabar, et voyez un peu ce que ça donne ! La moitié de nos nains chante déjà ses louanges ! Non, je le répète, ça ne peut pas durer…

Un index maussade posé sur les lèvres, le marquis réfléchit... et un sourire commença à éclairer son visage.

— Vous ne pensez tout de même pas..., souffla Shoudra.

— La réputation de Mithral Hall n'est pas inattaquable.

— Comment ça ?

— Certains de nos nains se sont pris d'amitié pour Bruenor, pas vrai ? Le roi de Mithral Hall et eux, amis...

Shoudra devina sans peine où cela menait.

— Torgar ne commettra pas d'actes de sabotage.

— Il le fera à son insu.

Le marquis sourit de toutes ses dents.

La jeune femme plissa le front. Elastul passait le plus clair de son temps à intriguer. Ce n'était pas à proprement parler un homme d'action. Il cherchait à protéger ce qu'il avait, mais de là à risquer une guerre ouverte par des actes de sabotage...

Ce n'était tout simplement pas son style.

CHAPITRE IX

PARCE QUE C'EST NOTRE MANIÈRE DE FAIRE

Tred McJointures eut le cœur brisé. Ceux de Talons Claquants les avaient traités avec générosité, son compagnon et lui, les entourant de soins et d'attentions. Les malheureux villageois avaient compromis leur sécurité en se mêlant d'un conflit qui ne les concernait pas. Par leur seule intrusion dans leur vie, Nikwillig et Tred avaient signé leur arrêt de mort... Face à deux nains perdus originaires d'une citadelle lointaine, les humains avaient fait montre de plus de bonté et d'ouverture d'esprit qu'on n'aurait pu s'y attendre.

Et voilà où leur noblesse de cœur les avait menés...

Tred remonta la rue principale du village assassiné, avec ses maisons calcinées, ses cadavres... Il chassa des vautours d'une dépouille à demi dévorée, ému de reconnaître le visage en ruine d'une des jeunes femmes qui l'avaient soigné. Terrassé par le chagrin, il ferma les yeux.

Plein de tact, Bruenor Battlehammer respecta la tristesse de son congénère. Tred avait déjà perdu des amis et un frère. Les nains qui vivaient souvent dans des contrées inhospitalières opposaient à de telles tragédies leur bravoure et leur ténacité foncières. Ils ne reculaient jamais devant le danger.

Mais là... L'expression de Tred était inhabituelle. Celle d'une profonde tristesse mêlée à de l'amertume et à de la culpabilité. Dans leur fuite éperdue, Nikwillig et Tred avaient trouvé momentanément refuge à Talons Claquants.

Résultat ? Le hameau avait été rayé de la carte.

Aussi simple et brutal que ça.

Dès que Tred tombait sur un cadavre orc, il lui tirait un violent coup de pied en pleine trogne.

— Combien, à ton avis ? lança Bruenor.

Le Drow son ami venait de réapparaître, après une exploration des alentours.

— Une poignée de géants..., répondit Drizzt. Trois ou cinq. Ils avaient préparé des amas de pierres, et ont dû attaquer de nuit. Ça a duré des heures.

— Comment le sais-tu ?

— Par endroits, la muraille d'enceinte a été colmatée à la hâte... avant d'être de nouveau démolie dans la foulée. Un petit groupe au désespoir a même quitté le village pour tenter de prendre les géants à revers... Des orcs embusqués ont taillé les malheureux en pièces.

— Combien ? répéta Bruenor. Quatre géants, mettons, et combien d'orcs ? Drizzt contempla les ruines, et les cadavres.

— Une centaine, peut-être... Je compte environ dix dépouilles d'orcs au milieu des autres. Les villageois ont été écrasés sous le nombre – comme sous les jets de pierres des géants. Un humain sur trois fut massacré en tentant de défendre le village. Restaient une vingtaine de montagnards costauds face aux envahisseurs... Je ne crois pas que les géants aient posé un pied dans le village, d'ailleurs.

— Nous vengerons ces malheureux !

Drizzt hocha la tête.

— Une centaine, disais-tu ? Nous sommes quatre fois moins environ...

— Quatre contre un ? fit le Drow, avec cette expression particulière qui inspirait de la peur et de l'excitation mêlées à ses amis. Tu devrais renvoyer la moitié d'entre nous à Mithral Hall, histoire de rendre les choses... intéressantes.

Bruenor sourit.

— Ma pensée, exactement.

— Tu es le roi, nom d'un chien ! Ignores-tu ce que ça signifie ?

La réaction moins qu'enthousiaste de Dagnabbit à sa déclaration – la traque des orcs et des géants – ne surprenait guère Bruenor. Le jeune commandant avait fort à faire en sa qualité de protecteur attitré du roi de Mithral Hall...

Mais Talons Claquants s'était trouvé à quelques jours de marche à peine du royaume des Battlehammer, justement. Nettoyer la région des créatures maléfiques qui y rôdaient était autant la prérogative que le plaisir du roi.

— Ça signifie que laisser des orcs perpétrer des massacres sur mes territoires est exclu !

— Des orcs *et* des géants, souligna Dagnabbit. Une petite armée... Nous ne sommes pas venus là pour...

— Nous sommes venus là pour exterminer ceux qui ont tué les compagnons de Tred. A mon avis, c'est la même bande.

Tred, qui assistait à la scène, hocha la tête.

— Et une bande plus importante que nous le pensions, insista Dagnabbit. Tred a parlé d'une vingtaine d'orcs et de deux ou trois géants. Or, ils étaient plus nombreux pour attaquer ce hameau ! Laisse-moi au moins retourner chercher une centaine de guerriers supplémentaires.

Bruenor jeta un coup d'œil à Drizzt.

— La piste sera froide ?

Le Drow acquiesça.

— Et une armée de nains en marche nous coûtera l'avantage de la surprise.

— Une armée qui réglera vite le problème ! maugréa Dagnabbit.

— Mais les orcs et les géants l'attireront sur le champ de bataille de *leur* choix, argua Drizzt. A la tête d'une armée, nous trouverons peut-être d'autres pistes. Et nous vaincrons. Mais ils nous verront venir… Ils auront le temps de se retrancher et de nous bombarder à loisir. N'oublions pas que les montagnes sont truffées de parois et d'à-pics qui présentent le double avantage d'être aisément défendables tout en étant difficilement accessibles. Si nous nous décidons à les traquer sans perdre un instant, nous aurons la surprise de notre côté. Et le terrain de notre choix à la clé. Nous éviterons ainsi d'être lapidés par des monstres retranchés.

— Tu as hâte de t'amuser un peu, quoi…, souffla Catti-Brie.

Le Drow sourit.

Bruenor en avait assez entendu. D'une main levée, il intima le silence à son commandant en chef.

— Drizzt, trouvons vite une piste. Notre ami Tred lui aussi a hâte de verser le sang des orcs.

Le Drow se tourna vers sa compagne.

— Nous y allons ?

— Je commençais à croire que tu ne me le demanderais jamais ! Gwen sera de la fête ?

— Bientôt, promit Drizzt.

— Régis et moi assurerons la liaison entre Bruenor et vous, ajouta Wulfgar.

Tout le monde avait sa place au sein du groupe. Tant d'harmonie renforça la détermination du roi de Mithral Hall. Il avait pris la bonne décision.

En vérité, Bruenor avait besoin de s'en convaincre, inquiet qu'il était d'agir pour de mauvaises raisons – par pur égoïsme, sous prétexte qu'il détestait déjà la vie de monarque qui l'attendait… Ce faisant, il risquait d'entraîner les siens dans une situation désespérée.

Mais devant les préparatifs empressés de ses amis, des aventuriers compétents et chevronnés, Bruenor chassa ses doutes. Une fois éliminés les orcs et les géants en maraude, il retournerait à Mithral Hall, assumerait ses fonctions légitimes et par la victoire qu'il comptait bientôt remporter, il rappellerait à tous qui il était et qui il voulait être. Il devrait naturellement supporter les arguties d'ordre bureaucratique et les visites sans fin de dignitaires assommants à recevoir en grande pompe, mais… renoncerait-il complètement à l'aventure ? Jamais !

Bruenor se le promit encore, la tête pleine des secrets de Gauntlgrym.

Il sourit.

Il ignorait que voir ses vœux exaucés est parfois le pire de tout.

— Avec toutes ces caillasses, nous aurons du mal à retrouver leurs traces...

Ainsi parlait Drizzt en abordant des versants abrupts, au nord du hameau ravagé.

— Peut-être pas...

Catti-Brie attira l'attention de son compagnon sur une pierre grise maculée de traînées rougeâtres. Drizzt mit un genou en terre, enleva un gant de cuir, posa l'index sur les traces... et sourit.

— Ils ont des blessés.

— Qu'ils n'ont pas achevés... Des orcs civilisés, dirait-on !

— Ce sera à notre avantage, observa l'elfe noir.

Wulfgar réapparut.

— Les nains sont prêts.

— Et nous tenons une piste, expliqua Catti-Brie en désignant la pierre.

— Le sang d'un orc ou d'un prisonnier ? demanda le barbare.

— Orc, je dirais, répondit le Drow. Ces monstres se sont montrés sans pitié avec les villageois. Mais dépêchons-nous au cas où ce serait néanmoins des prisonniers humains.

Hochant la tête, Wulfgar s'éloigna pour faire signe à Régis, qui transmit le message aux autres.

— Il semble apaisé, remarqua Catti-Brie.

— Sa nouvelle famille le comble, répondit Drizzt. Assez pour qu'il se soit pardonné ses errements.

Quand il fit mine de repartir à son tour, la jeune femme, l'air grave, le retint par un bras.

— Sa nouvelle famille le comble suffisamment pour qu'il n'éprouve pas de tristesse en nous voyant côte à côte.

— Alors espérons connaître bientôt une même félicité, nous aussi...

Il gravit la pente rocailleuse avec sa grâce et son agilité coutumières. Catti-Brie ne tenta pas de soutenir son rythme. Devançant sa compagne, l'elfe noir progresserait comme à son habitude en zigzag, de manière à garder un grand angle de vue.

— Ne tarde pas trop à invoquer ta panthère ! lança la jeune femme.

D'un geste de la main, il indiqua qu'il l'avait entendue.

Guidés par les traces de sang, ils continuèrent plusieurs heures avant de tomber sur le cadavre de l'orc blessé. Au-delà, il existait une seule piste possible, tant le terrain était accidenté. Même pour des géants des glaces aux longues jambes...

Les nains rejoignirent les éclaireurs et dressèrent le camp.

— Si la piste ne se divise pas, nous les rattraperons avant deux jours, promit Drizzt à Bruenor, au souper. L'orc est mort depuis au moins trois jours, je pense. Mais nos ennemis n'ont pas de raisons particulières de se presser. Si ça tombe, ils sont même beaucoup plus près que nous pourrions le croire. La chasse prend du temps, et s'ils traquent de nouveaux gibiers...

— Voilà pourquoi j'ai doublé la garde, répondit Bruenor. Je n'ai aucune envie qu'une centaine d'orcs et une poignée de géants me surprennent dans mon sommeil...

Drizzt espérait justement « surprendre dans *leur* sommeil une centaine d'orcs et une poignée de géants »...

Le jour suivant, Catti-Brie et lui repérèrent beaucoup d'indices d'un passage récent, à commencer par une multitude d'empreintes. Les monstres ne s'embarrassaient certes pas de discrétion, ne cherchant nullement à dissimuler leurs traces.

Pourquoi auraient-ils supposé qu'on les avait pris en chasse ? Comme toutes les petites communautés au long de la Frontière Sauvage, Talons Claquants avait été un hameau isolé. Même à la belle saison, quand voyager était plus facile, ce genre de nouvelles tragiques mettait des semaines, voire des mois à atteindre les villages environnants. La région ne se prêtait pas au commerce, sauf dans des plates-formes naturelles comme Mithral Hall. Peu d'intrépides voyageurs se risquaient à braver les dangers de la haute montagne. Et Talons Claquants ne s'était pas trouvé sur une voie principale de négoce. A l'instar d'une dizaine de communautés analogues, le hameau avait eu un site d'implantation assez reculé. Les cartes en faisaient à peine mention.

C'étaient des contrées farouches, inhospitalières... Les orcs n'avaient aucune raison de poster des sentinelles pour protéger leur retraite.

— Que les nains dorment bien, dit le Drow le deuxième jour. Avant demain soir, nous aurons rattrapé nos ennemis.

— Et donc, après-demain matin, ils seront tous morts, prédit Bruenor.

A la plus grande satisfaction de Tred, qui partageait son repas.

Les bosquets de conifères se dressaient souvent en bordure des ravins. Le vent gémissait le long des hautes parois. Les rapides déferlaient en cascades, rubans d'argent scintillant dans une mosaïque de touches vert et bleu. Les profanes risquaient de tourner en rond, s'égarant vite au gré des tours et détours et débouchant sur des à-pics vertigineux.

Même pour Drizzt et ses amis, des habitués de la vie au grand air, les montagnes représentaient un énorme défi. Ils pourchasseraient sans mal les orcs, car pour un Drow, la piste à suivre crevait les yeux. Mais dénicher des sentiers parallèles à mesure que les nains se rapprocheraient des orcs ne serait pas si facile.

Sur un haut plateau d'où partaient nombre de pistes, à la façon d'un moyeu, Drizzt découvrit une empreinte particulièrement intéressante : il se pencha sur une zone boueuse, au bord écrasé par une botte...

— C'est tout récent, dit-il à ses compagnons – Catti-Brie, Régis et Wulfgar. (Il se redressa, se frottant les doigts.) Moins d'une heure, en fait...

Les amis étudièrent les parages, leur attention attirée par un haut col, au nord.

Catti-Brie y détecta du mouvement... Un géant se déplaçait entre de grosses pierres.

— Guenhwyvar va entrer en scène..., prédit Wulfgar.

Drizzt tira de son ceinturon la figurine magique de la panthère, la posa sur le sol et l'invoqua.

— Nous devrions passer le mot à Bruenor, ajouta le barbare.

— Fais-le, dit Catti-Brie. Tu as de longues jambes, tu iras plus vite.

Wulfgar hocha la tête.

— Pendant que tu cours prévenir les nains, reprit Drizzt, nous observerons l'ennemi. Régis... Pourquoi te diriges-tu par là ?

Le petit homme prenait par l'ouest.

— Je vais par là, allez au nord, et elle ira à l'est.

Ses trois amis sourirent, ravis de retrouver leur bon vieux Régis. Le géant repéré se déplaçait d'ouest en est. En s'orientant à l'ouest, le petit homme ne risquait guère de tomber sur le monstre ! Ses compagnons le débusqueraient avant lui.

— Guenhwyvar vient avec moi au nord, expliqua Drizzt. Elle seule pourra foncer en droite ligne sur l'ennemi sans lui donner la puce à l'oreille. Nous quatre nous rejoindrons là-bas avant le coucher du soleil.

L'air déterminé, les amis se séparèrent.

Se retrouver isolé dans la nature sans Drizzt ou les autres, si protecteurs à son égard, représentait une expérience étrange pour Régis. A Dix-Cités, le petit homme s'était souvent aventuré seul hors de Bois Isolé. Mais il avait presque toujours suivi des pistes familières jusqu'à son lieu de prédilection pour la pêche, au bord du lac Maer Dualdon.

Etre seul, des monstres rôdant à proximité, lui inspirait pourtant une étrange sensation de liberté. Malgré ses peurs très réelles, Régis se sentait porté par une énergie nouvelle. Un gobelin pouvait être en train de le guetter, tapi derrière n'importe quel rocher. Ou un géant embusqué allait peut-être le viser avec une grosse pierre...

En vérité, Régis aurait détesté courir souvent ce genre de risque. Mais au nom d'une bonne cause, il était prêt à l'accepter.

Plongé dans ses pensées, il faillit se pointer au milieu d'une dizaine d'orcs traînards avant de comprendre où il mettait les pieds...

Drizzt n'aimait pas ce qu'il avait sous les yeux. Perché sur une haute corniche, à plat ventre, il espionnait le campement de dizaines d'orcs, plus quatre géants des glaces... De belles créatures, au demeurant, propres, richement habillées, et arborant des fourrures et des bijoux de prix...

Elles venaient sans doute d'un clan puissant et bien organisé. Peut-être celui de Jarl Maingrise, qui s'était implanté dans cette partie de l'Epine Dorsale du Monde.

Si le vieux Maingrise avait détaché quelques-uns de ses guerriers auprès des orcs, les implications étaient vertigineuses… Il ne s'agissait plus d'un simple hameau rayé des cartes ou d'un raid contre une caravane de nains…

Drizzt chercha un moyen de se rapprocher sans être vu, histoire de surprendre les conversations des monstres. A condition qu'il comprenne leur langue…

Le terrain se prêtait difficilement à une approche subreptice. Sans compter que le soleil était bas à l'horizon. Drizzt ne devait plus traîner s'il voulait être à temps au rendez-vous.

Il s'attarda pourtant quelques minutes, épiant les relations entre les orcs et les géants. Le mieux habillé de toute la bande, un orc costaud qui portait une hache ouvragée dans le dos, approcha sans hésiter des quatre géants. C'était sans doute un des chefs, sinon le dirigeant du groupe. Il entama une conversation apparemment enjouée avec les géants des glaces…

Concentré, l'oreille tendue, Drizzt n'eut pas conscience qu'une sentinelle orc approchait dans son dos…

De son perchoir, Catti-Brie nota où les orcs et les géants s'étaient arrêtés pour bivouaquer. Embusqué ailleurs, Drizzt devait aussi surveiller le campement ennemi. Plutôt que de perdre du temps à le rejoindre avant leur rendez-vous, la jeune femme préféra continuer à épier les monstres et à étudier le terrain, notant la configuration du chemin qu'ils prendraient probablement au matin. Car si les orcs pouvaient se déplacer indifféremment de jour comme de nuit, leurs alliés les géants rechignaient à passer à l'action à la tombée de la nuit.

Avec l'œil entraîné d'une tacticienne, la fille du roi Bruenor Battlehammer repéra les caractéristiques les plus avantageuses du terrain pour lancer une offensive. Des goulots d'étranglement naturels, des corniches d'où bombarder l'ennemi de pierres et de marteaux de jet…

Catti-Brie fut la première au rendez-vous, suivie de peu par Wulfgar, Bruenor, Dagnabbit et Tred McJointures.

— Ils campent au nord d'ici, dit la jeune femme.

— Combien sont-ils ? demanda Bruenor.

Elle haussa les épaules.

— Drizzt donnera son évaluation. J'étudiais le terrain pour déterminer les meilleurs sites d'attaque.

Bruenor se frotta les mains, décochant un clin d'œil à Tred.

— Tu auras bientôt ta vengeance, mon ami.

Comme si souvent par le passé, une chance inouïe sauva Régis. Il plongea derrière un amas de roches sans que les orcs le remarquent, trop occupés à se disputer le butin du village martyr.

Vociférant à qui mieux mieux, les plus hargneux cherchaient à s'intimider les uns les autres en se bousculant… Ça aurait pu tourner au carnage, mais l'un d'eux suggéra de partager entre eux, en secret.

Aussitôt dit, aussitôt fait. Ils s'assirent en rond pour procéder à la répartition du fruit de leur pillage, pendant que deux de leurs camarades partaient en chasse.

D'où il était, Régis avait une vue superbe sur la scène. Et les conversations qu'il surprit lui en apprirent long sur ce qui se tramait en fait…

… Tout en l'amenant à se poser beaucoup de questions.

Drizzt n'aurait pas pu se trouver plus désavantagé. Etendu à plat ventre entre deux grosses roches pour épier ce qui se passait en contrebas, il entendit des pas pesants, derrière lui… La tête rentrée d'instinct dans les épaules, il rabattit un peu plus son capuchon sur sa chevelure blanche comme neige, avec l'espoir de passer inaperçu à la faveur de la lumière déclinante…

Les pas se rapprochèrent.

Espoir déçu.

Drizzt se redressa sur les genoux et bondit. D'une volte-face gracieuse, il dégaina ses cimeterres pour se mettre en garde le plus rapidement possible. Mais si l'orc avait foncé sur lui dès le départ, il n'aurait jamais eu le temps de se retourner…

Que mijotait le monstre ?

Etonné, Drizzt le vit lever les mains, lâcher ses armes puis gesticuler comme un fou.

Que disait-il ? Le Drow qui avait des lumières en langage gobelinoïde tendit l'oreille de plus belle.

L'orc affolé semblait s'excuser d'avoir piétiné à son insu les plates-bandes des elfes noirs…

Au fond, Drizzt n'aurait pas dû être surpris. Quel peuple doué de raison n'était pas terrifié par les Drows ? Les races gobelinoïdes ne faisaient pas exception à la règle, loin s'en fallait.

Une *flèche noire*… s'accompagnant d'un feulement…

Guenhwyvar s'abattit sur l'orc, l'égorgeant.

— Guen, non !

Drizzt se précipita… Trop tard.

L'orc était mort sur le coup.

Frustré, le Drow secoua la tête.

Il poussa le cadavre dans une anfractuosité, puis partit à son rendez-vous, la panthère à ses côtés.

Des questions sans réponse le taraudaient.

Les aventuriers se réunirent non loin du campement ennemi. Bruenor avait l'air préoccupé…

— Il y a trop de géants, expliqua-t-il. S'il n'y avait qu'eux, nous aurions déjà une sacrée bataille sur les bras… Je me demande si nous n'aurions pas intérêt à passer à l'attaque dès cette nuit. Histoire de faire pencher un peu la balance de notre côté…

— Comment ça, passer à l'attaque cette nuit ? fit Catti-Brie. Ça nous couperait tout effet de surprise demain !

Les amis échangèrent leurs avis, affûtèrent leur point de vue, réfléchirent au meilleur plan possible... Comment séparer les géants des orcs ?

Pour la première fois, Drizzt prit la parole.

— Il y aurait peut-être un moyen...

Il repensait aux réactions somme toute assez prévisibles de l'orc.

Peu après, le Drow retourna seul vers sa dernière position, surplombant le camp ennemi plongé dans le noir. Après avoir repéré un angle d'approche favorable vers le bivouac des géants, un peu à l'écart, Drizzt se fondit dans l'ombre.

Les amis s'embusquèrent. Bruenor était au pied d'une haute paroi.

— Tu peux grimper là-haut, Régis ?

D'un œil exercé, le petit homme avait déjà noté les meilleures prises pour atteindre la corniche visée.

— Tu veux prendre part à l'action ? demanda-t-il à Tred McJointures.

Celui-ci était impressionné par les réflexes, la vivacité de décision et l'efficacité des aventuriers.

— A ton avis ?

— Alors, suis-moi ! sourit Régis.

— Oh là, je ne suis pas une maudite araignée ! protesta le nain.

— Tu veux être de la fête, oui ou non ?

Grommelant dans sa barbe, Tred entreprit l'escalade à la suite du petit homme, imitant ses mouvements.

Enfin, ils furent tous deux sur la corniche. Entre-temps, Wulfgar avait rapporté une solide branche d'arbre. Il la lança à Régis, qui la tendit au nain médusé.

— Tu verras, promit le petit homme.

Sur une autre corniche proche, sensiblement à la même hauteur que la leur, Guenhwyvar gronda.

Tred ne fut pas rassuré.

Régis sourit.

Quand il entendit les monstres parler un commun à peu près intelligible, Drizzt soupira de soulagement. Ses plans avaient une bonne chance de fonctionner. Le Drow s'était tapi dans l'ombre, à la périphérie du bivouac. Dans leur arrogance, les orcs et les géants n'avaient pas jugé bon d'instaurer des tours de garde pour la nuit.

Les géants parlaient à bâtons rompus de tout et de rien, ne renseignant guère l'elfe noir qui les épiait. Mais Drizzt ne s'en faisait pas. Il guettait surtout l'occasion d'en approcher un en catimini. Quelque chose lui disait que ces géants-là côtoyaient des elfes noirs...

Une heure passa avant que la chance ne lui sourie. Un géant endormi ronflait comme un sonneur. Sa compagne allongée à ses côtés était près de s'assoupir aussi. Les deux derniers continuaient de bavarder. Mais de longs silences entre deux échanges indiquaient qu'eux non plus ne tarderaient pas à s'endormir.

Enfin, l'un d'eux se leva et s'éloigna.

Drizzt inspira à fond. Traiter avec des créatures aussi formidables que des géants des glaces n'avait rien d'évident. Outre leur grande taille, leur force et leur combativité de colosse, ils étaient loin d'être aussi idiots que leurs cousins les ogres ou les géants des collines… Dans certaines circonstances, ils faisaient même montre d'un intellect acéré surprenant. Les duper n'était pas facile. Drizzt devrait compter sur son héritage, et la réputation qui le précédait.

A la faveur de la pénombre, il se rapprocha tout près du géant assis.

— Vous avez raté un trésor fabuleux…, chuchota-t-il.

Le monstre ensommeillé sursauta. Penché en arrière, il tourna la tête.

— Quoi ?

A la vue d'un elfe noir, il pivota, dos bien droit.

— Donnia ?

Un nom typiquement drow… Drizzt le stocka dans un coin de sa mémoire.

— Un associé… Un grand trésor vous a échappé.

— Quoi ? Où ça ?

— Au village. Un énorme coffre rempli à ras bord de pierres précieuses, enterré sous les décombres.

Après avoir jeté des regards circonspects à la ronde, le géant intrigué se pencha.

— Et… vous me *l'offrez* ?

Comment des Drows pouvaient-ils agir ainsi ?

— Je ne peux pas tout emporter, expliqua Drizzt. Même un dixième de ces richesses serait encore trop lourd pour moi. Car je soupçonne qu'il y en a d'autres, enfouis sous une dalle que je ne peux pas déplacer seul.

Le géant était de plus en plus intéressé. Son attitude le démontrait.

— Je partagerai la moitié avec vous – vous quatre, si c'est nécessaire. Mais pas avec les orcs.

Un sourire mauvais ourla les lèvres du monstre. Drizzt avait fait mouche avec cette remarque perspicace, dénotant une bonne analyse des relations malaisées qui existaient entre ces alliés de circonstance.

— Allons continuer notre conversation plus loin…

Sur ces mots, l'elfe noir recula dans l'ombre.

Après d'autres regards subreptices à la ronde, le géant alléché le suivit en rampant à quatre pattes sur une piste rocailleuse. Elle conduisait à une petite clairière, dont un côté était défendu par une haute paroi.

Et du haut des corniches de cette paroi, deux paires d'yeux se rivèrent sur l'énorme proie…

— Que pensera Donnia Soldou de tout ça ?

— Donnia n'a pas besoin de le savoir, assura Drizzt.

Le haussement d'épaules du géant en dit long... A l'évidence, cette Donnia ne contrôlait pas les forces alliées. Il s'agissait tout au plus d'une associée.

Drizzt fut soulagé. Penser que les orcs et les géants auraient pu être à la botte d'une armée drow avait de quoi flanquer des sueurs froides !

— Je prendrai Geletha avec moi.

— L'ami à qui vous parliez ?

Le monstre acquiesça.

— Nous aurons deux parts et vous une.

— Voilà qui n'est pas juste.

— Vous ne pouvez pas déplacer la dalle sans nous.

— Et vous, vous ne la trouverez jamais sans moi, rétorqua Drizzt.

Il cherchait à gagner du temps, pour que ses amis referment le piège...

L'instant suivant, une flèche surgie de la nuit se planta dans le torse du géant.

Mais ça ne suffisait pas à l'abattre.

Cimeterres dégainés, l'elfe noir bondit dans la direction d'où le trait avait jailli, jouant toujours la comédie.

— D'où cela venait-il ? Levez-moi dans les airs, que je voie mieux !

— De là, tout droit ! cria le monstre en se penchant.

Pivotant, Drizzt courut le long d'un des bras énormes du géant pour...

... l'attaquer au visage.

Hurlant de douleur, le monstre voulut attraper le Drow, qui avait déjà bondi hors de danger.

Une autre flèche fit mouche.

L'arrachant, le géant ulcéré se lança aux trousses de l'elfe noir... et reçut pour la peine la hache de Bruenor à l'arrière d'un genou.

Braillant de douleur, il se contorsionna, plié en deux, pour l'arracher.

Catti-Brie en profita pour le viser au visage.

Le géant leva une jambe, résolu à écraser le nain à la hache...

... Et Dagnabbit se précipita pour planter son marteau de guerre dans le cou-de-pied du monstre.

— Tempus !

Le cri de bataille précéda de peu le lancer d'un second marteau de guerre...

... Qui blessa le géant à la poitrine, le plaquant à la paroi. Par magie, Wulfgar récupéra Aegis-fang qui revint entre ses mains, pour mieux le viser à l'articulation du genou.

Comme le monstre brailla !

La flèche suivante de Catti-Brie le cueillit au visage.

Médusé, Tred n'en revenait pas. Il avait pourtant eu l'occasion d'affronter des géants dans sa vie... Mais là ! C'était ahurissant d'efficacité.

Aplatie sur son perchoir, à proximité, Guenhwyvar aussi suivait la mise à mort. Tout en surveillant l'est, les oreilles dressées.

D'un signe, Régis indiqua que le monstre était dans la position voulue.

Grognant sous l'effort, Tred se servit de la branche comme d'un levier pour faire basculer dans le vide une grosse roche... En dessous, le pauvre géant qui tentait de faire front à un Drow, un barbare, une tireuse à l'arc et deux nains déchaînés, reçut pas loin de cinq cents kilogrammes de granit sur le crâne...

Dans un craquement d'os, il s'écroula, le cou brisé.

Régis félicita Tred.

Mais le sentiment de triomphe fut de courte durée.

Deux autres géants accouraient...

— Il nous faudrait un boulet de plus, fit Régis, dépité.

La panthère sauta sur les épaules du premier monstre à passer sous son perchoir.

Fataliste, Tred l'imita. Et abattit sa hache sur la tête du géant.

Un coup magistral...

Le nain se cramponna au manche de son arme enfoncée dans la boîte crânienne du géant qui courait toujours...

Mais le monstre ralentit très vite, et s'effondra à son tour.

Tred se dégagea, pressé d'affronter le dernier monstre aux côtés de ses compagnons.

Sa hache, en revanche, refusa obstinément de ressortir du crâne du géant...

Le nain s'arc-boutait en redoublant d'efforts, quand une plainte parvint à ses oreilles...

Alors, il s'aperçut que Dagnabbit était enterré vif sous le cadavre du colosse.

Drizzt amorça la contre-attaque. Alors que la géante s'apprêtait à lancer une pierre, il fit appel à ses talents drows innés pour invoquer un globe de noirceur, juste avant de s'écarter de la trajectoire du bolide. Mais la pierre frôla Catti-Brie, la ratant de peu, et percuta Wulfgar à l'épaule, qui fut catapulté dans les airs.

Les doigts en sang, Taulmaril arraché à ses mains, la jeune femme tomba à genoux avec une grimace de douleur.

Evitant un coup de pied de la géante, Drizzt se lança dans une gracieuse pirouette aérienne, ses cimeterres décrivant de fascinantes arabesques d'argent.

La créature eut un mollet ensanglanté.

Bruenor attaqua l'autre jambe à la hache. La géante l'écarta d'un revers brutal. Loin de résister, le nain accompagna sa propre chute pour mieux revenir à la charge...

Quand le monstre voulut tirer un coup de pied au Drow, celui-ci se contenta de bondir à l'écart et de guetter des ouvertures.

Réalisant qu'elle n'aurait peut-être pas le dernier mot, la créature voulut rallier, au sud, une zone plus accidentée, où ses longues jambes lui donneraient l'avantage.

Aegis-fang lui percuta une cheville avec assez de force pour lui faire perdre l'équilibre.

Le souffle coupé, la géante s'étala de tout son long.

Ses adversaires ne laissèrent pas passer une si belle occasion. Drizzt lui sauta sur le dos, imité par Guenhwyvar qui la mordit à la nuque, par Catti-Brie, armée de Khazid'hea, l'épée démoniaque au fil si tranchant, par Bruenor et enfin par Wulfgar...

Tred réapparut, avec un Dagnabbit secoué par sa mésaventure mais autrement indemne.

Resté sur sa corniche, Régis acclama de loin ses compagnons... et donna l'alerte quand le premier géant fit mine de se redresser.

Wulfgar revint immédiatement en arrière pour l'achever d'un coup magistral à la tête.

— Je n'avais jamais vu ça, avoua Tred.
— L'important, dit Bruenor, est de choisir le terrain.
— Et personne ne le fait mieux que notre roi ! s'enthousiasma Dagnabbit.
— Personne sinon Drizzt, répondit Bruenor en désignant l'elfe.

Tout en marchant, celui-ci soignait les mains de Catti-Brie. Elle avait au moins un doigt cassé, mais refusait de s'avouer vaincue.

Cette nuit-là, il n'y aurait pas de repos pour la petite bande. Il y avait un autre champ de bataille à préparer, en vue d'un combat plus critique.

CHAPITRE X

INDÉSIRABLES

— Hum, hum !

Campé devant le chêne vénérable pour lui faire un bouclier de son corps, Pikel piétinait le sol.

— Quoi ? brailla Ivan. Tu ouvres les portes juste pour les bloquer, toi, crétin ?

Pikel désigna, derrière son frère courroucé, l'ours qui restait assis, l'air misérable.

— Pas question de l'emmener avec nous ! s'égosilla Ivan.

Presque nez à nez avec Pikel, il entendit soudain le plantigrade grogner... et réalisa qu'il n'était pas en position de force.

Il tenta de raisonner son druide de frère.

— Tu ne peux pas l'emmener. Pense un peu au chagrin que tu ferais à sa famille !

— Oooo..., gémit Pikel...

... Avant de retrouver le sourire.

Il se pencha vers Ivan pour lui chuchoter quelque chose à l'oreille.

— Comment sais-tu qu'il n'en a pas ? explosa le nain à la barbe blonde.

Nouveaux murmures.

— Il te l'a *dit* ? rugit Ivan, incrédule. Cet ours stupide ? Et tu l'as cru ? Ne t'est-il pas venu à l'esprit qu'il pouvait raconter des sornettes rien que pour échapper à sa... sa... sa compagne ?

Pikel gloussa.

Autres chuchotements.

— Comment ça... C'est une ourse ? (Ivan regarda l'animal en question.) Comment sais-tu que... ? Peu importe. Un ours ou une ourse... Pas question de l'emmener, un point c'est tout !

Pikel eut une moue pathétique, mais son frère ne se laissa pas apitoyer. Pour lui, voyager au moyen des arbres était déjà des plus étranges. S'il fallait aussi s'encombrer de bêtes fauves !

Ivan retrouva son calme.

— Quand nous arriverons trop tard au couronnement de Bruenor, tu pourras tout expliquer à Cadderly. Et lorsque l'hiver nous trouvera encore ici, avec ton amie en pleine hibernation, je ne tarderai pas à me tailler des couvertures dans sa fourrure, crois-moi ! Et enfin...

Le gémissement de Pikel arrêta la tirade.

Le petit druide baissait les bras.

Il rejoignit son ourse, lui gratta la tête entre les oreilles, l'épouillant tendrement...

Le plantigrade finit par se redresser et s'éloigner, l'air triste.

Ivan, lui, n'y fut pas sensible. Une seule chose lui importait : en être débarrassé.

Pikel revint vers son chêne et frappa trois coups sur le tronc avec son tout nouveau bâton de druide. Puis, en s'inclinant avec déférence, il sollicita la permission d'entrer.

Un bras tendu, il invita alors son frère à passer le premier.

Déclinant l'offre, Ivan lui fit signe de le précéder.

Avec une autre courbette, Pikel insista pour lui laisser cet honneur.

Ivan s'inclina en gesticulant de manière plus emphatique.

Avec le plus grand calme, Pikel persévéra.

Lassé de ce petit jeu, son frère avança d'un pas déterminé...

... Et percuta le chêne de plein fouet.

Avec sa peau pâle, voire translucide, des yeux si bleus qu'ils semblaient refléter les autres couleurs, des traits fins, une minceur de liane et de belles oreilles pointues caractéristiques, Tarathiel le guerrier paraissait bien frêle et menu... Une impression des plus trompeuses, comme auraient pu en attester ses ennemis.

L'elfe s'était embusqué dans un haut col battu par les vents, à une journée de vol de sa forêt natale des Sélénæ.

Il ne fallait pas être grand clerc pour deviner que des orcs étaient passés par là... En temps ordinaire, ça n'aurait pas inquiété Tarathiel outre mesure. Entre l'Epine Dorsale du Monde et les monts Rauvin, les orcs, ce fléau, étaient monnaie courante. Mais l'elfe pistait cette bande-là. Et il savait pertinemment d'où elle venait : de la forêt des Sélénæ... Les monstres y avaient abattu et débité beaucoup d'arbres.

Furieux, Tarathiel serra les dents. Son clan avait misérablement échoué à protéger son propre domaine. Les elfes n'avaient même pas localisé les intrus à temps pour les chasser avant qu'ils ne fassent autant de dégâts. Et pourquoi transporter tous ces troncs d'arbres ? Que mijotaient-ils ?

En outre, qu'ils n'aient rencontré aucune résistance en empiétant sur un territoire qui n'était pas le leur les pousserait à recommencer. Ça ne faisait pas l'ombre d'un doute.

— Nous les exterminerons ! se jura l'elfe de lune.

Sa monture, un pégase, hennit doucement comme si elle comprenait. Elle serra le long de ses flancs ses ailes aux douces plumes blanches.

Tarathiel sourit.

Quelques années plus tôt, des géants avaient lapidé les géniteurs de la magnifique créature. De passage dans un vallon rocheux, Tarathiel avait trouvé le couple de pégases écrasés sous des pierres. A en juger par ses mamelles gonflées, la jument venait de mettre bas... L'elfe avait donc passé des jours à ratisser les environs, et ses efforts avaient payé. Les poulains survivants dénichés, Tarathiel les avait emmenés dans sa forêt. Puis le clan s'était appliqué à guider la croissance des jeunes pégases.

L'un d'eux acceptant Tarathiel comme cavalier, l'elfe l'avait baptisé Crépuscule, en raison des reflets rougeâtres de sa splendide livrée neigeuse. L'autre poulain, devenu une jument, s'appelait Aube, en hommage aux légères teintes rosâtres de son crin également blanc comme neige.

Les deux pégases rescapés avaient à peu près la même hauteur au garrot, une belle musculature et de larges et solides sabots.

— Allons trouver ces orcs de malheur...

Comme s'il comprenait, Crépuscule gratta le sol.

L'instant d'après, il déploya ses ailes et emporta l'elfe dans les nuées. Glissant sur les courants ascendants des montagnes, le guerrier et sa monture eurent rapidement déniché la bande en maraude, en train de gravir un flanc rocailleux.

Les orcs étaient environ une vingtaine.

Il suffisait souvent à Tarathiel de guider son pégase d'une simple pression des genoux, tant leur accord était parfait.

Crépuscule perdit rapidement de l'altitude, pendant que son cavalier encochait et décochait flèche sur flèche, faisant mouche à tous les coups.

Les orcs survivants se débandèrent en hurlant des imprécations. Certains, affolés, basculèrent dans des crevasses.

Tarathiel et son pégase s'éloignèrent, pour mieux revenir à la charge.

L'elfe voulait que les monstres croient l'attaque aérienne terminée, et le danger passé. Cette fois, il fondrait sur eux beaucoup plus vite.

Le pégase monta encore dans le ciel. Puis il vira de façon spectaculaire pour plonger de très haut, en chandelle.

Nullement gêné par la vitesse, Tarathiel put encore abattre quelques monstres avant que sa monture ne reprenne de l'altitude.

Plutôt que de se risquer à un troisième passage contre des orcs que le désespoir rendrait d'autant plus dangereux, l'elfe abandonna ses attaques éclairs et fonça par-delà les montagnes, en direction de la forêt des Sélénæ.

— Comment aurais-je pu deviner que ton sortilège stupide avait cessé ? beugla Ivan, ulcéré, en essuyant d'un revers de main son nez en sang. (Pikel riait aux éclats.) Tu as parlé d'une porte ? Où est-elle ?

Le druide hurla de rire.

Quand Ivan voulut lui flanquer une claque, histoire de le calmer, Pikel lui opposa vivement son heaume-cocotte...

Bong !

Le nain à la barbe blonde sautilla de plus belle en se tenant la main avec des cris d'orfraie.

— Hi hi hi !

Lorsque Ivan, fou de rage, fit mine de sauter à la gorge de son frère, celui-ci recula vers le chêne...

... Et se volatilisa.

Ivan hésita une seconde... et bondit à sa suite.

Pour le pauvre nain, le monde fut complètement chamboulé.

Littéralement.

Le « transport arboricole » présentait quelques inconvénients. Par exemple, les notions d'horizontal ou de vertical n'avaient plus cours.

Les frères voyageurs furent propulsés par magie le long des racines du chêne, puis de celles des arbres suivants, avant d'atterrir rudement... *quelque part*.

Sous les cris de joie de son frère, Ivan lutta contre la nausée.

Soudain, ils furent catapultés de plus belle dans de longues vrilles, tels des tire-bouchons vivants, avant d'être enfin libérés du phénomène.

Ivan se retrouva le nez dans la gadoue.

Pikel lui atterrit dessus.

Une fois de plus...

Excédé, le frère aîné se redressa d'une vive poussée, délogeant le druide hilare de sa position. Ivan l'aurait volontiers étranglé sur place, mais il était trop désorienté. Il tituba... et se cogna à un tronc d'arbre. Quand il tenta de se relever, il se prit les jambes dans des racines affleurantes...

Loin de lutter contre son malaise, Pikel sautillait en riant, à l'exemple des enfants en bas âge de Cadderly. Il tombait et se relevait sans cesse, trouvant le petit jeu très drôle.

Ivan fut malade.

Sous le regard de Tarathiel, les pégases réunis se faisaient fête. Hennissant, secouant leur magnifique crinière, Crépuscule et Aube se mordillaient en folâtrant.

Une voix mélodieuse haut perchée s'éleva derrière l'elfe.

— Tu ne te lasses jamais de les admirer...

Innovindil, le grand amour de Tarathiel, avait les cheveux aussi blonds que les siens étaient noirs, et des yeux d'un bleu tout aussi saisissant.. Elle avait son petit sourire entendu que Tarathiel adorait.

Innovindil le rejoignit et lui prit la main.

— Tu es parti trop longtemps, le gourmanda-t-elle.

De sa main libre, elle lui caressa la chevelure puis le torse.

Soudain, l'expression jusque-là rayonnante de l'elfe s'assombrit.

— Tu les as trouvés ?

Il hocha la tête.

— Des orcs en maraude, comme nous le soupçonnions... Crépuscule et moi sommes tombés sur eux, au nord. Ils transportaient les grumes des arbres qu'ils ont abattus dans notre forêt.

— Combien ?

— Une vingtaine.

— Et encore en vie ?

— J'en ai tué plus d'un...

— Ça suffira à les dissuader de revenir ?

Le guerrier acquiesça.

— Nous pourrions les traquer, toi et moi, ajouta-t-il. En un jour, nous les aurons rattrapés. Et si nous les tuons jusqu'au dernier, ils ne risquent pas de revenir.

Innovindil se pencha vers son époux pour l'embrasser sur les lèvres.

— J'ai une meilleure idée pour les prochains jours..., précisa-t-elle d'une voix de gorge à la sensualité rauque.

Il sourit, le cœur au bord des lèvres.

Laissant les pégases à leurs jeux, le couple s'éloigna en direction du hameau Lianelune.

Mais très vite, les elfes découvrirent au loin...

... Un feu de camp ! Dans la forêt des Sélénæ !

Son arc tendu à son épouse, Tarathiel dégaina sa fine épée. En silence, le couple se rapprocha de l'anomalie. A mi-chemin, d'autres elfes du clan se joignirent à lui, prêts à tout.

— Encore du ragoût de racines ! s'écria Ivan. Pas étonnant que mon estomac me mène la vie dure depuis quelque temps ! Il réclame de la viande, figure-toi !

— Uh uh...

Pikel agita sous le nez fraternel son sempiternel index récriminateur... Un tic tellement agaçant qu'Ivan se prenait à rêver de mordre l'index et de le trancher d'un coup de dents jusqu'à la seconde phalange...

Au moins, il aurait eu un bout de viande à mastiquer...

Sautant sur ses pieds, il s'empara de sa hache en beuglant :

— Je pars en chasse ! Et si tu pouvais paralyser le premier daim ou autre que je croiserai, le temps que je le tue proprement, ce ne serait pas plus mal...

Dégoûté, les bras croisés, Pikel afficha une mine butée en tapant l'humus du pied.

— Bah !

Ivan tourna les talons.

Et se pétrifia.

Perché sur une branche, un archer elfique le tenait en joue.

— Pikel, souffla le nain blond du bout des lèvres, osant à peine respirer, tu crois que tu pourrais entamer la conversation avec cet arbre-là... ?

— Uh ho...

D'un coup d'œil par-dessus son épaule, Ivan vit que son frère aussi s'était immobilisé. Et pour cause. Plusieurs elfes à l'aspect sévère le visaient de leurs flèches encochées.

De chaque ombre, de derrière chaque arbre, toujours plus d'elfes apparurent... La forêt entière parut s'animer sous les yeux des frères nains.

Haussant les épaules avec philosophie, Ivan lâcha sa hache.

CHAPITRE XI

SUR LE TERRAIN DE LEUR CHOIX

Un seul géant à leurs côtés, les trois autres ayant mystérieusement disparu, les orcs s'étaient remis en route avec une nervosité marquée.

Perché dans un conifère, Drizzt Do'Urden constata que les monstres étaient désormais en alerte. La suite des opérations exigerait plus de précision et de réflexion. Le géant survivant serait le premier adversaire à abattre. Lors des réunions de planification, Drizzt en avait convaincu Bruenor et Dagnabbit. Ensuite, il avait pris l'initiative en devançant les nains embusqués. Sa formidable panthère comme fidèle alliée, il était prêt à frapper un coup décisif.

Dans le vallon encaissé, la piste sinuait visiblement entre les bosquets. Quand les orcs assagis dépêchèrent des éclaireurs pour ratisser le terrain, Drizzt retint son souffle.

Les éclaireurs tournèrent un moment autour de son arbre, flanquant des coups de pied aux feuilles mortes entassées. Deux d'entre eux prirent position pendant que les deux autres rebroussaient chemin vers la colonne, au rapport.

Elle fut bientôt en vue.

Puis elle défila sous le perchoir du Drow sans se douter du danger. Enfin, le géant approcha.

Drizzt descendit sur la branche qu'il avait sélectionnée avec soin, dégaina lentement ses cimeterres qu'il garda sous les pans de son manteau, afin que leur scintillement magique ne trahisse pas sa présence...

... Et bondit sur les épaules du monstre en le blessant, avant de disparaître aussi vite dans les branchages d'un sapin proche...

La réaction du géant fut celle qu'il avait escomptée. Le monstre leva d'instinct les yeux vers son agresseur en se tournant dans sa direction...

Guenhwyvar lui sauta à la gorge.

Hurlant de douleur, le géant tenta vainement de déloger la panthère de son cou. Elle fouaillait les chairs tendres de ses griffes et de ses crocs.

Affolés, les orcs s'écartèrent.

— Que se passe-t-il ? brailla l'un d'eux.

— Un grand félin noir des montagnes !

Fou de rage et de souffrance, le géant arracha Guenhwyvar de son cou à vif et entreprit de l'écraser à mains nues.

La panthère poussa des miaulements plaintifs.

Drizzt la renvoya aussitôt à son plan astral.

Déstabilisé, le géant qui se retrouva à serrer du vide entre ses doigts tituba, au grand affolement des orcs proches qui s'égaillèrent à toute vitesse. Il tomba à genoux, les mains crispées sur sa plaie béante, à la gorge.

Puis il s'effondra de tout son long.

— Il a écrasé le félin sous sa masse ! cria un orc.

Ses congénères se demandèrent si leur allié s'en relèverait jamais.

Aucun d'eux ne vit le Drow glisser à terre et prendre position à la faveur des ombres.

Et encore moins les nains se masser dans leur dos, armés jusqu'aux dents.

Quand un orc se retourna soudain, et avisa cette nouvelle menace, les yeux ronds, il hurla.

Les nains chargèrent.

La mêlée, brutale, fut sanglante. Un tourbillon de haches, de marteaux, d'épées et de pioches…

A l'arrière, un orc tenta d'organiser un semblant de défense… jusqu'à ce qu'il meure foudroyé, un poumon perforé par un cimeterre.

Marteau de guerre au poing, Wulfgar entra dans la danse, son chant de guerre résonnant dans le val.

A l'écart, Catti-Brie se sentait aussi ravie que peinée. Elle ne cessait de lever son arc… pour le baisser l'instant suivant. Ses doigts trop douloureux ne lui permettaient plus de viser.

Sans compter que dans cette mêlée, elle risquait autant de blesser un nain ou même Drizzt, qu'un orc.

Etre sur la touche était pour elle une grande frustration. Mais les choses n'auraient pas pu mieux tourner. Les nains avaient surpris les orcs, et ils entendaient presser leur avantage.

Wulfgar était splendide de férocité. Qu'il était loin, le barbare hésitant et craintif, à l'époque de ses fiançailles avec Catti-Brie !

Qu'il était loin, l'homme qui avait abandonné ses amis après l'aventure de l'Eclat de Cristal…

La jeune femme retrouvait le guerrier magnifique qu'elle avait connu au Val Bise. Celui qui n'avait pas hésité à mener la charge dans le repaire de Biggrin aux côtés de Drizzt… *et* la contre-offensive face aux sbires d'Akar Kessell…

Après une longue captivité, entre les griffes de l'infernal Errtu, le fils de Beornegar avait enfin vaincu ses démons.

Tout sourires, Catti-Brie le regardait faucher ses ennemis comme autant de gerbes de blé à moissonner… Elle savait d'instinct qu'en l'occurrence, aucune épée ni gourdin ne blesserait le barbare. Aegis-fang balayait les orcs comme des fétus de paille.

Quand Catti-Brie réussit à détacher le regard de son ex-fiancé, le combat s'achevait. Les orcs survivants – une soixantaine –, détalèrent sans demander leur reste. Beaucoup lâchèrent leurs armes pour courir plus vite.

Bruenor et Dagnabbit lancèrent leurs guerriers à leurs trousses, résolus à en éliminer le plus possible.

Catti-Brie en vit trois chercher refuge dans les frondaisons.

L'instant suivant, une noirceur surnaturelle engloba les arbres. Des cris éclatèrent.

Drizzt avait la situation bien en main.

Un orc survivant surgit devant la jeune femme blessée, qui tenta néanmoins de le viser de son arc.

Peine perdue. Le monstre s'écroula à ses pieds.

Il venait de trébucher sur une drôle de « bûche ».

Se redressant à découvert, Régis fit un sombre sourire à Catti-Brie avant de tuer l'orc à coups de massue.

La jeune femme rangea la flèche dans son carquois magique.

C'était fini.

Dans tous les Royaumes, il n'y avait pas peuple plus robuste ni coriace que les nains. Et parmi eux, peu pouvaient rivaliser avec le clan Battlehammer. Surtout ceux de ses membres qui avaient survécu aux rigueurs hivernales du Val Bise.

Le combat terminé, beaucoup s'aperçurent à peine qu'ils étaient blessés.

Il s'agissait pourtant souvent de blessures graves. Sans l'intervention des prêtres, deux cas auraient même été fatals.

Wulfgar était du nombre. Il avait récolté force entailles et coupures. L'application d'un onguent astringent lui arracha à peine un grognement.

Catti-Brie le retrouva assis sur une roche plate, vivante image du stoïcisme.

Il attendait des soins complémentaires. Les prêtres étaient débordés.

— Ça ira ? lui demanda la jeune femme.

— J'ai encaissé quelques coups, répondit-il simplement. Rien d'aussi cuisant que celui que Bruenor m'infligea du temps de ma jeunesse, lors de notre rencontre au combat, mais…

Il eut un sourire magnifique.

Catti-Brie se demanda si elle n'avait jamais rien vu d'aussi éblouissant.

Une main blessée, Drizzt les rejoignit.

— La garde d'une épée d'orc…, lâcha-t-il, laconique.

— Où est Régis ?

Le Drow désigna l'endroit où le petit homme avait fait trébucher un monstre.

— En train de détrousser les cadavres ennemis, certainement. A l'entendre, c'est le but du jeu.

Les trois amis bavardèrent quelques instants avant qu'un éclat colérique n'attire leur attention.

— Bruenor et Dagnabbit…, soupira Catti-Brie. Il ne faut pas demander pourquoi ils se chamaillent encore…

Drizzt et elle se relevèrent.

Comme leur ami ne faisait pas mine de les imiter, ils levèrent un sourcil.

Le barbare leur fit signe de partir sans lui.

— Il souffre plus qu'il ne l'avoue, diagnostiqua la jeune femme peu après.

— Il pourrait être dix fois plus mal en point et tenir encore debout, répondit Drizzt.

La cause de la querelle ?

Catti-Brie l'avait devinée.

— J'irai à Mithral Hall quand *je* le déciderai ! braillait son père, rouge brique.

Dagnabbit avait bien du mérite de tenter d'assumer ses fonctions de protecteur.

— Nous avons des blessés…

Bruenor se tourna vers Drizzt, qui arrivait.

— Ton avis ? Je dis qu'il faudrait continuer jusqu'à Haut-Fond. Histoire de convaincre nos ennemis de se tenir à carreau…

— Mais la plupart des orcs viennent d'être éliminés ! insista Dagnabbit. Et leurs alliés avec !

Drizzt n'en était pas si sûr. A en juger par la propreté des géants et leur tenue soignée, il ne s'était pas agi de pillards isolés. Ceux-là venaient d'un clan organisé.

Néanmoins, l'elfe noir résolut de garder pour lui ce constat, le temps de glaner plus d'informations.

— Qui nous dit que d'autres n'écument pas déjà la région ? beugla Bruenor.

— Raison de plus pour nous replier, et revenir en force. Avec Gaspard.

Bruenor soupira.

— Entendu. Je ne veux pas me soustraire à mes responsabilités. Ramenons nos blessés en sécurité à Mithral Hall, prévenons la population du danger et préparons-nous.

Dagnabbit ouvrit la bouche. D'une main levée, son interlocuteur l'arrêta.

— Donc, renvoyons là-bas nos éclopés avec une escorte. Gaspard et une centaine de ses guerriers établiront un camp retranché au nord du Val du Gardien. Deux cents autres bloqueront les terres basses le long de la rivière Surbrin, au nord de Mithral Hall.

— Un bon plan, que j'approuve, dit Dagnabbit.

— Un bon plan, et tu n'as pas le choix, répliqua Bruenor.

— Mais… Tu partiras avec les blessés ?

Drizzt crut voir de la fumée sortir des narines et des oreilles de son bouillant ami. Bruenor allait-il attraper Dagnabbit par sa barbe et le secouer, enragé ?

— Tu voudrais que j'aille me terrer à l'abri ?

— Ma mission est de te protéger !

— *Ta* mission ? Qui te l'a confiée ?

— Gandalug !

— Et où est-il maintenant ?

— Sous un cairn funéraire !

— Et qui lui succède ?

— Hum… Toi, mon roi…

Amusé malgré lui, Bruenor mit les poings sur les hanches.

Même un entêté comme Dagnabbit devrait s'incliner devant cette logique imparable.

Il eut l'air défait.

— Gandalug m'avait prévenu que tu réagirais ainsi…

— Et que t'a-t-il demandé de me dire, à ce moment-là ?

Dagnabbit haussa les épaules.

— Il s'est contenté de rire.

Bruenor lui flanqua une bourrade amicale à l'épaule.

— Va. Tu as tes instructions. Laisse-moi quinze braves, sans compter mes enfants, le Drow et le petit homme.

— Il faudra qu'un prêtre au moins accompagne les blessés.

Bruenor opina du chef.

— Nous garderons l'autre.

Cela réglé, il rejoignit Catti-Brie et Drizzt.

— Wulfgar est au nombre des blessés, dit-elle.

Elle conduisit son père auprès du barbare, resté assis sur sa pierre. Wulfgar était occupé à se panser une cuisse.

Le nain inspecta ses nombreuses coupures, abrasions et contusions.

— Tu veux rentrer avec les autres ?

— Pas plus que toi.

Bruenor sourit.

Plus tard, onze nains, dont sept blessés plus un allongé sur un brancard de fortune, prirent la route du sud, en direction de Mithral Hall.

Bruenor à leur tête, quinze autres partirent vers le nord-est.

CHAPITRE XII

BALADE

— S'ils n'avaient pas fui, insista Urlgen face à son père bouillonnant, la victoire aurait été à nous ! Les géants de Gerti ont détalé comme des kobolds !

Le roi Obould tira un coup de pied écœuré au cadavre d'un orc qui gisait sur le ventre.

— Combien de nains ?

Son fils écarta les bras en gesticulant.

— Une armée ! Des centaines et des centaines !

Perplexe, un survivant ouvrit la bouche… D'un regard noir, son jeune commandant le fit taire.

Obould ne fut pas dupe. A l'évidence, son fils exagérait.

— Des centaines et des centaines ? Dans ce cas, les trois géants disparus de Gerti n'auraient rien changé à l'histoire…

Urlgen bafouilla, piégé par ses mensonges. Proclamer que son armée était de loin supérieure à celle des nains, quels qu'en fussent les effectifs, et qu'un trio supplémentaire de géants aurait pu transformer le « repli tactique » en victoire écrasante devenait du plus parfait ridicule.

Depuis son retour dans la grotte, pas une fois Urlgen n'avait parlé de « défaite » ou de « retraite ».

Le roi son père en prit bonne note.

— Comment avez-vous pu leur échapper ?

— La bataille a longtemps fait rage, répondit Urlgen.

— Et les nains n'ont jamais cherché à vous encercler ? Vous prendre en tenailles ? Vous avez pu fuir sans encombre ?

— Nous avons bataillé ferme pour ça !

Parfaitement renseigné sur la réalité de la scène, Obould hocha la tête. Face à une poignée de nains, son fils et ses guerriers avaient battu en retraite…

Comment présenter la chose à Gerti sans compromettre une alliance déjà des plus fragiles ?

Si les tribus orcs lui avaient prêté allégeance, Obould le rusé savait que sans cette alliance, ses gains resteraient limités aux régions les plus désolées de cette partie du monde, la Frontière Sauvage. Il serait condamné à revivre la débâcle de la citadelle Maintes-Flèches.

Obould savait aussi par avance que Gerti ne serait pas ravie d'apprendre la mort d'un de ses géants.

Préoccupé, le roi se rapprocha de l'énorme carcasse, à la gorge déchiquetée.

Il interrogea son fils du regard.

— D'après mes éclaireurs, une panthère noire l'a attaqué du haut d'un arbre… Ils se sont entre-tués.

— Où est le cadavre de cette bête, dans ce cas ?

Urlgen pivota vers les survivants, qui haussèrent les épaules.

— Les nains l'auront emporté, qui sait ? Pour sa fourrure, sans doute.

Obould ne fut guère convaincu. Agacé, il flanqua un coup de pied au géant abattu et tourna les talons. Comment tirer avantage de ce fiasco ? Comment le présenter à Gerti sans tout compromettre ? En rejeter la faute sur les trois déserteurs ? Exiger que les alliés des orcs, à l'avenir, se montrent beaucoup plus coopératifs, histoire d'éviter que ça se répète ?

Le cri d'un éclaireur, au loin, l'arracha à ses cogitations.

Peu après, la frustration et la colère du roi dépité grimpèrent en flèche à la vue des cadavres des trois géants portés disparus… L'un d'eux avait même été un proche de Gerti.

Le site du drame était proche du campement d'Urlgen, la veille. De toute évidence, on avait attiré les géants dans une embuscade pour les éliminer.

Avant l'offensive du lendemain.

Inutile de chercher à tromper Gerti. Elle saurait vite le fin mot de l'histoire, elle aussi.

— Urlgen, comment est-ce arrivé ?

Silence.

A bout de nerfs, Obould pivota et l'assomma d'un coup de poing.

— Obould est effrayé, annonça Ad'non Kareese à ses trois associés.

Il avait suivi les orcs sur le site des deux batailles, rejoignant le monarque peu après. Une fois encore, il lui avait recommandé la patience.

— Quoi d'étonnant ? répondit Kaer'lic Suun Wett, la prêtresse. Gerti est capable de le rouler en boule et de le catapulter à travers les montagnes d'un formidable coup de pied…

Tos'un joignit ses rires aux siens.

Ad'non et Donnia Soldou, eux, étaient moyennement amusés.

— Ça pourrait nous coûter l'alliance, observa Donnia.

Désinvolte, Kaer'lic haussa les épaules, s'attirant un regard courroucé de la tueuse.

— Rester ici à végéter dans le stupre et le lucre te comble tant que ça ?

— Il y a pire comme destin.

— Et il y en a de meilleurs, s'empressa de souligner Ad'non Kareese. Une occasion nous est offerte de nous amuser en nous enrichissant. Avec, à la clé, une prise de risque minime. Je tiens à poursuivre l'aventure. Et à préserver l'alliance.

— Moi aussi, renchérit Donnia.

L'air blasé, Kaer'lic haussa les épaules.

— Et toi, Tos'un ? ajouta Donnia. Ça t'amuse aussi, dirait-on, mais qu'en penses-tu ?

— J'en pense que nous aurions tout intérêt à ne pas sous-estimer les nains, répondit le guerrier de Menzoberranzan. Ma cité l'a naguère appris à ses dépens.

— Exact, renchérit Ad'non. Et vu la nature du terrain, Urlgen a vraisemblablement exagéré le nombre des assaillants, d'ailleurs. Selon toute probabilité, les nains étaient à un contre trois ou même quatre. Ça ne les a pas empêchés de mettre les orcs en déroute, sans compter les quatre géants éliminés au préalable… Ils devaient pouvoir compter sur une magie diantrement efficace.

— De la magie ? releva Kaer'lic. Les nains n'en ont que faire, la plupart du temps !

— J'en ai pourtant discerné en l'occurrence, insista Ad'non. Les orcs ont parlé d'un gros félin, qui a disparu depuis.

Tos'un tendit l'oreille.

— Un félin *noir* ?

Ses trois associés regardèrent le transfuge de Menzoberranzan.

— Oui, fit Ad'non.

Tos'un hocha la tête, rêveur.

— La panthère de Drizzt Do'Urden…

— Le renégat ? lança Kaer'lic, son intérêt soudain éveillé.

— Oui. Et son félin magique, volé à Menzoberranzan. A eux deux, ils forment une équipe redoutable.

— La panthère ?

— Oui, répéta Tos'un. Celle de Drizzt Do'Urden, oui ! Ces deux-là ne sont pas à prendre à la légère. Encore moins que les nains.

— Génial…, lâcha Kaer'lic.

— A Melee-Magthere, expliqua Tos'un, il faisait partie des meilleurs étudiants. La crème de la crème… L'élève favori de Zaknafein qui plus est, qu'on considérait comme un des plus grands maîtres d'armes de toute la ville… Si Drizzt était de la fête hier, ça explique la débâcle humiliante des orcs…

— A lui seul, il est capable de repousser une horde d'orcs et quatre géants ? fit Ad'non, sceptique.

— Non, admit Tos'un. Mais s'il y était, alors…

— … Il y avait aussi le roi Bruenor, déduisit Donnia. Notre ami est un de ses proches, n'est-ce pas ?

— Oui, confirma Tos'un. Sans compter le reste de la clique.

— Donc, Bruenor se trouve à la frontière, en compagnie d'un petit groupe ? continua Donnia, souriant. Une occasion en or, n'est-ce pas ?

Ad'non suivit son raisonnement.

— Pour frapper un grand coup contre Mithral Hall ?

— Et pour persuader Gerti de continuer l'aventure à nos côtés.

— Ou pour trahir notre ingérence et nous attirer les foudres d'ennemis plus puissants encore..., intervint Kaer'lic, cynique.

— Prêtresse, le luxe où tu te prélasses te ferait-il oublier les plaisirs du chaos ? lança Ad'non, souriant. Vas-tu vraiment laisser passer cette chance de t'amuser en t'enrichissant ?

Kaer'lic ouvrit la bouche... et la referma.

Elle finit tout de même par répondre.

— Frayer avec des orcs puants ne m'amuse guère. Avec Gerti et ses laquais non plus. Ils se croient tellement supérieurs au monde entier, nous compris ! Inciter les orcs et les géants à s'entre-tuer, voilà qui serait follement excitant à mes yeux ! Et achever les mourants... Ça, oui !

— Et après ? fit Ad'non. Nous resterions seuls, tous les quatre, à mourir d'ennui sans personne à torturer ?

— Tu n'as pas tort, lâcha Kaer'lic. Bon... Dans ces conditions... Faisons tout pour envenimer la situation entre les nains et nos alliés. A condition de rester prudents, nous devrions rapidement tourner à notre avantage le fait que le roi Bruenor soit sorti de son terrier... Je n'ai pas quitté Ombre-Terre pour finir avec une hache de nain plantée dans le dos, ou sous les cimeterres d'un traître...

Tous partageaient cet avis, à commencer par Tos'un, qui avait vu tellement de ses congénères tomber sous les coups des armées de Mithral Hall.

— Je vais de ce pas amadouer Gerti, dit Donnia.

— Et moi Obould, ajouta Ad'non. J'attendrai ton signal avant de l'envoyer auprès de la géante.

Kaer'lic et Tos'un restèrent en tête à tête.

— Nous sommes en train de creuser un profond sillon, conclut la prêtresse. Si nos alliés nous trahissent... Nous aurons intérêt à filer loin.

Tos'un hocha la tête. Il avait déjà vécu ça.

Chaque pas lui coûtant, Obould s'enfonça dans le repaire caverneux de Gerti, avec une conscience aiguë des regards noirs qui pesaient sur lui. En dépit des assurances d'Ad'non, il savait que les géants étaient au courant du désastre. Et il comprenait que leurs réactions puissent être différentes de celles des orcs, son peuple. Les géants des glaces tenaient les uns aux autres. La mort de quatre d'entre eux les affligeait tous.

Quand le monarque entra dans la grotte principale, il trouva Gerti assise sur son trône de pierre, un coude posé sur un genou, son menton fin niché au creux de la paume et le regard perdu dans le vague.

Il s'arrêta hors de portée de la géante, de peur qu'elle ne cède à une impulsion en l'étranglant sur place.

Il jugea préférable de la laisser prendre la parole la première.

Son attente fut longue.

Enfin, Gerti brisa le silence.

— Où sont les corps ?

— Là où ils sont tombés.

La géante ouvrit de grands yeux. Y brillait une lueur inquiétante.

— Mes guerriers ne pouvaient pas les porter, se hâta d'expliquer Obould. Si vous le désirez, nous leur offrirons une sépulture décente. Mais peut-être préfériez-vous les rapatrier ici. Je ne savais pas...

Gerti parut se calmer. Radossée au trône, elle hocha la tête.

— Vos guerriers guideront ceux que je désignerai.

— Naturellement.

— Les actes irréfléchis de votre fils auraient attiré de redoutables adversaires, m'a-t-on dit.

Le roi des orcs haussa les épaules.

— Ce n'est pas impossible. Je n'y étais pas.

— Votre rejeton a survécu ?

Obould acquiesça.

— Il a fui avec nombre des vôtres..., grogna la géante, outrée.

— Quand la bataille a éclaté, il leur restait un seul géant comme allié, s'empressa de rappeler l'orc – avant que Gerti ne le décapite d'un revers de main. Et votre guerrier a été éliminé le premier. La veille, les trois autres avaient disparu sans prévenir qui que ce soit.

A l'expression de la géante, il put constater que sa réaction venait de le sauver. Il avait su faire la part des choses en rappelant la responsabilité des géants dans le désastre – sans pour autant porter de franches accusations.

— Savons-nous où les nains sont allés après ?

— Ils ne foncent pas vers Mithral Hall, répondit Obould. Mes éclaireurs n'ont relevé aucune trace de leur passage en direction du sud ou de l'est.

— Ils sont donc toujours dans nos montagnes ?

— Je le pense, oui.

— Alors, débusquez-les ! exigea Gerti.

Son excitation grimpant en flèche, Obould réprima un sourire. Les géants n'auraient de cesse de se venger des nains... Il les tenait !

Le roi de Mithral Hall se doutait-il de ce qui l'attendait ?

CHAPITRE XIII

LÀ, JE L'AI DIT…

Torgar évita un coup de poing tout en mordant son agresseur à l'avant-bras. Le nain qu'il affrontait le martela de coups de l'autre bras. Torgar tint bon, enfonçant les dents dans la chair, et poussa son adversaire contre une table…

Dans une volée de bois, les deux pugilistes roulèrent sur le parquet.

L'auberge tout entière était devenue un champ de bataille. Les coups de poing et les bouteilles volaient bas… Les fronts cognaient les fronts, et plus d'un nain reçut une chaise ou une table sur le crâne…

Dégoûté, le malheureux tenancier Toivo Poussemousse restait adossé au mur, derrière son comptoir, les bras croisés.

Il se consola en songeant que les nains ses frères, de fieffés bagarreurs s'il en était, mettraient un point d'honneur à tout réparer ensuite.

Dès qu'il s'agissait de tavernes, la question ne se posait même pas ! C'était très sérieux.

Les uns après les autres, les belligérants vidèrent les lieux – à coups de pied dans le fondement, ou catapultés par les fenêtres aux vitres brisées…

Celui par qui tout était arrivé, Torgar Frappemarteau, s'en donnait à cœur joie, au cœur de la mêlée. Et avec Shingles à ses côtés, c'était un sacré dur à cuire.

Peut-être moins vif que d'autres, Shingles savait néanmoins se battre, et garder ses adversaires à cran. Quand un nain hors de lui se précipita sur lui bouteille haute, Shingles, un index levé avec une expression incrédule, le fit s'arrêter net.

Le nain agressif constata alors qu'il restait un fond de bière dans sa bouteille…

Toivo éclata de rire.

Shingles en profita pour assommer son adversaire putatif avec une autre bouteille – pleine, celle-là.

Enfin, le combat cessa faute de combattants.

Torgar, Shingles et deux ou trois autres traînèrent les nains évanouis hors de l'établissement saccagé.

Cela fait, Toivo offrit à boire aux deux premiers.

— Une récompense pour ce beau spectacle ? ironisa Torgar en zozotant. Il avait une lèvre éclatée.

— Tu vas me payer les dégâts et le préjudice subi, mon salaud ! le détrompa Toivo, qui n'était plus d'humeur à mâcher ses mots. Pauvre idiot... Tu as l'intention de mettre toute la ville sens dessus dessous ?

— Je ne suis pas un fauteur de troubles ! Je me contente de dire la vérité haut et fort !

— Bah ! grogna le tenancier en repoussant des éclats de verre du comptoir. Qu'espérais-tu en t'acoquinant avec Bruenor ? Son fief est en train de tuer notre commerce.

— Parce que Mithral Hall est meilleur que Mirabar ! s'emporta Torgar. (Avec une grimace, il tâta sa lèvre irritée.) Là-bas, on fabrique de meilleures armures et équipements. A nous de battre nos concurrents en qualité et en quantité. A nous de conquérir de nouveaux marchés, un point c'est tout.

— Je ne discute pas là-dessus, répondit Toivo. Le problème, c'est que tu le claironnes sur tous les toits. Imbécile, pourquoi t'acharnes-tu à semer la zizanie ? Cherches-tu à soulever notre peuple contre le marquis et le conseil ? Tu veux vraiment la guerre civile ?

— Quelle question !

— Alors ferme un peu ton moulin à paroles ! s'emporta Toivo. Tu te pointes ici ce soir hérissé comme un porc-épic, pauvre crétin, alors que beaucoup d'entre nous voient leurs économies fondre à vue d'œil ! A cause de la renaissance de Mithral Hall ! Et tu t'étonnes ensuite de provoquer des bagarres ? Tu trouves surprenant qu'on ne t'écoute pas ?

Dégoûté, Torgar se pencha sur sa chope de bière.

— Il n'a pas tort, lâcha Shingles, s'attirant un regard noir du commandant. Voyons, j'apprécie les bonnes échauffourées, tu le sais... Mais quel gâchis de bière, tout de même...

— Ils m'ont trop chauffé les oreilles, voilà tout, admit Torgar, de la lassitude dans la voix. Bruenor n'est pas notre ennemi. Le considérer comme tel au lieu de retrousser nos manches et de jouer le jeu, voilà ce qui est stupide !

— Sans compter que tu ne portes pas les dirigeants de cette ville dans ton cœur..., rappela Toivo, perspicace. Le marquis et ses quatre « gardes d'élite », qui se prennent pour des héros avec leurs grands airs... Je me trompe ?

— Si Mithral Hall était une communauté humaine, tu crois qu'ils seraient si résolus contre eux ?

— Absolument, répondit Toivo sans hésiter. Et dans ce cas, *Torgar Frappemarteau* s'en ficherait éperdument... Ou disons qu'il le prendrait beaucoup moins à cœur.

Les avant-bras posés sur le comptoir, le commandant baissa la tête.

Là encore, l'astucieux tenancier n'avait pas tort. Au fond, s'il était honnête avec lui-même, Torgar voyait chez Bruenor et ceux de Mithral Hall des frères de sang… Car tous venaient à l'origine d'un seul et même clan, celui des Delzoun. Mithral Hall, Mirabar, Felbarr… L'histoire et des liens dynastiques faisaient de ces citadelles une communauté qui aurait dû rester soudée en toutes circonstances.

Pourquoi perdre cette réalité de vue au nom d'intérêts commerciaux mesquins ?

En outre, en une seule soirée, Torgar s'était piqué d'amitié pour Bruenor et ses gars.

— Eh bien, fit Shingles, j'espère que tout s'arrangera bientôt. Demain matin, nos vieilles carcasses meurtries n'auront pas fini de nous rendre la vie misérable !

Après avoir tapoté l'épaule de Torgar, Toivo commença à remettre un semblant d'ordre dans son établissement.

Toute la nuit, Torgar resta accoudé au comptoir, perdu dans ses pensées. L'heure était-elle venue pour lui de quitter Mirabar ?

— J'espère qu'il ne va pas encore tous les tuer cette nuit, maugréa Bruenor. Et nous priver d'amusement…

Dagnabbit le dévisagea, tentant de comprendre l'incompréhensible. Après tout, ils venaient de passer ces derniers jours à traquer les fuyards. Et plus d'une fois, Drizzt, Catti-Brie, Wulfgar et Régis avaient rattrapé les orcs les premiers, les achevant bien avant que le groupe ne les rejoigne…

D'où la frustration de Bruenor.

Il posa sur le sol son bol de ragoût vidé.

— Il ne doit plus en rester beaucoup, fit Dagnabbit.

— Bah ! Une cinquantaine de monstres ont dû fuir, et nous en avons pris une dizaine à peine !

— Mais chaque jour, les débusquer devient de plus en plus difficile. Pourquoi t'acharnes-tu, mon roi ? L'elfe noir et ses compagnons suffisent amplement à la tâche. Tu le sais !

— Nous devons gagner Haut-Fond et les autres villes, faire passer le mot…

— Une mission dont Drizzt s'acquittera bien plus vite que nous.

— C'est mal connaître les populations humaines ! Ces crétins pousseront les hauts cris au lieu d'écouter l'elfe !

Dagnabbit secoua la tête.

— Dans cette région du monde, qui n'a pas entendu parler au moins une fois de Drizzt Do'Urden ? De toute façon, il lui suffirait d'envoyer en avant Catti-Brie, Wulfgar ou le petit… Les orcs que nous avons mis en déroute ne sont pas près de revenir à l'attaque.

— Tu imagines qu'il n'existe pas d'autres bandes à l'affût ?

— Dans ce cas, raison de plus pour que tu retournes sans tarder à

Mithral Hall. Et là encore, tu le sais. Alors, mon roi ? Que fichons-nous là, en réalité ?

Calé sur son rondin, Bruenor riva sur son compagnon un regard grave.

— Que préfères-tu ? Sentir le vent sur tes joues, et avoir un orc à pourfendre, ou devoir faire bonne figure aux émissaires pomponnés de Sundabar et de Sylverymoon, ou encore discuter le bout de gras avec un marchand de Mirabar ? Alors, Dagnabbit ?

Le commandant déglutit, surpris par la question directe.

A cela, il y avait la réponse diplomatique.

Un pur mensonge.

Dagnabbit chercha à éluder le piège.

— Je préfère rester aux côtés de mon roi, car c'est mon rôle et ma prérogative...

— N'as-tu donc aucune préférence ?

— Mon devoir...

— Nous ne parlons pas devoir ! Quand tu seras décidé à m'ouvrir ton cœur, reviens me voir ! En attendant, maudit golem, va donc me chercher un autre bol de ragoût.

Il le lui tendit.

Non sans hésiter, le jeune nain le prit. Mais il ne bougea pas.

— Je préfère être ici, au grand air... Et me mesurer aux orcs.

Bruenor sourit de toutes ses dents.

— Alors pourquoi ces questions ? Crois-tu par hasard que j'aurais changé du jour au lendemain ? Etre le roi ne fait pas moins de moi un Battlehammer que n'importe qui d'autre.

— Tu as peur de retourner chez toi. A tes yeux, ce sera la fin de l'aventure.

Bruenor haussa les épaules. Puis il remarqua l'éclat singulier de ses prunelles mauves, dans la pénombre...

— Et ce ragoût ? Il vient ?

Se mordillant les lèvres, Dagnabbit se leva et s'en fut.

Drizzt Do'Urden sortit de son fourré pour s'asseoir à côté du roi.

— Tu les as tous eus ?

— Catti-Brie est très douée à l'arc...

— Eh bien, va m'en débusquer d'autres !

— Les orcs, ce n'est pas ça qui manque... Nous pourrions passer notre vie à les pourchasser dans ces montagnes. Je ne t'apprends rien...

— D'abord, Dagnabbit, et maintenant toi ? ronchonna Bruenor. Que voudrais-tu m'entendre dire ?

— Ce que tu as dans le cœur... Rien de plus. Lors de notre départ, tu marchais d'une foulée élastique, plein d'allégresse. Tu te voyais déjà à Gauntlgrym, et il te tardait de vivre la plus belle des aventures !

— C'est toujours le cas.

— Non. Après notre traversée du défilé Fell, tu as commencé à entrevoir les problèmes que posait ta démarche. Une fois à Mithral Hall, tu sais pertinemment que tu n'en repartiras pas de sitôt. Tout le monde voudra te retenir.

— Que sais-tu que nous ignorons ?

— Rien de plus que ce que j'ai pu observer jusqu'à présent. Tu retrouvais ton allant uniquement en te détournant de notre destination. La visite à Mirabar, cette traque en haute montagne…

Bruenor attrapa le bol vide de Dagnabbit, le plongea au fond de la marmite pour le remplir et se pourlécha les doigts.

— Naturellement, à Mithral Hall, je serai servi dans de la vaisselle fine, sur un plateau d'argent et avec des serviettes en dentelle…

— Tu as horreur des serviettes.

Bruenor haussa les épaules. Là n'était franchement pas le problème.

— Dans ce cas, reprit le Drow, dès notre arrivée à Mithral Hall, désigne un régent de confiance. Sois ce que tu veux tellement être : un souverain itinérant, résolu à étendre l'influence de sa communauté tout en cherchant à percer le mystère d'un royaume légendaire, dont le souvenir s'est perdu… Mithral Hall sera bien gouverné en ton absence, sûrement. D'ailleurs, si tu n'avais pas toute confiance en tes délégués, tu ne serais jamais parti au Val Bise.

— Ce n'est pas si simple…

— Tu es le roi. A toi d'établir les règles. Tu redoutes d'être piégé par le devoir, les responsabilités… ? Mais ça ne dépend que de toi ! Au bout du compte, nul autre que Bruenor Battlehammer ne décide de son propre destin.

— A t'entendre, c'est simple comme bonjour ! Encore que je ne te donne pas tort…

Soupirant, il avala une grosse lampée de ragoût.

— Sais-tu seulement ce que tu veux ? ajouta Drizzt. Ou tes idées sont-elles un peu confuses, mon ami ?

— Te rappelles-tu l'époque où nous nous étions lancés à la recherche de Mithral Hall ? Et le jour où je t'ai fait croire que j'étais sur mon lit de mort, histoire de te soutirer ton consentement ?

Drizzt lâcha un petit rire. Il n'était pas près d'oublier la scène. A la tête des bonnes gens de Dix-Cités, ils venaient de vaincre Akar Kessel, détenteur de l'Eclat de Cristal. Et en paraissant au plus mal, Bruenor avait soutiré à Drizzt son accord pour l'aider à chercher Mithral Hall…

— Tu n'avais pas à me jouer cette grande scène pour me convaincre, tu sais.

— Quand notre quête a enfin abouti, mon cœur battait à tout rompre ! Retrouver mes racines… venger mes aïeux… Chevaucher le dragon dans les ténèbres dut être l'épiphanie de toute ma vie ! D'ailleurs, j'étais persuadé que ma dernière heure avait sonné…

Sachant déjà où Bruenor voulait en venir, l'elfe noir hocha la tête.

— Et qu'as-tu éprouvé d'autre ?

— Une folle excitation ! Sur le moment, du moins… (Le nain soupira en secouant la tête.) Quand mon clan a repris possession des lieux, j'avoue que... la tristesse s'est installée dans mon cœur.

— Tu as réalisé que l'aventure était plus grisante en elle-même que la victoire, en fin de compte...

— Toi aussi ! s'écria Bruenor.

— Pourquoi crois-tu que Catti-Brie et moi avons si vite repris la route après notre triomphe contre les Drows ? Je crains que nous ne soyons taillés dans le même bois... Et tôt ou tard, cette soif singulière d'aventure signera notre perte.

— Mais quelle apothéose, hein ? Au moins, nous finirons en beauté !

Drizzt gloussa malgré lui.

Comme soulagé d'un grand poids, Bruenor l'imita. Avant de se rembrunir.

— Et ma fille ? Que feras-tu si elle meurt la première ? Tu ne battras pas ta coulpe éternellement, tout de même ?

— J'y pense souvent, admit Drizzt.

— Tu as vu dans quelle détresse Wulfgar a été plongé ? Quand Catti-Brie a disparu, il l'a cherchée par monts et par vaux...

— Ce fut son erreur.

— Dois-je en conclure que tu t'en ficherais ?

Drizzt éclata de rire.

— Ne me fais pas dire ce que je n'ai pas dit ! Mais existe-t-il quelqu'un au monde qui aime plus Catti-Brie et Wulfgar que Bruenor Battlehammer ? Comptes-tu enfermer tes enfants à double tour à Mithral Hall, histoire de les préserver de tout danger ?

« Naturellement non. Tu as confiance en ta fille, et tu la laisses faire. Quand elle est blessée, tu n'interviens pas. Au fond, tu es un drôle de père, si tu veux mon avis.

— Qui te l'a demandé ?

— Eh bien...

— Tu veux que je te botte les fesses ?

— Essaie donc, et tu te demanderas d'où pleuvent les coups, sur ta tête de mule !

Grognant, Bruenor balança son bol vide dans la poussière, reprit son heaume et se l'enfonça sur le crâne d'un coup de poing décisif.

— Bah, c'est du solide, l'elfe !

Drizzt sourit.

Dagnabbit reparut.

Le Drow sourit de plus belle.

— Si vous voulez rallier Haut-Fond en deux jours, dit le jeune nain, nous devrions repartir sans tarder. Plus question de traquer les orcs.

Bruenor secoua la tête.

— Pourquoi ne pas prendre nos quartiers là-bas, d'ailleurs ? ajouta le commandant. Tout en assurant la liaison avec le camp de Gaspard, nous passerions l'été à nettoyer les montagnes des nuisibles qui y pullulent... La population serait ravie !

Etonné, Bruenor retrouva le sourire. Et prit sa troisième ration de ragoût.

— Superbe suggestion, mon garçon !

Satisfait, Drizzt s'installa plus confortablement. Connaître les élans de son cœur était une chose. Les admettre, une autre.

Les suivre, encore une autre…

Aux remparts nord de la ville, Torgar prit son poste en boitillant à cause d'un genou enflé. Malgré le vent, il faisait assez chaud pour que le nain ait desserré les sangles de son lourd plastron.

Les sentinelles lui jetaient des regards mauvais. A cause de ses accointances d'un soir avec Bruenor, Torgar ne cessait de semer la discorde au sein de sa communauté. Très las, le commandant n'avait plus qu'une idée en tête : accomplir son devoir sans desserrer les lèvres. Ne plus se prendre de bec avec les uns ou les autres.

A l'approche du conseiller Agrathan Durmarteau, vêtu de ses riches atours, Torgar sut que son souhait ne serait pas exaucé.

Soupirant, il posa les mains sur le parapet, le regard absent.

Agrathan vint s'accouder à la pierre, près de lui.

— Une autre bagarre, hier soir…

— On me cherche, on me trouve ! grogna Torgar.

— Comptes-tu continuer encore longtemps comme ça ? A exploser pour un oui ou pour un non ?

— Ça ne dépend pas de moi.

— Pourquoi t'ingénies-tu à semer le trouble ?

— Honnêtement, ce n'est pas de mon fait ! Si donner mon avis suffit à instaurer un climat aussi détestable, il faudra bien admettre que le problème existait avant que je n'ouvre la bouche !

Agrathan parut se détendre.

— Nous en sommes tous arrivés à regretter que nos premiers concurrents soient les membres du clan Battlehammer… Tu le sais. Mais c'est ainsi. Inutile d'enfoncer le clou… et de casser les pieds à tout le monde.

— Si nous nous querellons autant, les Battlehammer n'y sont pour rien, insista Torgar. Pourquoi personne ne veut tenter une alliance commerciale entre nos deux clans ? Ça pourrait marcher, bon sang !

— Ta suggestion n'est pas sans mérite. Au conseil, elle fait même l'objet d'un débat.

— Sauf que nous, les nains, y sommes minoritaires…

— Peut-être, mais on nous écoute, répliqua froidement Agrathan.

Un peu trop froidement… Torgar sut qu'il venait de toucher un nerf sensible. Mais devait-il suivre la petite voix, au fond de lui, au mépris du bon sens ?

— En intégrant la Hache de Mirabar, tu as prêté serment, Torgar Frappemarteau. T'en souviens-tu ?

Le commandant jeta un regard dur à son interlocuteur.

— Tu as juré de servir le marquis de Mirabar, pas le roi de Mithral Hall. Penses-y.

Agrathan tapota l'épaule de Torgar, et prit congé.

Ces temps derniers, tout le monde semblait s'être donné le mot : tapoter l'épaule de Torgar…

Mais que valait le poids d'un tel serment face aux réalités du présent ?

CHAPITRE XIV

ILS CROYAIENT AVOIR TOUT VU...

Les elfes retenaient leurs prisonniers dans un petit pré, où venaient parfois folâtrer les pégases. Faisant appel à une magie qu'Ivan ne comprenait pas, ils avaient incité les arbres à se rapprocher les uns les autres pour former une barrière naturelle.

Allongé sur l'herbe, les mains croisées sur la nuque, Pikel contemplait les étoiles. Il fléchissait joyeusement les orteils de ses pieds nus.

Les poings sur les hanches, Ivan grogna de dépit.

Soudain, deux arbres s'écartèrent... Le nain guetta en vain l'apparition de leurs geôliers. Décidé à tenter le tout pour le tout, il allait se faufiler par la brèche quand un petit gloussement suspect, derrière lui, le fit s'arrêter.

— C'est toi qui as fait ça ?

— Hi hi hi !

— Et c'est maintenant que tu te décides ? Après deux jours de captivité ?

Se redressant en appui sur les coudes, Pikel haussa les épaules.

— Filons !

— Oh, oh...

Ivan lui jeta un regard incrédule.

— Pourquoi pas ?

Bondissant sur ses pieds, le petit druide sautilla follement, un index pressé sur ses lèvres.

— Chut !

— Quoi chut ? Oh... Tu parles aux arbres, comprit soudain Ivan, perplexe.

Pikel haussa les épaules.

— Tu veux dire que... *si nous filons, ces satanés arbres nous dénonceront aux elfes* ? s'étrangla Ivan.

Son frère hocha vigoureusement la tête.

— Eh bien, cloue-leur le bec !

Pikel haussa les épaules en signe d'impuissance.

— Tu peux les déplacer, mais pas les faire taire ?

Il haussa de nouveau les épaules…

Excédé, Ivan piétina le sol.

— Eh bien, qu'ils nous dénoncent, les salauds ! Et que les elfes essaient donc de nous reprendre !

L'air dubitatif, Pikel inclina la tête.

— C'est ça, c'est ça ! grommela son frère en gesticulant.

Naturellement, il n'avait pas d'arme.

Naturellement, il n'avait pas d'armure.

Naturellement, il n'avait pas idée où il se trouvait.

Naturellement, il n'avait pas idée comment en sortir.

Naturellement, il ne ferait pas dix pas dans la forêt avant d'être repris – sans ménagement.

Mais qu'importait tout ça ! Ivan voulait juste pouvoir donner libre cours à sa rage, au lieu de rester planté sans rien faire…

Résolument, il sortit du pré-prison.

Soupirant, Pikel allait remettre ses sandales quand il entendit du grabuge, non loin.

Haussant les épaules, il lâcha ses sandales et se rallongea à la belle étoile.

Parfaitement heureux.

— Je n'aurais jamais cru qu'un nain puisse déplacer un arbre sans l'abattre d'abord à la hache, s'étonna Innovindil.

Perchée sur une branche basse aux côtés de son époux, elle observait les prisonniers.

— Il est réellement investi de la magie des druides, reconnut Tarathiel. Comment est-ce possible ?

Sa femme gloussa.

— Les nains ont peut-être évolué à un niveau supérieur de la conscience… même si c'est difficile à croire en observant ce spécimen-là !

Devant le spectacle cocasse qu'offrait Pikel, fasciné par ses orteils, Tarathiel trouva difficile d'en disconvenir.

Un trio d'elfes ramena de force Ivan auprès de son frère.

— Ça pourrait devenir dangereux, remarqua Innovindil.

— Leurs intentions nous échappent encore…

L'elfe blonde était d'avis d'escorter les intrus à l'orée de la forêt et de leur rendre leur liberté.

— Teste le druide ! proposa-t-elle. Que Pikel Larmoire fasse ses preuves au Bosquet de Montolio !

Tarathiel lissa son menton pointu, un fin sourire éclairant son visage. Innovindil était toujours de bon conseil. Elle voyait loin. Et clair.

Il lui jeta un coup d'œil admiratif. L'air préoccupé, elle quitta son perchoir après lui avoir fait signe et avança en direction des captifs et de leurs geôliers.

La situation paraissait explosive.

— Une minute, Ivan Larmoire ! lança-t-elle, interrompant la querelle. Votre colère n'est pas justifiée.

— Bah ! Je voudrais vous y voir, à notre place !

— Certes, si je me pointais chez vous comme ça, sur un coup de tête, ironisa Innovindil, nul doute qu'on m'y accueillerait à bras ouverts…

— Pikel en serait bien capable, l'animal ! grommela son frère. Et Cadderly aussi. Même pour un humain, il est drôlement mou !

— Je parlais de *chez vous*, clarifia l'elfe.

— Ah, fit Ivan. Mais que diantre viendriez-vous faire *chez nous*, les nains ?

— Mais que diantre venez-vous faire *chez nous*, les elfes ?

Frappé par la futilité de la situation, Ivan ouvrit la bouche… et la referma.

— Vous gagnez la première manche, concéda-t-il.

— Et comment un nain peut-il inciter un arbre à bouger ? ajouta Innovindil.

Pikel gloussa en se frappant le torse du pouce.

— Doo-dad !

— Eh bien, ironisa Tarathiel, on voit ça tous les jours…

— Mon frère n'a rien d'ordinaire ! protesta aussitôt Ivan.

— Navrée, intervint Innovindil. Vous retenir ici n'est pas dans nos intentions, messire Larmoire. Mais quant à vous lâcher dans la nature… Vous vous êtes introduit dans notre territoire, et nous devons avant tout veiller à notre sécurité.

— Deuxième manche pour vous, bougonna Ivan. A votre tour, admettez que rester assis là à contempler les étoiles n'est pas palpitant ! D'autant qu'elles ne bougent même pas !

— Oh, mais si ! s'écria Innovindil, ravie de pouvoir par ce biais briser la glace.

Avec un couinement enthousiaste, Pikel sautilla sur place.

— Certaines, en tout cas, précisa l'elfe.

Se rapprochant du prisonnier irascible, elle attira son attention sur une étoile brillante, bas à l'horizon, au-dessus de la ligne des arbres…

Les poings sur les hanches, Ivan ne cacha pas son incrédulité.

— Vous ne m'avez pas bien compris, on dirait… Et ce n'est certes pas la première fois que nous nous rapprochons de votre peuple. Dans la forêt de Shilmista, aux côtés de vos congénères, nous avons débouté des hordes d'orcs et de gobelins ! Ces elfes étaient nos amis !

— Nous le deviendrons sans doute aussi, répondit Innovindil. Mais je vous en prie, un peu de patience… C'est trop important pour que nous fassions des choix hâtifs…

— Typique des elfes…, soupira Ivan, résigné. Sur le marché de Carradoon, j'en ai vu une inspecter le stock d'un marchand de vins sous toutes les coutures avant de se décider pour la première bouteille qu'elle avait vue, naturellement...

— Elle a sûrement été satisfaite de son achat, répondit Innovindil, autant que nous serons heureux d'en apprendre davantage sur les frères Larmoire.

— Vous en sauriez déjà beaucoup rien qu'en nous libérant de ce pré stupide !

— Bientôt, peut-être...

Tarathiel semblant bien loin de partager sa générosité de cœur, Innovindil lui flanqua un coup de coude dans les côtes.

— Nous verrons, conclut-il, l'air peu amène.

Gaspard Pointepique tira un coup de pied hargneux à une pierre, qui fusa dans les airs.

— Bruenor attend mieux de ta part, le réprimanda Cordio Têtedemuffin, le prêtre qui escortait les blessés à Mithral Hall.

Le petit groupe avait découvert le campement de la brigade Nazetripe, au nord du Val du Gardien.

Cordio avait expliqué que Bruenor et les siens suivaient un autre chemin en direction de Mithral Hall.

— Tu as deux camps à organiser, reprit le prêtre avec sévérité. Cesse de te briser les orteils en jouant avec les pierres et commence par consolider le premier ici, avant d'en dresser un second au nord des mines, le long de la rivière Surbrin.

De mauvaise grâce, Gaspard distribua les ordres à ses gaillards. Le campement de fortune se transforma rapidement en fortin, avec ses murs d'enceinte en pierre. Il était perché à flanc de montagne, au nord du Val du Gardien.

Le lendemain matin, deux cents guerriers quittèrent Mithral Hall pour venir grossir les rangs des Nazetripe, pendant que cent cinquante autres partaient vers l'est, remontant la rivière Surbrin avec de quoi construire un second avant-poste.

Gaspard Pointepique nomma des estafettes chargées d'assurer les liaisons entre les deux camps.

Rester au sud à attendre lui coûtait beaucoup. Mais il tenait ses ordres du roi en personne... Il se contenta d'envoyer des éclaireurs au nord et au nord-est, espérant retrouver la trace de son bien-aimé suzerain.

Mais pourquoi donc Bruenor avait-il jugé utile et nécessaire de fonder ces deux camps avancés ?

Voilà surtout qui, en l'absence de réponse, tarabustait Gaspard Pointepique.

— C'est vraiment un druide ? s'exclama Tarathiel, qui n'en croyait pas ses oreilles.

Deux elfes affirmaient que le nain avait bel et bien des talents magiques.

Innovindil sourit. Après avoir passé du temps en compagnie des frères, et surtout d'Ivan l'irascible – un nain tout ce qu'il y avait de typique ! –, elle commençait à se piquer d'affection pour eux. Au fil des jours, Ivan et elle avaient même échangé nombre de récits et d'anecdotes. Amadoué par tant de grâce et d'avances amicales, le nain colérique, tout prisonnier qu'il fût, s'était nettement radouci. Au contact d'Innovindil, il en oubliait sa mauvaise humeur.

Tarathiel restait d'avis que sa femme avait du temps à perdre.

— Pikel prie Mielikki en toute sincérité, continua un des deux elfes chargés du rapport. Et ses aptitudes de druide ne font aucun doute. Le prêtre d'un dieu nain, quel qu'il fût, n'en serait pas capable.

— Ça n'a aucun sens ! grommela Tarathiel.

— Pikel Larmoire défie l'analyse, admit l'autre elfe. Mais sous tous rapports, et autant qu'on puisse en juger, il est ce qu'il semble être. Un prêtre des bois. Un « doo-dad », selon ses propres termes.

Depuis toujours, Tarathiel tenait les druides en haute estime.

— Sa magie est-elle puissante ?

Les deux observateurs se regardèrent. A l'évidence, ils avaient craint qu'on leur pose cette question.

— Difficile à dire, admit l'un d'eux. Ses dons sont… à éclipse.

Tarathiel haussa les sourcils.

— C'est selon ses besoins, tenta d'expliquer l'autre. Des charmes d'ordre mineur, le plus souvent… entrelardés à l'occasion d'un sortilège beaucoup plus puissant… et dont seul un druide de haut rang pourrait se prévaloir. L'équivalent d'un grand prêtre…

— On dirait presque qu'il a les faveurs de la déesse, renchérit le premier observateur. Mielikki semble le tenir à l'œil et le protéger.

Tarathiel réfléchit.

— Vous ne m'avez toujours pas répondu.

— Il ne doit pas être plus dangereux que son frère, admit le premier elfe. Il n'est pas une menace pour nous.

— C'est votre conviction ?

— Oui, répondit le second rapporteur.

— Il serait temps que tu parles aux nains, ajouta Innovindil.

— Penses-tu qu'Aube acceptera de le prendre avec elle ?

— Au Bosquet de Montolio ?

Tarathiel hocha la tête.

— Voyons si Mielikki regardera d'un œil réellement favorable ce « doo-dad ».

TROISIÈME PARTIE

LA FIN DU VOYAGE

J'en suis venu à considérer mon existence comme la confluence de trois chemins. D'abord, celui de ma formation dans la Maison Do'Urden, puis à Melee-Magthere, l'école drow des guerriers, mon apprentissage auprès de mon père, Zaknafein... Zak m'a appris à transcender les bases des arts martiaux drows, à aborder chaque combat de manière créative... Sa technique ? Entraîner son corps à réagir instantanément aux idées, à les concrétiser en parfaite harmonie... A faire preuve d'imagination à tous les instants.

Ce qui sépare le guerrier d'un maître d'armes ? L'improvisation. Pas les réactions instinctives, fruit d'un apprentissage mécanique.

Autant de jalons concrets, sur ce premier chemin qui m'a entraîné loin de Menzoberranzan et d'Ombre-Terre, jusqu'à Montolio, puis au Val Bise...

Il a souvent recoupé mon deuxième chemin. Car ils sont inextricablement liés.

Je parle, bien sûr, du parcours émotionnel. La compréhension de soi, l'appréciation des difficultés, l'analyse des désirs et des objectifs qu'on envisage, la prise en compte des besoins des autres, qui ne coïncident pas forcément avec les siens... Leur approche au monde ne recoupe pas obligatoirement la sienne non plus.

Ce deuxième parcours a débuté dans la confusion : à mesure que je l'appréhendais, le monde de Menzoberranzan avait de moins en moins de sens à mes yeux. Là encore, ce fut Zaknafein qui m'aida à cristalliser ce que je ressentais confusément... Et à comprendre qu'en l'occurrence, mon cœur était plus proche de la vérité que la froide raison.

Entre tous, Catti-Brie m'a le plus révélé à moi-même. Dès le début, elle a su voir clair en moi, nonobstant ma couleur de peau et mes origines. Elle a su me juger à mes actes. Quelle libération extraordinaire ce fut pour moi, qui me croyais condamné à subir le carcan de mon héritage drow ma vie durant !

Cette expérience hors du commun m'a également aidé à adopter le point de vue de différents peuples, cultures et communautés afin de mieux les comprendre, et apprendre d'eux.

Une telle ouverture d'esprit ne pouvait que m'être bénéfique.

Après toutes ces années d'aventures, un troisième chemin m'est apparu. J'ai longtemps cru à un simple prolongement du deuxième. Maintenant, je *le vois dans toute sa réalité indépendante. Oh, la nuance peut paraître subtile. Ses implications ne le sont pas.*

Il a commencé avec ma naissance, comme c'est le cas pour tous les êtres doués de raison. Les exigences de la vie à Menzoberranzan l'ont gardé pendant de nombreuses années à l'état de latence. Je pressentais d'ailleurs confusément qu'il fallait d'abord progresser, physiquement et émotionnellement, sur le chemin de la vie, avant de pouvoir aborder cette troisième voie.

Tout a commencé chez Montolio deBrouchee, quand j'ai découvert Mielikki... et sondé les replis de mon âme. Ce fut le premier pas sur le chemin de la spiritualité, celui du mystère plus que de l'expérience, des questions plus que des réponses, de la foi et de l'espoir plus que de la concrétisation... Il faut avoir vécu, tout simplement, pour s'ouvrir à la spiritualité. Cette voie-là est étroite et difficile. Tous ne s'y aventurent pas.

A l'aube d'une vie, tout reste possible, bien sûr. Et ces trois chemins comportent d'abord de nombreux carrefours. Mais ensuite... Le cheminement d'un point à un autre est communément dicté par la nécessité, le parcours émotionnel déterminé par le besoin, mais l'ouverture spirituelle... Qu'est-ce qui la motive ?

En tout cas, je sais que je suis sur la bonne voie. Non que j'aie encore toutes mes réponses... Notre progression, sur tous les plans, est-elle le fruit du hasard ? Ou répond-elle aux desseins de nos Créateurs ?

Et quoi qu'il en soit, pourquoi suis-je là ? Y a-t-il une raison ? Ou tout n'est-il toujours que coïncidence et caprice du destin ?

Où notre chemin nous mène-t-il ?

Tous les êtres pensants se posent cette question-là au moins, dans le secret de leur cœur. Et personne ne peut répondre à leur place. Beaucoup de gens cherchent pourtant des « réponses » dans les harangues des prédicateurs, les sermons... Des perles de sagesse dispensées par des érudits chenus, au soir de leur vie, pour l'édification de leurs prochains...

Suis-je coupable d'arrogance en analysant ainsi la démarche des peuples ? Mon expérience n'a peut-être rien d'unique, en somme. Nombre de gens ont pu parvenir à leurs propres réponses, et partager leurs révélations avec ceux dont ils se sentent le plus proches... Dans ce cas, si l'endoctrinement n'est pas en cause, je les admire d'avoir autant progressé sur le chemin de la spiritualité.

Quant à moi, j'ai découvert Mielikki et embrassé sa foi. Cela a donné à mon existence une nouvelle orientation. Ma déesse m'apporte soutien et réconfort.

Néanmoins, je dois continuer à chercher en moi-même les réponses à mes interrogations.

L'épiphanie de ma vie a jailli de là : comprendre enfin que notre progression physique et émotionnelle était au fond un simple tremplin pour accéder au niveau supérieur du spirituel. Toutes nos interactions avec autrui et notre rapport au monde s'en trouvent considérablement appauvris s'ils ne servent pas à explorer notre univers intérieur. Et à comprendre une autre vérité essentielle : poser des questions est au moins aussi important qu'avoir des réponses.

Dans ce troisième voyage, on est rarement guidé de façon évidente. Et les interrogations sont très fluctuantes... Souvent même, aucune réponse ne paraît possible.

A ce tournant de ma vie, je suis confronté au puzzle d'Ellifain. Et aux questions que soulève ma relation avec Catti-Brie... Car nos rapports sont en plein développement. Avec elle, j'essaie de m'en tenir à l'ici et au maintenant. Pourtant, à un moment ou à un autre, il faudra bien qu'elle et moi nous penchions sur notre avenir...

Une perspective que nous semblons craindre tous les deux.

L'espoir et la foi me guident. Les choses finiront bien par se décanter.

Depuis toujours, l'aube est pour moi un enchantement privilégié. Et chaque fois que les circonstances le permettent, je m'abîme dans sa contemplation. A présent, le soleil me blesse moins les yeux... Dois-je y voir le symbole de la lumière qui repousse sans cesse les ténèbres de mon cœur et de mon âme ?

Je ne puis que l'espérer.

— Drizzt Do'Urden

CHAPITRE XV

INTOLÉRANCE

— Tu y tiens vraiment, Torgar ? demanda Shingles.

Après le tour de garde, il était revenu voir son ami dans sa modeste maison souterraine, et l'avait surpris en train de fourrer dans un sac ses biens les plus précieux.

— Tu sais que je suis sérieux.

— Je sais que tu en parlais. Mais de là à passer aux actes !

— Bah ! Quel choix me laisse-t-on ? Tu veux me le dire ? Agrathan vient de venir faire un tour sur les remparts pour me recommander de la boucler, lui aussi ! Depuis trois siècles, je défends Mirabar et son marquis ! J'ai plus de cicatrices qu'Agrathan, Elastul et ses quatre « gardes d'élite » réunis ! Et voilà maintenant qu'on voudrait que je reste bien sage dans mon coin à supporter les réprimandes publiques d'un Agrathan, sur mon propre tour de garde, devant tout le monde ?

— Et où comptes-tu aller ? A Mithral Hall ?

— Parfaitement !

— Où on t'accueillera les bras ouverts, chope en main ?

— Le roi Bruenor n'est pas mon ennemi.

— Pas plus qu'il n'est l'ami pour lequel tu le prends... Il croira aussitôt que tu viens l'espionner.

Un argument logique.

Torgar secoua la tête. Même si Shingles n'avait pas tort, le risque semblait préférable à cette situation intolérable... Torgar était le dernier de sa lignée. Un fait qu'il entendait corriger bientôt. A la lumière de ce qu'il venait de vivre et d'apprendre, s'il se décidait à procréer, ses enfants grandiraient plus heureux au sein du clan Battlehammer.

Et si gagner la confiance de l'entourage de Bruenor prenait des mois, voire des années, qu'il en soit ainsi.

Havresac passé à l'épaule, il se retourna... et vit son vieil ami lui tendre une chope de bière.

— A une route pullulant de monstres à étriper !

— Compte sur moi !

Tous deux trinquèrent.

La situation de Shingles, patriarche d'un grand clan, était très différente de celle de Torgar. Inutile d'espérer le convaincre de partir.

A moins que la situation ne s'envenime radicalement.

— Tu nous manqueras, Torgar Frappemarteau. Les verriers et les potiers n'ont pas fini de te regretter… Eux qui se frottaient les mains à chacune de tes rixes de taverne !

Souriant, Torgar laissa transparaître toute sa gratitude pour son vieil ami, lui tapota l'épaule puis quitta sa demeure pour n'y jamais revenir.

Baluchon à l'épaule, il attira les regards des passants. Des forgerons s'arrêtèrent de battre le fer pour le suivre des yeux. Personne n'ignorait les démêlés du commandant de la Hache avec les autorités de la ville. Torgar ne faisait pas mystère de son opinion : la façon dont on avait traité le roi Bruenor en visite était inqualifiable !

Torgar marchait tête droite, sans se soucier des regards qui pesaient sur lui. C'était sa décision. Son voyage. Son destin. Il n'attendait plus rien de personne. Il comprenait parfaitement la portée de ses actes. Le digne héritier d'une dynastie guerrière au service de Mirabar depuis des siècles, contraint à l'exil…

Aucun nain ne s'y serait résolu de gaieté de cœur. Pour ce peuple, le foyer était la pierre de touche de la vie.

Quand Torgar atteignit les monte-charge, il constata qu'il avait une escorte. Shingles à leur tête, beaucoup de nains le suivaient. Certains chuchotaient leur soutien, d'autres murmuraient qu'il était fou…

Il ne réagit pas.

Dans la ville haute, le soleil était sur son déclin. Et là aussi, la nouvelle avait dû s'ébruiter comme une traînée de poudre car Torgar découvrit une petite foule, devant lui. Des nains et des humains s'étaient massés. Des murmures coururent, ponctués par des exclamations comme « traître ! » et « imbécile ! »

Il ne réagit pas davantage. Il s'y était attendu.

Quelle importance ? Dès qu'il aurait franchi les portes est de Mirabar, il ne reverrait jamais ces gens.

La pensée faillit l'inciter à se raviser.

Mais le souvenir cuisant de l'humiliation publique infligée par Agrathan, la veille, renforça sa détermination. Il n'avait plus le choix. *Mirabar et ses dirigeants* avaient manqué à tous leurs devoirs, pas lui, Torgar ! Ils s'étaient comportés de façon indigne avec un souverain en visite, l'accablant de leur plus parfait mépris. Et après ça, ils n'hésitaient pas à s'en prendre aux nains qui avaient osé accueillir Bruenor, et lui témoigner de l'amitié…

Qu'était donc devenue la fière cité de ses ancêtres ? Jadis résolue à gouverner en montrant l'exemple ? Une époque décidément révolue… Mirabar était aujourd'hui une ville sur le déclin. D'autant plus déterminée à triompher de ses concurrents par le perfide sabotage au lieu de chercher à s'élever au-dessus de la mêlée...

Aux portes de la cité, Torgar affronta les regards incrédules des gardes nains, et ceux, méprisants, des soldats humains.

Une voix familière s'éleva.

— Ne fais pas ça !

Agrathan accourut.

— N'essaie pas de m'arrêter !

— Voyons, il ne s'agit pas simplement de toi... ! protesta le conseiller. La situation te dépasse, et tu le sais ! A cause de tes actes insensés, la grogne divise notre communauté...

Torgar fut tenté de lui faire remarquer une chose : sa diction prenait de déplaisants accents humains. Agrathan parlait presque comme eux, à présent... Typique d'un médiateur, après tout, de parler à deux voix...

— Il serait grand temps que nos frères commencent à se poser les questions qui fâchent.

Soupirant, Agrathan secoua la tête.

Sans un mot de plus, Torgar tourna les talons et franchit les portes.

Dans la foule, un brave lui cria :

— Que Moradin te bénisse, Torgar Frappemarteau !

Le soleil couchant dans le dos, l'exilé s'éloigna.

— Pauvre fou ! lâcha Djaffar, le chef des Marteaux juchés sur des destriers aux caparaçons robustes.

Au nord-est de Mirabar, ils patientaient au bord d'un piton rocheux qui dominait la ville, embusqués derrière de la rocaille.

Nullement surpris, ils suivirent du regard une silhouette solitaire, sur la route. Ils s'étaient préparés de longue date à ce dénouement prévisible. Alertés par la rumeur publique, ils avaient quitté la ville par le nord pour venir attendre le nain ici.

— Si ça ne dépendait que de moi, ajouta Djaffar, je le tuerais sans attendre et abandonnerais sa carcasse aux vautours ! Le sort réservé aux traîtres ! Hélas, le marquis a le cœur trop tendre... Bon, vous savez tous ce que vous avez à faire ?

Trois cavaliers regardèrent le quatrième, qui exhiba un filet.

— Vous lui donnerez une chance de se rendre, ordonna leur chef. Une seule.

Les quatre acquiescèrent.

— Quand passons-nous à l'action, Marteau Djaffar ? demanda l'un d'eux.

— Patience. Laissons-lui assez de corde pour se pendre... Qu'il s'éloigne suffisamment des remparts pour que la foule le perde de vue. Il ne manquerait plus qu'une émeute éclate ! Alors que ce félon veut livrer nos secrets à l'ennemi ! Un comble...

A en juger par leur mine sévère, les soldats triés sur le volet qui entouraient leur chef mesuraient toute l'importance de leur rôle.

Peu après, le groupe d'intervention trouva le nain assis sur une pierre, en train de vider les cailloux nichés dans ses bottes. Torgar fit mine d'empoigner sa hache avant de reconnaître les cavaliers... et de croiser les bras, plein de défi.

Les soldats l'encerclèrent.

— Torgar Frappemarteau, par décision de notre marquis Elastul Raurym, je te déclare expatrié de Mirabar, dit Djaffar.

— Ben voyons... Autant mettre un nom sur les choses.

— As-tu l'intention de te présenter à la cour du roi Bruenor Battlehammer ?

— Je doute qu'il ait le temps de me recevoir, mais s'il le demande, je m'en ferais une joie. Certainement.

Les soldats se rembrunirent.

Torgar réprima un sourire mauvais.

— Dans ce cas, tu es coupable de haute trahison.

— Haute trahison ? pouffa le nain. On est en guerre contre Mithral Hall, ça y est ?

— Il s'agit de nos concurrents.

— Où est la trahison, alors ?

— De l'espionnage, si tu préfères ! explosa Djaffar.

Un coup d'œil de Torgar vers sa hache, et il n'en fallut pas plus. Les deux premiers cavaliers éperonnèrent leur monture, jetant leur filet sur lui. Fou de rage, Torgar se débattit de toutes ses forces.

Les deux autres cavaliers sautèrent à terre pour battre le nain piégé comme plâtre. Torgar réussit à en mordre un avant de succomber sous les coups de gourdin.

Les soldats dégagèrent alors leur victime du filet pour lui enlever sa cuirasse.

— Attendons ce soir pour rentrer en ville, ordonna Djaffar. Je me suis arrangé pour qu'aucun nain ne soit de garde cette nuit, aux remparts.

Penchée à son balcon, Shoudra Brillétoile brossait sa longue chevelure noire quand elle remarqua une scène insolite, aux portes nord de Mirabar. D'où elle était, elle avait une vue plongeante sur les remparts.

Des cavaliers se présentèrent. Shoudra identifia Djaffar des Marteaux à son heaume à aigrette. Quant à la petite silhouette en braies et en tunique déchirée qui marchait enchaînée et pieds nus à la suite des soldats, il ne fallait pas être devin pour deviner de qui il s'agissait...

Quand l'escorte passa sous son balcon, Shoudra ne chercha pas à se dissimuler en reculant dans l'ombre.

Non contents de maltraiter leur prisonnier, les Marteaux ne l'avaient même pas laissé remettre ses bottes.

— Oh, Elastul..., souffla le Sceptre de Mirabar, atterré. Qu'avez-vous fait ?

On frappa.

Réveillée en sursaut, Shoudra bondit hors du lit pour aller ouvrir machinalement…

… Et découvrit Djaffar, campé sur le seuil de sa chambre.

L'homme la détailla de pied en cap, sans se gêner. Elle se rappela alors qu'elle était en nuisette vaporeuse. Mortifiée, elle recula derrière le battant, passant juste la tête par l'entrebâillement.

— Ma dame…

— Quelle heure est-il ?

— Il fait encore nuit.

— Alors… que voulez-vous ?

— Je viens de vous voir à votre balcon… Je m'étonne que vous vous soyez retirée si vite.

— En effet.

Elle commençait à réaliser.

— Et vous deviez retourner beaucoup de questions dans votre jolie tête…

— C'est mon affaire, Djaffar. Pour quelle raison venez-vous m'importuner en pleine nuit ? Un problème pressant m'appellerait-il auprès du marquis à cette heure indue ? Parce que, dans le cas contraire…

— Nous devons parler de ce que vous venez de voir, ma dame, répondit Djaffar froidement.

— Ce que je viens de voir ? Qui a dit que j'avais vu quoi que ce soit ?

— Exactement. Et vous feriez bien de vous en rappeler.

Shoudra écarquilla les yeux.

— Mon cher Djaffar, seriez-vous en train de menacer le Sceptre de Mirabar ?

— Je vous demande de ne pas perdre l'essentiel de vue. Sur ordre du marquis en personne, le traître Torgar vient d'être arrêté.

— De façon brutale…

— Nullement. Il s'est rendu aux représentants de l'ordre sans résistance.

Shoudra n'en crut pas un mot. Elle connaissait assez Djaffar et ses hommes pour savoir qu'ils adoraient abuser de leur autorité – sitôt qu'ils étaient en position de force.

— On a ramené le prisonnier de nuit pour une raison bien précise, ma dame. Vous devez comprendre que la situation est délicate.

— Parce que, d'accord ou non avec Torgar, les nains de Mirabar détesteraient apprendre qu'on l'a traîné ici enchaîné.

— Exactement. (Le Marteau sourit.) Nous aurions pu le laisser pour mort là où personne jamais ne l'aurait retrouvé… Vous comprenez qu'en la circonstance, votre silence est primordial ?

— Auriez-vous pu commettre un acte pareil ? En votre âme et conscience ?

— Je suis un guerrier, ma dame. J'ai juré de protéger le marquis. Je compte sur votre silence.

Shoudra le regarda, sans répondre.

Avec un léger signe de tête, l'homme prit congé.

La porte refermée, la jeune femme s'adossa au battant en se frottant les yeux.

— Qu'êtes-vous en train de faire, Elastul ?

Dans une pièce adjacente à la chambre de Shoudra, un autre se posait la même question. Résident de Mirabar depuis de nombreuses années, Nanfoodle l'alchimiste s'était toujours tenu à l'écart de la politique. Le gnome érudit avait quelques talents en matière d'illusionnisme et... c'était tout. Il aurait aimé rencontrer le roi légendaire de Mithral Hall, lors de son passage en ville. Mais tout ce qui en découlait depuis le plongeait dans l'inquiétude.

Dérangé par les coups tapés à une porte, il avait d'abord cru qu'on venait le voir et, à l'instar de Shoudra, il avait aussitôt bondi hors du lit. Mais des éclats de voix, dans le couloir, l'avaient vite détrompé. Pourquoi Djaffar se présentait-il chez la jeune femme en pleine nuit ?

Nanfoodle avait tout entendu.

Torgar Frappemarteau, un des nains les plus respectés de Mirabar, le rejeton d'une dynastie prestigieuse, avait été maltraité par les humains chargés de sa capture, et ramené enchaîné dans le plus grand secret...

Un frisson glacé remonta l'épine dorsale du gnome effaré.

Dès l'instant où Bruenor Battlehammer s'était présenté aux portes de la ville, Nanfoodle avait eu l'intuition que rien de bon n'en sortirait.

Et si, depuis toujours, il s'en tenait à une neutralité de bon aloi en matière de politique, se consacrant à l'alchimie, il se retrouva pourtant dès le lendemain chez un ami...

Le conseiller Agrathan Durmarteau ne fut pas ravi par les révélations du gnome.

Pas du tout.

Agrathan alla immédiatement frapper à la porte de Shoudra.

— Je sais ! lança-t-il sans préambule, dès qu'elle ouvrit.

— Tu sais quoi ?

— Ce que tu sais, sur le retour cette nuit de Torgar...

— Maudit Djaffar !

La colère de son visiteur surprit Shoudra. Jusque-là, il n'avait jamais dit un mot plus haut que l'autre à propos des Marteaux.

— Elastul Raurym en a décidé ainsi, rappela le Sceptre de Mirabar. Djaffar et ses soldats étaient de simples exécutants.

Agrathan se cogna la tête au chambranle.

— Il souffle sur les braises...

Jusqu'à un certain point, il avait raison. Et Shoudra n'en disconvint pas.

Si elle comprenait les peurs et les frustrations du conseiller, elle pouvait également comprendre la réticence d'Elastul à laisser Torgar partir. En sa qualité de commandant de la Hache, le nain dissident connaissait les défenses de la ville, mais aussi les données de la production minière et l'état des filons d'or...

Shoudra doutait qu'on en arrive à une guerre ouverte entre Mirabar et Mithral Hall, mais si un conflit finissait par éclater...

— A mon avis, Elastul n'avait pas le choix. Au moins, les Marteaux n'ont pas laissé un cadavre derrière eux...

Loin de calmer Agrathan, la remarque lui fit écarquiller les yeux d'horreur.

Cette possibilité diabolique ne l'avait pas effleuré.

— Elastul aurait dû s'y résoudre, souffla-t-il.

Ce fut au tour de Shoudra d'ouvrir de grands yeux.

— Ça l'aurait débarrassé du problème, ajouta le conseiller. En apprenant la nouvelle, mon peuple ne sera pas heureux. Torgar, prisonnier dans sa propre ville...

— Sais-tu où il est incarcéré ?

— J'espérais l'apprendre de ta bouche.

Shoudra haussa les épaules.

— Si nous allions voir Elastul ?

La jeune femme accepta. Même si elle se doutait, contrairement à son ami, que ça ne résoudrait rien. Aux yeux du marquis de Mirabar, Torgar Frappemarteau venait de se rendre coupable de haute trahison... Le prisonnier ne reverrait probablement pas le soleil avant longtemps.

Au palais, les deux visiteurs furent rapidement reçus. Dans la salle d'audience, Shoudra observa que les gardes et les assistants habituels brillaient par leur absence. Seuls les quatre Marteaux occupaient leur position usuelle, derrière le trône du marquis.

Djaffar lança à la jeune femme un coup d'œil qui la mit mal à l'aise.

Elastul ne s'embarrassa pas de préliminaires courtois.

— Quelle affaire pressante vous amène ? J'ai une journée très chargée.

— Vous venez de jeter en prison Torgar *Delzoun* Frappemarteau, répondit Agrathan, tout aussi direct.

— Où personne ne le maltraite. Tant qu'il se comporte raisonnablement.

L'air dubitatif de Shoudra ne passa pas inaperçu. Le marquis lui lança :

— Sur cette affaire, j'attends de votre part la plus grande discrétion.

— Elle ne m'a rien dit, précisa Agrathan.

— Alors qui ?

— Peu importe. Si vous comptez traquer tous ceux qui l'apprendront tôt ou tard, autant vouloir retenir de l'eau au creux de votre paume...

Maussade, Elastul se tourna vers Djaffar, qui haussa les épaules.

— La situation est grave, continua Agrathan. Torgar n'est pas un citoyen ordinaire.

— Torgar n'est plus notre concitoyen. Lui-même en a décidé ainsi. Je dois assurer la défense de Mirabar. A cette fin, il m'a bien fallu prendre les mesures qui s'imposaient. Tant que Torgar ne fera pas amende honorable, publiquement, il restera sous les verrous. J'ignore quelle lubie l'a pris de vouloir passer à l'ennemi !

Agrathan allait répondre, mais le marquis lui coupa la parole.

— Ma décision est prise, conseiller. Et le débat est clos.

Le nain regarda son amie, qui secoua la tête.

Elastul était on ne peut plus clair... A ses yeux, Mithral Hall restait l'ennemi à abattre. Et s'il persistait dans cette démarche, tôt ou tard, la guerre éclaterait.

Quel impact aurait la nouvelle sur la ville ?

Agrathan et Shoudra espéraient tous les deux que le marquis avait soigneusement mesuré les conséquences de ses actes...

... Avant de souffler sur les braises.

CHAPITRE XVI
LE HÉROS

Approchant sur la pointe des pieds, Catti-Brie se pencha au-dessus de la corniche. Comme elle s'y attendait, le campement se trouvait en contrebas, avec un petit feu où des braises couvaient encore... L'orc restait assis devant.

Grâce à son bijou magique, un serre-tête, Catti-Brie détecta la chaleur animale d'un deuxième orc, dans la pénombre, occupé à tailler en pointe une branche d'arbre. Mais le serre-tête magique fonctionnait beaucoup mieux sous terre, dans l'obscurité totale. Quand les étoiles brillaient, ou à proximité d'un feu, le bijou plongeait sa détentrice dans la confusion en faussant les distances.

Catti-Brie laissa sa vision normale reprendre le dessus. Elle avait compté tuer l'orc isolé ou le faire prisonnier. Mais maintenant, ils étaient deux. Et ses doigts meurtris l'empêchaient de se servir de son arc.

En revanche, dès que la jeune femme referma la main sur la garde de son épée magique, Khazid'hea, elle sentit toute l'énergie fébrile de cette arme douée de conscience. Une arme assoiffée de sang... Son tranchant fabuleux coupait les cuirasses comme du beurre.

En douceur, Catti-Brie la sortit du fourreau et la posa derrière des pierres. Son fil d'une pureté inégalable reflétait la plus petite source de lumière...

Gagnée par les ardeurs meurtrières de l'arme, Catti-Brie hésita. Elle devrait reculer et avertir les autres de sa position.

Mais... Il s'agissait de deux orcs. A condition de frapper vite, elle aurait vite réglé leur compte...

Et l'orc capable de se mesurer à elle à l'escrime n'était pas né.

Sans réfléchir davantage, Catti-Brie se leva et descendit vers le campement ennemi.

Elle approcha rapidement des monstres oublieux. Le premier se pelotonnait toujours au coin du feu et le second taillait sa branche...

Dix pas... Cinq...

La première créature se retourna soudain, poussa un cri d'alarme à la vue de l'humaine, qui pointa aussitôt Khazid'hea…

… Et frappa.

Le deuxième orc contre-attaqua de sa lance grossière. Catti-Brie para.

Il s'obstina.

Nouvel échec.

Catti-Brie allait esquiver un troisième estoc quand l'orc se rétracta pour feinter.

La jeune femme bondit sur l'ouverture. Et Khazid'hea coupa la branche taillée en deux. Le monstre dépité sauta en arrière avec un braillement aigu.

Entraînée par l'arme ensorcelée, Catti-Brie s'apprêta à lui transpercer le torse.

Une pierre siffla à ses oreilles.

Elle se retourna.

Et reçut un projectile dans le dos.

Le suivant la percuta à l'épaule, lui ankylosant le bras.

Tout autour du campement, des orcs surgirent, armes brandies. Ils continuèrent à bombarder leur proie, histoire de la faire danser… Et de l'affoler.

Catti-Brie réfléchit à toute vitesse. Comment avait-elle eu la stupidité de tomber dans ce piège grossier ? Khazid'hea la poussait à poursuivre le combat, à foncer tête baissée, à tuer et tuer encore…

L'arme ensorcelée l'avait-elle attirée dans ce traquenard ?

Non, Catti-Brie était seule fautive.

Elle laissa ses ennemis venir. Mais les orcs ne faisaient pas mine d'avancer… A quoi bon s'y risquer, puisqu'ils étaient en mesure de la lapider à plaisir ? Ils ne cherchaient pas à l'abattre mais à l'affaiblir. Catti-Brie ne pouvait pas éviter tous les jets de pierres. Guidée par l'instinct, elle fonça vers le maillon faible du cercle des orcs. Brillante, elle para successivement un coup d'épée, de hache, de lance, riposta en étripant un orc, et en blessant un deuxième au cou…

Alors que Catti-Brie allait éliminer le troisième monstre qui se dressait devant elle, une pierre percuta sa main meurtrie, lui occasionnant un regain de douleur.

A sa grande horreur, elle lâcha Khazid'hea, qui rebondit sur le sol.

Agile, elle évita un coup de lance, l'arracha à celui qui la maniait, et retourna l'arme contre lui.

Mais un coup de massue l'atteignit entre les omoplates, suivi par un autre coup de lance, qui lui entailla la hanche et la croupe.

Catti-Brie tituba.

Victime d'un désespoir qu'elle n'avait encore jamais connu, la jeune femme réalisa à quel point ses amis et elle dansaient au bord du précipice…

Dans un éclair de lucidité, elle mesura toutes les conséquences désastreuses d'une seule erreur alors qu'un nouveau coup de gourdin la jetait à genoux…

Khazid'hea gisait hors de portée. L'arme magique aurait aussi bien pu se trouver à l'autre bout du monde...

Catti-Brie roula sur le dos en multipliant les coups de pied.

Tout pour écarter d'elle les armes des monstres...

— Qu'y a-t-il, Guen ? souffla Drizzt.

Immobile, la panthère aux oreilles couchées fixait un point dans la nuit...

Intrigué, le Drow s'accroupit près d'elle. Quelque chose clochait... Il le détecta à son tour.

Au loin, dans le camp de Bruenor, tout paraissait normal.

— Qu'as-tu senti, Guen ?

La panthère gémit tout bas. Drizzt sentit son cœur s'emballer. Il se maudit de s'être tellement éloigné de ses amis, à la recherche de la ville de Haut-Fond...

Catti-Brie se débattit jusqu'à ce que ses forces l'abandonnent. Elle reçut un coup dans les côtes qui la fit se recroqueviller, lui arrachant des larmes de souffrance.

Elle ne reverrait jamais ceux qu'elle aimait. Elle ne rirait plus avec Drizzt, ni ne taquinerait Régis. Elle n'assisterait pas au couronnement de son père.

Et elle ne deviendrait jamais mère. Elle ne verrait pas sa fille ou son fils grandir. Elle ne tiendrait plus Colson dans ses bras, ni ne se réjouirait de voir Wulfgar retrouver le sourire...

Le temps parut ralentir, s'arrêter...

Catti-Brie tourna les yeux vers l'orc, le plus costaud de la bande, qui se dressait devant elle en soupesant sa hache...

Ses congénères braillèrent des encouragements.

Elle n'avait plus aucune défense.

Elle espéra qu'une mort miséricordieuse l'emporterait vite avant qu'elle ne souffre trop.

La hache s'éleva...

... Et la tête du bourreau roula dans la poussière.

Avec un hurlement de guerre à glacer les sangs, le fils de Beornegar se dressa au milieu des orcs stupéfaits, les repoussant par ses moulinets féroces. Dans une frénésie combative sans précédent, il fracassa le faciès d'un orc, le torse d'un autre, faucha les jambes d'un troisième... En appui sur ses cuisses fléchies, il fit décrire à Aegis-fang un arc-de-cercle sanglant avant de – bélier vivant –, foncer sur les monstres qui tenaient encore debout...

Catti-Brie reprit assez ses esprits pour rouler sur le côté. Elle récupéra son épée... mais n'eut plus la force de la lever.

Sa stupidité allait-elle *aussi* signer la perte de Wulfgar, qui tentait désespérément de la sauver ?

Un orc fonça sur elle… Non pour la tuer, mais pour fuir le barbare sanguinaire.

Dans sa furie, Wulfgar était magnifique. Il serrait un orc par la gorge, à bout de bras, et le secouait comme un terrier. Le monstre avait pourtant une carrure respectable… Le fils de Beornegar l'avait soulevé de terre sans peine. Et l'orc avait beau se débattre, il ne parvenait pas à se dégager.

De sa main libre, Wulfgar expédia un autre adversaire à la renverse. Dès qu'Aegis-fang lui revint par magie entre les doigts, il acheva l'orc qu'il étranglait avec un grognement sauvage.

Loin d'avoir assouvi sa soif de sang, il continua sur sa lancée. Sous les coups puissants de son marteau de guerre, les os craquaient, broyés…

Une moisson de mort.

Tout s'acheva brutalement. Le dernier orc balayé comme un fétu de paille, Wulfgar resta les bras ballants, pris de tremblements. Sous la chiche lumière du feu de camp, il avait pris un teint de cendre.

Il approcha de Catti-Brie, et lui tendit la main… D'une saccade, il la releva. Ses jambes portaient à peine la jeune femme.

Effondrée dans les bras de son sauveur, elle éclata en sanglots. Wulfgar l'étreignit, lui chuchotant des paroles douces à l'oreille. Il enfouit le visage dans sa luxuriante chevelure auburn.

Perturbés par le tumulte, les animaux nocturnes des parages s'apaisèrent, le calme retrouvé.

Les survivants fuirent.

La nuit s'écoula.

CHAPITRE XVII

L'APPROBATION DE MIELIKKI

Les « *Wheeee !* » incessants de Pikel Larmoire portaient sur les nerfs de Tarathiel. Pourtant, quand Crépuscule toucha terre, l'elfe qui aida à descendre son petit compagnon à la barbe verte se découvrit pour lui une tendresse nouvelle…

Pikel admirait beaucoup le pégase.

— Hi hi hi !

Toute la journée ou presque, ils avaient tutoyé les nuées. Le soleil était bas à l'horizon.

— Crépuscule te plaît ? demanda Tarathiel.

— Hi hi hi !

— Eh bien, j'ai autre chose qui pourrait te plaire.

Pikel lui jeta un regard intrigué.

— Nous approchons du territoire d'un illustre forestier, aujourd'hui décédé. Ce lieu consacré est le Bosquet de Mooshie.

Le nain ouvrit des yeux ronds comme des soucoupes.

— Tu en as entendu parler ?

— Uh uh…

Souriant, Tarathiel l'entraîna sur un sentier bordé de hauts pins jusqu'au bosquet en question, en partie protégé par une muraille de pierre. On aurait pu croire que le forestier Montolio y vivait toujours… Une forte magie imprégnait les lieux.

Tarathiel espéra que le dernier résident en date y serait toujours. Quelques années plus tôt, impressionné par Drizzt Do'Urden, cet elfe noir pour le moins singulier, il l'y avait emmené. Aujourd'hui, Innovindil et lui avaient décidé de soumettre Pikel Larmoire à une épreuve analogue.

Les deux compagnons visitèrent le bosquet aménagé, séduits par l'élégance simple des cabanes sylvestres et de leurs passerelles.

— Donc, ton frère et toi vouliez assister au couronnement du roi Bruenor Battlehammer ?

— Yup yup !

Distrait, Pikel se mit à sautiller gaiement, en se grattant la tête.

— Vous connaissez bien le roi Bruenor ?

— Yup yup !

Le nain s'arrêta soudain pour fixer Tarathiel. Puis il haussa les épaules.

— Uh uh…

— Vous ne le connaissez pas si bien que ça ?

— Non…

— Mais assez cependant pour représenter… comment déjà… Cadderly ?

— Yup yup.

— Je vois. Dis-moi, d'où tires-tu tes pouvoirs druidiques… ?

La voix de Tarathiel mourut. Pikel venait encore d'écarquiller les yeux. Suivant la direction de son regard, l'elfe découvrit le plus magnifique des équidés au monde…

La majestueuse licorne gratta le sol en couvant le nain des yeux. Leur fascination était mutuelle.

Pikel se remit à sautiller, follement excité.

— Doucement ! lui souffla Tarathiel.

Les licornes étaient dangereuses.

Nullement nerveux, le petit druide poussa un cri de ravissement et fonça vers elle, qui hennit.

Se maudissant de l'avoir amené là, Tarathiel courut derrière Pikel en lui criant de s'arrêter.

De stupéfaction, ce fut l'elfe qui s'arrêta… en voyant le nain émerveillé caresser l'encolure de la licorne, qui se remit à gratter le sol d'un sabot sans détaler ou le menacer.

Tarathiel sourit, le cœur léger.

Après quelques instants, la magnifique créature tourna les talons et s'en fut au galop.

Aux anges, Pikel revint vers son compagnon. Exalté, il semblait à peine toucher terre.

— Tu es heureux ?

— Yup yup !

— Je crois qu'elle t'aime bien.

— Yup yup !

— Tu connais Mielikki ?

Le large sourire de Pikel éclaira son visage. Il tira de sous sa tunique un pendentif : une tête de licorne, symbole de la déesse de la nature.

Tarathiel avait déjà vu le bijou taillé dans de la cornedentelle. Celui du nain était en bois.

— Le roi Bruenor sera-t-il content d'accueillir un adorateur de la déesse ?

Pikel eut l'air intrigué.

— Bruenor est un nain, après tout. Et votre peuple n'est pas toujours bien disposé envers Mielikki.

— *Pffft !* grogna le petit druide en agitant une main cavalière.

— J'ai tort, selon toi ?

— Yup yup.

— J'ai entendu parler, dans l'entourage du roi, d'un autre adorateur de Mielikki, qui fut l'ami de Montolio le forestier. Un être singulier, un peu comme Pikel Larmoire…

— Drizzit Dudden !

Souriant, Tarathiel hocha la tête.

— Drizzt, oui. Je lui avais aussi fait rencontrer la licorne…

— Hi hi hi !

— Passons la nuit ici. Dès l'aube, nous retournerons voir ton frère.

Ravi, Pikel courut confectionner deux hamacs.

La nuit fut douce, sous l'aura magique du Bosquet de Mooshie.

Le lendemain soir, les deux elfes réunis échangèrent leurs impressions sur les frères nains…

— Il connaît Drizzt Do'Urden, dit Tarathiel.

— Ivan aussi, répondit Innovindil. En fait, Drizzt Do'Urden et Catti-Brie, la fille adoptive de Bruenor, sont le lien entre le prêtre Cadderly et Mithral Hall. Tout ce qu'Ivan, Pikel et Cadderly savent de Bruenor, ils l'ont appris de leur bouche.

— Pikel pense que Drizzt sera avec le roi…

— S'il revient par ici, nous saurons ce qu'il est advenu d'Ellifain.

Tarathiel s'assombrit. Dans la forêt des Sélénæ, l'histoire d'Ellifain Tuuserail était au nombre des plus tragiques. Lors de cette nuit fatidique, il y avait plus de cinquante ans, les Drows avaient surgi d'une de leurs sapes pour attaquer des elfes de lune… Seule une fillette avait réchappé au massacre. Grâce à Drizzt Do'Urden… qui avait subrepticement caché l'enfant en bas âge sous le cadavre ensanglanté de sa mère…

Si le clan de Tarathiel en était venu à comprendre la vérité sur Drizzt Do'Urden, et à saluer la noblesse de ses actes, la survivante, elle, n'avait jamais surmonté le traumatisme de ces instants terribles. Sombrant dans la folie en dépit des soins des prêtres et des sorciers appelés à son chevet, en grandissant, elle avait reporté toute sa haine maladive sur son sauveur : Drizzt Do'Urden.

— Crois-tu qu'elle se trahira pour tenter de l'approcher et de le tuer ? demanda Innovindil. Dans ce cas, ne devrions-nous pas avertir Drizzt et le roi Bruenor du danger avant qu'ils n'accueillent à bras ouverts tous les elfes qui se présenteront à Mithral Hall ?

Tarathiel soupira. Quelques années plus tôt, sans un mot d'explication, Ellifain avait disparu de la forêt des Sélénæ. On avait retrouvé sa trace à Sylverymoon, où elle tentait de louer les services d'un escrimeur pour s'entraîner avec lui aux cimeterres – un style de combat typiquement drow…

Tarathiel et Innovindil s'étaient lancés à sa recherche… Mais à chaque tentative, ils l'avaient ratée de peu. Jusqu'à ce qu'elle finisse par disparaître pour de bon. Une intervention magique ? Un sort de téléportation ?

Peut-être...

Faute d'indices, le couple avait dû s'avouer vaincu.

Ellifain avait-elle fini par renoncer à tuer Drizzt ? Il fallait l'espérer. Mais au fond, Tarathiel et son épouse en doutaient. Ellifain avait tourné le dos à la raison. La colère qui l'animait et sa soif de vengeance étaient phénoménales.

— Notre responsabilité est bien de prévenir le roi, admit Tarathiel. Nous taire serait criminel.

Innovindil hocha la tête.

— Elle s'est convaincue qu'en abattant Drizzt, elle se libérerait de ses hantises. Qu'avec la mort d'un seul, elle se vengerait de tous les Drows à travers lui...

— Mais en avertissant Drizzt, ne signerons-nous pas la perte d'Ellifain ? L'elfe noir la tuera en se défendant, forcément...

Innovindil grimaça.

— Ce serait peut-être mieux, en fin de compte..., souffla-t-elle, le cœur lourd.

Une logique simple et incontournable. La vraie Ellifain n'était-elle pas déjà morte depuis longtemps, dans cette clairière ensanglantée au clair de lune... ?

— Au demeurant, ajouta Innovindil, il n'incombe pas aux frères nains de délivrer un tel message au roi Bruenor.

— Ils s'embrouilleraient au point de provoquer une guerre entre Mithral Hall et les Sélénæ ! sourit Tarathiel en cherchant à détendre l'atmosphère.

— *Boum !* lança sa femme en imitant Pikel.

Les deux elfes éclatèrent de rire.

A l'ouest, le soleil couchant teintait les nuages de rose.

Tarathiel redevint sombre.

Qu'Ellifain fût morte ou vivante, en vérité, ses amis ne pouvaient plus rien pour elle.

CHAPITRE XVIII

UN CITOYEN ESTIMÉ

S'il n'en fallait jamais beaucoup pour perturber le gnome, là, l'affaire était grave. Il marchait trop vite et faisait trop de détours en direction de son but : Sousville. Mais pourquoi le filerait-on ? Et pourquoi n'aurait-il pas le droit de se rendre dans Mirabar la souterraine ? N'était-il pas le premier alchimiste du marquis, souvent amené de par son travail à côtoyer les nains ?

Secouant la tête, il se morigéna, fit une pause, se remplit les poumons d'air frais, et reprit sa route à une allure plus modérée. En affichant un calme qu'il était loin de ressentir.

Après avoir prévenu le conseiller Agrathan du sort échu à Torgar, il estimait qu'en ce qui le concernait, il en avait assez fait. Le reste ne dépendait pas de lui.

Mais au fil des jours, Nanfoodle comprit qu'Agrathan n'avait rien entrepris pour rectifier la situation. Puisqu'il ne se passait *rien...*

Pire, la communauté naine croyait toujours Torgar parti pour Mithral Hall...

Des jours durant, le gnome s'était débattu avec sa conscience.

Ne devait-on pas prévenir ses amis du danger ? A commencer par Shingles McRuff, qui avait été très proche de Torgar Frappemarteau ?

Ou Nanfoodle devait-il considérer que sa loyauté allait avant tout au marquis de Mirabar, son donneur d'ouvrage ? N'aurait-il pas tout intérêt à travailler dans son coin, sans se mêler des affaires des autres ?

Tourmenté, le gnome distrait se triturait les doigts en marchant dans les rues. Les yeux mi-clos, il sondait son âme et sa conscience... et faillit entrer en collision avec la personne qui se dressa soudain devant lui.

Levant la tête, il croisa le regard perçant de Shoudra Brillétoile.

— Hum... Bonjour... Une belle journée pour flâner, pas vrai ?

— *Au grand air*, certainement, souligna le Sceptre de Mirabar. Crois-tu que se promener sous terre sera aussi agréable ?

— Hum... Je n'y suis plus retourné depuis au moins dix jours !

— Et tu t'es dit qu'aujourd'hui, y refaire un tour ne serait pas plus mal…

— Eh bien… je me balade, c'est tout ! J'approche d'une solution et j'avais besoin de prendre l'air pour… y voir plus clair…

— Cesse de me prendre pour une idiote ! Maintenant, je sais qui est allé prévenir Agrathan…

— Le conseiller Durmarteau, c'est ça ?

Nanfoodle s'enfonçait. Il en avait conscience.

— En frappant à ma porte, cette nuit-là, Djaffar a parlé un peu trop fort dans le couloir… Pas vrai ?

— Djaffar ? Il n'est pas très discret, c'est sûr… Mais je ne me rappelle pas l'avoir récemment entendu dans un couloir…

Shoudra sourit.

— Vraiment ? Et tu n'as pourtant pas été surpris d'apprendre le retour de Torgar Frappemarteau dans nos murs ? D'où tenais-tu cette information ?

— Eh bien, je… Je…

Ecœuré, le gnome leva les bras au ciel.

— Tu l'as bel et bien entendu, cette nuit-là, sur le pas de ma porte.

— Oui.

— Et tu as prévenu Agrathan.

Nanfoodle soupira.

— Ne fallait-il pas le mettre au courant ? Les nains devraient-ils ignorer les actes de leur marquis ?

— Et est-ce à toi de leur en parler ?

— Eh bien… Je ne sais pas !

Surpris, il découvrit qu'elle semblait compatir.

— Tu te sens aussi trahie que moi…

— Le marquis n'a pas de comptes à nous rendre. Il *est* Mirabar. Cette position exige le respect, qu'on apprécie ou non l'homme qui l'occupe…

— Mais je ne suis pas de Mirabar ! s'écria le gnome, excédé. On a fait appel à mes talents d'expert, un point c'est tout.

— D'expert ? Tu es le maître de l'illusion et des évidences !

— Quel culot ! L'alchimie est le plus grand des arts, et dans ce domaine, tout reste à découvrir ! Grâce à ses merveilles, le pouvoir ne sera plus aux mains d'un petit nombre d'êtres cupides !

— L'alchimie permet au mieux l'élaboration de décoctions d'ordre mineur et de poudres qui, le plus souvent, explosent au nez et à figure de leurs créateurs ! Tu parles de cupidité ? Il n'y a pas plus avide ni menteur au monde qu'un alchimiste ! Tu ne pourras pas davantage renforcer le métal extrait de nos mines que transmuer le plomb en or !

— Ah, non ? Ça te dirait que je transforme le sol sous tes pieds en sables mouvants ? brailla Nanfoodle, ulcéré.

— Avec de l'eau ? répliqua froidement la jeune femme.

Grommelant dans sa barbe, le gnome se calma.

— Tous ne souscriraient pas à ton évaluation de l'alchimie.

— Non. Certains déboursent même de coquettes sommes, séduits par de simples promesses...

Nanfoodle renifla de dédain.

— Le fait est que je travaille pour le marquis. Rien de plus. Et j'ai eu bien d'autres donneurs d'ouvrage avant lui, comme j'en aurai après. Si la fantaisie m'en prenait, je pourrais dès demain retrouver un emploi à Eau Profonde, pour des gages sensiblement équivalents.

— C'est vrai, admit Shoudra. Mais je ne te demande pas d'être loyal envers Elastul, seulement envers notre ville, qui t'a accueilli. Depuis que le conseiller Agrathan est venu me voir avec cette nouvelle, je t'observe, Nanfoodle. Et il ne m'a pas échappé que nos chambres étaient concomitantes... Aujourd'hui, te voilà à errer dans les rues, visiblement très nerveux, alors que de toute évidence, tu as pour destination les mines des nains. Je partage tes frustrations. Et je comprends sans peine ce qui te ronge. Agrathan n'ayant manifestement rien fait, tu as décidé d'alerter l'opinion publique. A commencer, naturellement, par les amis de Torgar pour qu'ils le fassent libérer...

— Le souci de vérité, voilà ce qui m'anime ! protesta le gnome. Ensuite, ce seront aux nains de décider ce qu'il convient de faire.

— Quel amour de la démocratie ! ironisa Shoudra.

— Tu viens d'affirmer que tu partageais mes frustrations...

— Mais pas ta bêtise, heureusement ! Mesures-tu la gravité de ta démarche ? Que sais-tu vraiment de l'esprit communautaire qui prévaut chez les nains ? De leur nature foncièrement fraternelle ? Tu risques par ton manque de lucidité de mettre la ville à feu et à sang en dressant les nains contre les hommes. Que dois-tu à Mirabar, Nanfoodle l'illusionniste ? Au marquis Elastul, ton employeur ?

— Et que dois-je aux nains que j'appelle mes amis ? répondit innocemment le gnome.

Décontenancée, Shoudra soupira.

— Je l'ignore...

— Moi aussi...

Tout autant malheureuse que Nanfoodle d'une situation qui lui échappait, la jeune femme se redressa, lui posa une main amicale sur l'épaule, et reprit à mi-voix :

— Va d'un pas léger où le devoir t'appelle... Mais mesure bien la portée de tes actes. Les nains de Mirabar sont sur le fil du rasoir. Au point où nous en sommes, un souffle peut tout faire basculer dans le chaos... De tous nos concitoyens, ce sont les plus loyaux... et les moins aimés. A quelles extrémités tes révélations les pousseront-ils ?

Nanfoodle hocha la tête.

— Pourtant, si Mirabar est digne d'inspirer autant de loyauté, au nom de quoi peut-elle tolérer l'injustice qui frappe un de ses meilleurs défenseurs ?

La remarque fit mouche.

Les traits crispés, la jeune femme acquiesça à contrecœur.

— Agis en ton âme et conscience, Nanfoodle. Je ne prétendrai plus te juger. Nul n'aura vent de cette conversation. Pas par moi, en tout cas.

Après un sourire chaleureux pour son ami, Shoudra Brillétoile lui tapota l'épaule et tourna les talons.

Le petit gnome resta seul avec son dilemme. Que faire ? Retourner à l'atelier et ne plus s'occuper de rien ? Ou continuer, au risque qu'une situation déjà très tendue explose ?

Aucun problème d'alchimie, cette science insaisissable entre toutes, ne l'avait à ce point plongé dans la perplexité. Etait-il en droit de déclencher une émeute ? Devait-on regarder ses amis pâtir d'une injustice sans lever le petit doigt ?

Et Agrathan ? Si le marquis avait convaincu le conseiller de garder le silence, comme ça paraissait évident, Nanfoodle allait-il jouer le dindon de la farce ? Après tout, Agrathan en savait forcément plus que lui. Et sa loyauté envers son peuple était entière. Alors… pourquoi ne disait-il mot sur l'incarcération de Torgar ?

Soupirant, le gnome tourna les talons pour rentrer chez lui. Il se faisait l'effet d'un parfait idiot.

— Salut, Nanfoodle !

— Salut, Shingles McRuff…, répondit-il, les jambes flageolantes.

Sans être annoncé, Agrathan fit irruption dans la salle d'audience du palais.

— Ils *savent* !

Le marquis ouvrit de grands yeux.

— Quoi ?

— Les nains l'ont appris !

— Et comment est-ce possible, conseiller ?

— Je n'y suis pour rien ! protesta Agrathan. Vous croyez peut-être que ça me réjouit ? De voir mes frères brailler de colère et se bagarrer ? Vous saviez que ça ne resterait pas un secret bien longtemps ! C'était couru d'avance ! Torgar *Delzoun* Frappemarteau n'est pas le premier nain venu !

Elastul plissa le front. Aux yeux des humains, l'héritage Delzoun dont s'enorgueillissaient les nains était autant une bénédiction qu'une malédiction. Il les attachait à leurs terres – et donc au marquis qui les gouvernait. Mais il faisait aussi d'eux, les nains, des êtres à part…

— Bon. Après tout, c'est peut-être mieux ainsi… Torgar Frappemarteau voulait rejoindre nos ennemis et leur livrer nos secrets. Il s'est rendu coupable de haute trahison. Personne ne peut le nier.

— Nos ennemis ?

— Nos concurrents, si vous préférez… Croyez-vous que nos secrets n'auraient pas profité à Mithral Hall ?

— Torgar aurait offert son amitié au roi Bruenor. Rien de plus.

— Et cela suffisait à lui valoir le gibet.

Les Marteaux ricanèrent.

Agrathan pâlit.

— Vous n'envisagez tout de même pas…

— Non, conseiller, le rassura Elastul. Je n'ai pas ordonné qu'on dresse d'échafaud pour ce traître. Pas encore, du moins. Ce n'est pas dans mes intentions. Il restera en prison, le temps qu'il se rende à la raison et reconnaisse ses erreurs. Le destin de Mirabar est en jeu, je le regrette.

Agrathan baissa la tête en lissant sa longue barbe blanche, songeur.

— Vous dites vrai, admit-il. Je ne le nie pas, marquis. Mais ça n'éteindra pas le feu qui couve…

— Vos compatriotes devront aussi revenir à la raison. Notre bien-aimé conseiller trouvera certainement les mots pour leur expliquer que ces mesures s'imposaient.

Résigné, Agrathan dévisagea Elastul. Oui, il comprenait.

Pourquoi il avait fallu jeter Torgar en prison.

Pourquoi le marquis le chargeait de calmer le jeu.

Mais Agrathan y parviendrait-il ?

Un nain plus fort en gueule que les autres flanqua un coup de poing dans un mur.

— Bien fait pour lui ! Ce crétin leur aurait tout raconté !

— C'est toi l'imbécile ! s'égosilla un autre.

— Qui traites-tu d'imbécile ?

— Toi, stupide !

Les nains qui s'apostrophaient et leurs partisans respectifs en vinrent aux mains.

Résigné, Toivo Poussemousse s'adossa au mur du fond, derrière son comptoir. Dans sa taverne, c'était la cinquième rixe de la journée… Et la pire. Si ça continuait, le sang coulerait.

Dans les rues, le même spectacle navrant s'offrait aux regards…

— Abruti de Torgar…, marmonna Toivo dans sa barbe. Et pauvre idiot d'Elastul ! rugit-il en se baissant pour éviter un bolide vivant…

… Qui s'écrasa contre le mur derrière lui.

La nuit promettait d'être longue.

La scène se répétait dans tous les débits de boisson de Mirabar la souterraine, et jusque dans les mines. La nouvelle s'était répandue comme une traînée de poudre…

Devant la taverne de Toivo, Shingles McRuff et des amis affrontaient ceux qui félicitaient le marquis d'avoir mis un traître hors d'état de nuire…

— Qu'on jette un des nôtres en prison vous réjouit tant ? brailla Shingles. Qu'il pourrisse au fond de geôles humaines est une bonne chose, selon vous ?

— Un traître à Mirabar doit pourrir dans une cellule de Mirabar ! répliqua un nain à la barbe noire – et aux arcades sourcilières si prononcées qu'elles cachaient presque ses yeux.

Des applaudissements saluèrent la riposte. Les défenseurs de Torgar se récrièrent d'indignation, le poing brandi.

La bagarre éclata. Dans la rue, beaucoup de portes s'ouvrirent. Découvrant la scène, les habitants de Sousville se joignirent instantanément à la mêlée… L'émeute se propagea de quartier en quartier. Des incendies se déclarèrent jusque dans les logis chamboulés.

Au son d'une centaine de cors, la Hache de Mirabar intervint pour mettre fin à ces désordres populaires. A la vue d'humains en armes, certains des nains qui s'étaient opposés à Shingles et à ses partisans changèrent instantanément de camp. Et même pour ceux qui n'avaient pas eu d'opinion très arrêtée sur la question, combattre les humains devint une question d'honneur.

Il fallut des heures de luttes acharnées pour circonvenir les partisans de Torgar. Soit plus de cent prisonniers…

… A emmener sous le regard pesant de centaines d'autres nains.

Au moindre geste mal interprété de la part des soldats de la garnison humaine, la poudrière exploserait.

Agrathan, qui survint alors, fut atterré par le spectacle des rues saccagées, des visages en sang, des expressions d'outrage…

Le pire était arrivé.

Le conseiller aborda les commandants de la Hache, un par un, pour leur recommander la clémence et la sagesse concernant le traitement à réserver aux prisonniers. Si on avait remis le couvercle sur la marmite, dessous, le feu restait allumé…

Epuisé, Agrathan s'assit sur un banc de pierre.

— Ils ont Torgar !

Meurtri et contusionné, Shingles se débattait encore entre deux gardes humains.

— Ils l'ont battu comme plâtre ! Et toi, Agrathan, tu le savais ! Tu t'en fichais !

Piqué au vif, le conseiller bondit sur ses pieds.

— C'est faux !

— Un humain miniature, voilà ce que tu es en réalité !

Un soldat gifla le vieux nain.

Il n'en fallut pas plus. Avec un sourire mauvais, Shingles bondit, flanqua un coup de poing à l'estomac de l'autre soldat, se dégagea et affronta le premier garde…

… Qui recula en criant à l'aide. Shingles le cogna au mollet, puis à l'entrejambe. Tétanisé, les yeux fous, le type s'effondra sur un cri muet.

Alors, Shingles se rua sur Agrathan.

Le conseiller n'avait jamais été un guerrier de sa trempe. Pire, alors que Shingles était poussé par la rage, Agrathan n'avait de toute façon pas le cœur à se battre.

Il se ressentit vivement des premiers coups qui plurent sur lui, le préci-pitant à terre. Avant que des humains interviennent et l'empoignent à bras-le-corps, Shingles eut le temps de flanquer à sa victime un dernier coup de pied.

Relevé par un autre soldat, Agrathan se dégagea. Les dents serrées, pro-fondément blessé dans son amour-propre, il s'éloigna à grandes enjambées en direction des monte-charge.

Il devait revoir le marquis toutes affaires cessantes. Et le mettre une bonne fois devant ses responsabilités.

CHAPITRE XIX

SOUFFLENT DES VENTS MORTELS...

— De toute ma vie, je ne m'étais jamais sentie aussi... vulnérable..., confia Catti-Brie au vent.

Autour d'elle, et en contrebas, les nains, Régis et Wulfgar vaquaient à leurs occupations, les uns préparant le souper, les autres dressant le camp...

Sous le crâne de la jeune femme, une tempête d'émotions soufflait. Plus d'une fois elle avait affronté la mort ou s'était retrouvée à la merci d'un ennemi juré... Artémis Entreri ne l'avait-elle pas faite prisonnière, l'entraînant avec lui à la poursuite de Régis ?

Mais même alors, elle ne s'était pas réellement attendue à mourir.

Alors que là, cernée par des orcs, désarmée... Elle avait vraiment cru sa dernière heure venue. Et tous ses rêves, ses espérances avaient été balayés par...

... Le regret ?

Pourtant, Catti-Brie croquait la vie à belles dents, multipliant les aventures, contribuant à vaincre les dragons et les démons, luttant aux côtés de son père adoptif et de son clan pour reconquérir Mithral Hall, cinglant les mers à la poursuite des flibustiers...

Et elle avait connu l'amour.

Elle jeta à Wulfgar un coup d'œil par-dessus son épaule.

Elle avait eu sa part de chagrin, et peut-être avait-elle maintenant retrouvé l'amour. Ou se berçait-elle d'illusions ? Elle était entourée des meilleurs amis qu'on puisse rêver avoir... Les compagnons de toute une vie.

Et avec Drizzt...

... Quoi ?

Elle ne savait plus. Elle lui vouait un amour sincère, et se sentait toujours mieux en sa compagnie. Mais... leur destinée était-elle de devenir mari et femme ? Serait-elle la mère de ses enfants ?

Etait-ce seulement possible ?

Catti-Brie avait des sentiments mitigés sur la question. Une telle aventure serait la plus belle... Mais le côté pragmatique de la jeune femme la ramenait aux réalités incontournables de pareille union… En vertu de leurs ascendants, leurs enfants seraient rejetés de partout.

Les yeux fermés, Catti-Brie posa la tête sur ses genoux dressés. Recroquevillée sur son perchoir, elle se représenta courbée par les ans, incapable de continuer à gambader aux côtés de Drizzt Do'Urden… Un être à la jeunesse éternelle. Tous les jours, elle le voyait courir l'aventure, un grand sourire étirant ses lèvres… Il avait cela dans le sang. C'était sa nature foncière. Et celle de Catti-Brie aussi, si elle était honnête avec elle-même… Mais à la différence de l'elfe, la jeune femme aurait quelques années à peine pour continuer à mener ce genre d'existence. Ensuite, la vieillesse la diminuerait inexorablement.

Et si elle voulait donner la vie, il lui restait encore moins de temps.

Plongée dans la confusion, Catti-Brie était tout à sa peine. Les orcs, en l'encerclant, prêts à l'achever, lui avaient montré sur elle-même une chose qu'elle n'avait jamais réalisée… Aussi palpitante fût-elle, sa vie présente était un simple interlude. Un tournant. Catti-Brie concevrait-elle ? Deviendrait-elle mère ? Ou l'émissaire extraordinaire de son père, le roi Bruenor ?

Vivait-elle sa dernière aventure ?

— Après une défaite, le doute t'accable…

A cette voix douce et familière, Catti-Brie rouvrit les yeux en tournant la tête. Wulfgar se tenait un peu en contrebas, les mains croisées sur un genou fléchi.

Elle lui jeta un regard intrigué.

— Je sais par quoi tu es en train d'en passer…, ajouta-t-il, sincère et compatissant. Tu viens de regarder la mort en face, et l'ombre qui t'a couverte t'a lancé un avertissement solennel…

— Un avertissement ?

— Elle t'a rappelée à ta propre mortalité.

L'expression de Catti-Brie vira à l'incrédulité. Pourquoi Wulfgar éprouvait-il le besoin d'enfoncer les portes ouvertes ?

— Quand je suis tombé avec la yochlol… (Etreint par la douleur cuisante de ce souvenir, le barbare ferma brièvement les yeux.) Dans l'antre d'Errtu, j'ai sombré dans un désespoir sans borne. J'ai connu l'amertume d'un échec inimaginable, le doute et le regret… A propos de tous mes actes… La réunion des tribus de mon peuple, l'alliance avec Dix-Cités, mes combats à vos côtés, la reconquête de Mithral Hall…

— … Le jour où tu m'as sauvée de la yochlol, ajouta Catti-Brie.

D'un sourire, il accepta le gracieux compliment.

— Dans l'antre d'Errtu, j'ai connu un néant dont j'avais ignoré jusqu'à l'existence… Quand j'ai cru ma fin arrivée, j'ai regretté amèrement d'en avoir si peu fait dans ma vie… L'insatisfaction m'accablait.

— Après tout ce que tu avais accompli ? s'exclama Catti-Brie, incrédule. Wulfgar hocha la tête.

— Parce que, dans d'autres domaines, j'avais volé d'échec en échec… Surtout vis-à-vis de toi. De l'amour qui nous liait alors. Et puis, je n'avais pas vraiment appris à me connaître. Qu'attendais-je de la vie ? Quels étaient mes buts ? Que deviendrais-je quand je ne courrais plus l'aventure ?

Catti-Brie en crut à peine ses oreilles. Lisait-il donc en elle comme à livre ouvert pour lui retirer les mots de la bouche ?

— Et tu as rencontré Colson et Delly...

— Un bon départ, je pense !

Le sourire du barbare paraissait sincère. Elle le lui rendit.

Un petit silence passa.

— L'aimes-tu ? demanda Wulfgar à brûle-pourpoint.

Elle allait lui opposer une autre question, quand elle se ravisa.

— Et toi ? demanda-t-elle néanmoins.

— C'est mon frère, répondit-il sans hésitation. En toutes circonstances, je lui ferais un bouclier de mon corps, même si je devais y laisser la vie. Et je mourrais heureux. Oui, je l'aime. Autant que j'aime Bruenor, Régis et...

Il s'arrêta, haussant les épaules.

— Moi aussi, je l'aime.

— Ce n'est pas ce que je te demandais. *L'aimes-tu ?* Vois-tu en lui le compagnon de toute une vie ? Sur les routes de l'aventure comme au coin de l'âtre, le soir, à la veillée ?

Catti-Brie fronça les sourcils, cherchant à sonder les pensées du barbare. Elle ne détecta en lui aucune jalousie, colère ou espérance... Elle avait en face d'elle le véritable Wulfgar, le fils de Beornegar. Un jeune homme au cœur vibrant.

— Je ne sais pas...

Ses propres paroles la surprirent.

Le barbare se rapprocha, baissant encore d'un ton, et, les mains posées sur les épaules de Catti-Brie, toucha son front du sien.

— Tu pourras toujours compter sur nous, quoi qu'il advienne. Avant toute chose, nous sommes tes amis.

Réconfortée, Catti-Brie ferma les yeux. Wulfgar *savait* par quoi elle en passait. Lui-même était revenu des enfers...

A son tour, la jeune femme trouverait sa voie. Quelle qu'elle soit.

— Bruenor m'a tout raconté, annonça Drizzt, de retour de sa mission de reconnaissance au nord-est.

Il posa une main sur l'épaule du barbare.

— Drizzt Do'Urden lui-même a effectué nombre de sauvetages du même ordre...

— Je te remercie.

— Je ne l'ai pas fait pour toi.

La remarque, sans malice ni colère, surprit l'elfe noir.

— Naturellement non.

Il s'écarta, dévisageant Wulfgar.

Qui lui opposa un visage indéchiffrable.

— Si nous passions notre temps à nous remercier les uns les autres de nous avoir mutuellement sauvé la vie, nous n'aurions pas fini ! Catti-Brie était en danger. J'ai eu la chance de pouvoir intervenir à temps. A ma place, Drizzt Do'Urden n'aurait-il pas fait de même ?

— Si...

— Et si Bruenor avait vu sa fille en danger de mort, aurait-il réagi autrement ?

— Non.

— Et Régis ? N'aurait-il pas tout tenté, lui aussi ?

— Je vois.

Wulfgar détourna le regard.

Drizzt comprit enfin.

Le barbare avait jugé condescendants les remerciements de l'elfe noir. Comme si sauver Catti-Brie était plus que ce qu'on aurait pu espérer de la part de Wulfgar...

D'où la froideur de sa réaction.

— Je retire ce que j'ai dit, annonça Drizzt.

Le jeune homme lâcha un petit rire.

— Et je voudrais t'offrir à la place un chaleureux accueil, ajouta le Drow.

Ce fut au tour de Wulfgar d'avoir l'air intrigué.

Sur un signe de tête, son compagnon s'éloigna en le laissant à ses pensées.

Au sud du bivouac, une silhouette solitaire se découpait sur un piton rocheux.

— Elle y aura passé la journée, observa Bruenor en rejoignant Drizzt. Depuis que Wulfgar l'a ramenée saine et sauve...

— Se retrouver aux pieds d'orcs assoiffés de sang troublerait les cœurs les plus farouches.

— Ah, oui ?

Drizzt baissa les yeux sur son ami.

— Tu comptes aller la retrouver ? ajouta Bruenor.

L'elfe noir ne cacha pas sa confusion.

— Oui... Elle a sans doute besoin d'un peu de solitude... (Le nain regarda en direction de Wulfgar.) Ce n'était pas exactement le héros qu'elle attendait...

La remarque toucha durement Drizzt. Ses implications l'obligeaient à confronter ses émotions. De quoi retournait-il, au fond ? De Wulfgar, le sauveur de son ancienne fiancée devenue la bien-aimée de Drizzt ? Ou s'agissait-il d'un simple sauvetage réussi sur la route trépidante de l'aventure ?

Pourquoi s'encombrer d'émotions, après tout ? songea l'elfe noir. L'introspection était le plus court chemin vers le désastre quand le danger guettait à chaque tournant...

Dire que Drizzt avait jadis reproché à Wulfgar de se montrer trop protecteur envers la jeune femme !

Quoi qu'il en soit, Catti-Brie était saine et sauve. L'acte héroïque de Wulfgar prouvait qu'il avait toutes les chances de tirer un trait définitif sur son douloureux passé. Drizzt le regarda côtoyer les nains de sa démarche souple et féline, l'air très calme. Qui aurait deviné qu'un tel homme avait jadis rampé au fin fond des Abysses, jeté en pâture aux démons ?

— A midi, dit l'elfe noir, j'ai aperçu la première tour de Haut-Fond. J'estime que nous avons deux jours de marche devant nous. Surtout avec les ravins à contourner en chemin.

— Mais tout paraissait calme ?

— Oui. Les étendards claquaient au vent, et j'ai vu des sentinelles, sur les remparts.

— Bien. Nous préviendrons ces braves gens, leur laisserons un petit contingent de nos guerriers s'ils le demandent et...

— ... Nous rentrerons dans nos pénates, termina Drizzt, conscient que la perspective n'enchantait pas son ami.

— Hum... D'autres villes auraient peut-être besoin d'être averties.

— En cherchant bien, certainement...

S'il le remarqua, Bruenor choisit d'ignorer le sourire ironique de l'elfe noir.

Le roi se détourna et s'éloigna sous le regard rêveur de Drizzt.

Puis il fut de nouveau attiré par la silhouette solitaire de la jeune femme, perchée sur son piton rocheux.

Il aurait voulu la rejoindre. La prendre dans ses bras, et l'assurer que tout se passerait bien.

Mais... elle avait visiblement besoin d'y voir plus clair en elle-même. Il le sentait. De s'isoler pour réfléchir. Après avoir frôlé la mort, on ressentait toujours le besoin de remettre de l'ordre dans ses priorités.

Quoi de plus compréhensible ?

Le jour suivant, Wulfgar resta avec le corps d'armée principal, pendant que Drizzt, Régis et Catti-Brie les précédaient par des chemins parallèles, sur les hauteurs. Régis observait ses amis du coin de l'œil.

Comme toujours, l'elfe noir explorait le terrain avec une agilité et une sûreté de pied dont seule Guenhwyvar la panthère était capable.

Régis comprit vite que Drizzt se comportait comme si de rien n'était.

En réalité...

Son parcours en zigzag lui permettait de rester proche de Catti-Brie, de la tenir constamment à l'œil... Régis s'en étonna. Il avait rarement vu le Drow se montrer aussi protecteur envers elle.

A moins qu'il ne s'agisse d'autre chose ?

Catti-Brie dissimulait beaucoup moins ses sentiments. Et elle faisait preuve, envers Drizzt, d'une froideur inhabituelle. D'ordinaire diserte et enjouée, elle desserrait à peine les lèvres, recourant à des signes pour communiquer quand le besoin se présentait.

Sans doute se remettait-elle mal du drame de la veille, évité de justesse...

Après s'être assuré autant que possible qu'aucun danger ne guettait dans l'immédiat, Régis rattrapa la jeune femme.

— Le fond de l'air est froid, ce matin...

Hochant la tête, elle garda la tête droite, visiblement perdue dans ses pensées.

— Et toi aussi, tu es glaciale...

Elle acquiesçait encore machinalement quand la remarque impertinente la fit enfin réagir. Elle se tourna vers le petit homme. Et, devant son expression si innocente, elle en perdit sa sévérité.

— Navrée. Je suis préoccupée.

— Quand un gobelin m'a blessé à l'épaule, j'ai aussi cru que pour moi, c'était la fin du voyage...

— Et nous sommes nombreux à avoir remarqué à quel point Régis a changé depuis...

Le petit homme haussa les épaules.

— Quand tout semble perdu, les vraies priorités nous sont comme... révélées... Et si on échappe à la mort, tout devient clair.

Le sourire de Catti-Brie lui indiqua qu'il venait de mettre le doigt dessus.

— Etrange, la vie que nous avons choisie... Un jour ou l'autre, elle nous tuera. Mais nous nous persuadons nous-mêmes que nous ne mourrons pas aujourd'hui, histoire de continuer gaiement notre chemin.

— Pourquoi Régis, un petit homme amoureux de son foyer et de son confort, court-il donc les routes, dans ce cas ?

— Pour rester avec ses amis. Nous sommes soudés comme les doigts de la main. Et je préfère tomber à vos côtés qu'apprendre votre fin un beau jour, confortablement calé dans mon fauteuil...

— Une vague culpabilité te pousse donc à nous suivre partout ?

— Et pourquoi seriez-vous les seuls à vous amuser ? Tout fanfarons qu'ils soient, quand j'entends Bruenor et ses guerriers raconter à leur façon quelque combat épique alors que je n'y étais pas, je suis le premier à le regretter.

— Donc, tu admets enfin ton amour de l'aventure ?

— Peut-être.

— Et tu ne penses pas que quelque chose d'autre te manque ?

Régis la regarda, perplexe.

— Vivre avec ton peuple ? Fonder une famille ? Avoir des...

— ... Enfants ?

— Oui.

— Je ne côtoie plus mes semblables depuis tellement d'années... D'ailleurs, nous ne nous sommes pas quittés en bons termes...

— Ah ?

— Ce serait trop long à raconter. J'ignore comment te répondre. Honnêtement... Pour l'instant, courir l'aventure aux côtés de mes amis suffit à mon bonheur.

— Pour l'instant ?

Il haussa les épaules.

— C'est ce qui te trouble ? Quand les orcs t'ont encerclée pour te tuer, les regrets t'ont accablée, c'est ça ?

Catti-Brie détourna le regard. Une réaction qui se passait de commentaire...

Et, fin renard, Régis en devina sans peine la source. Ces derniers mois, il avait vu Drizzt et elle se rapprocher considérablement. Or, si une telle union devait se concrétiser et porter ses fruits, ce serait le début de problèmes sans fin...

D'ailleurs, les Drows et les humains pouvaient-ils avoir des enfants ensemble ?

Les Drows étant fondamentalement des elfes, sans doute...

Raison de plus pour craindre le pire. Quelle vie auraient les gamins ? Quel destin ?

Leur mère et leur père le supporteraient-ils ?

— Que feras-tu ?

Drizzt revenait vers eux.

— Je continuerai à jouer les éclaireurs, répondit-elle froidement. De mon arc et de mon épée, j'éclaircirai les rangs de nos ennemis.

— Tu sais très bien ce que je voulais dire.

— Non.

Le Drow les rejoignit, empêchant Régis de protester.

— Il n'y a pas d'orcs dans les parages.

— Alors, dit Catti-Brie, nous atteindrons le ravin avant la tombée de la nuit.

— Bien avant. Et nous le contournerons par le nord.

Avec un grognement frustré, Régis s'éloigna.

— Quelque chose le perturbe ? s'enquit Drizzt.

— Les dangers qui nous guettent...

L'elfe noir sourit.

— Notre bon vieux Régis...

Peu après, l'expédition fut en vue du dernier ravin avant la ville de Haut-Fond, avec sa tour blanche caractéristique : celle de Withegroo Seian'Doo, un sorcier d'ordre mineur.

Cette nuit-là, les loups hurlèrent à la mort, dans le lointain. Etaient-ce des worgs ?

Le jour suivant, le ravin fut contourné.

Des orcs, il n'y avait plus trace. Fallait-il en conclure qu'une bande isolée avait ravagé Talons Claquants ? Les autres étaient-ils retournés se terrer dans leurs trous, en haute montagne ?

Le soir venu, le groupe campa en vue des feux de la ville, sur les remparts. Les siens étaient autant visibles des sentinelles.

A la faveur de la nuit, deux éclaireurs se rapprochèrent du campement. Drizzt n'en fut guère surpris. Les deux hommes tentaient une approche subreptice, sans grand succès, tant ils trébuchaient sur des racines affleurantes et des pierres.

Caché derrière un arbre, le Drow lança :

— Halte ! Qui va là ?

Nerveux, les éclaireurs firent volte-face, sans voir qui les hélait.

— Qui approche du campement du roi Bruenor Battlehammer sans se faire annoncer ?

— Le roi Bruenor ! se récrièrent les deux hommes.

— Oui, le suzerain de Mithral Hall, qui succède à Gandalug.

— Que fait-il si loin au nord ? riposta un des soldats.

Drizzt restait dissimulé, sans se montrer.

— Nous sommes sur la piste d'orcs et de géants qui ont saccagé un village, au sud-ouest d'ici. Nous désirons prévenir la ville du danger.

— Bah ! Les monstres ne sont pas près d'abattre nos murailles ! grogna un éclaireur en se redressant de toute sa taille, les bras croisés.

— Bien dit, approuva Drizzt. (L'humain se rengorgea.) Vous êtes donc les éclaireurs de Haut-Fond ?

— Savoir qui campe au pied de nos murailles est légitime.

— Eh bien, vous en savez maintenant la raison. Continuez, et vous serez annoncé auprès du roi Bruenor. Gageons qu'il vous accueillera à sa table !

Sur ces mots, Drizzt s'éclipsa, distançant rapidement les humains indécis.

Quand ceux-ci atteignirent le campement, Bruenor les attendait.

— Mon ami m'a prévenu de votre arrivée.

Drizzt entra dans la lumière en rabattant la capuche de son manteau.

A cette vue, les yeux des deux hommes se dilatèrent.

— Par tous les dieux, s'écria l'un d'eux, Drizzt Do'Urden ! Quelle rencontre !

Fort peu habitué à une réaction aussi chaleureuse de la part des habitants de la surface, l'elfe noir ne put réprimer un sourire. Il surprit le regard intrigué, perplexe et enchanté de Catti-Brie.

Quelles émotions agitaient la jeune femme ?

CHAPITRE XX

UN VIRAGE EN ÉPINGLE

Chevauchant Crépuscule, Tarathiel guidait ses compagnons, Innovindil et les nains, le long des sentes de la forêt des Sélénæ. Les clochettes de son harnais tintinnabulaient. Le ciel était maussade et l'air chaud, mais les compagnons cheminaient gaiement. Chaque fois que le sentier paraissait obstrué par des arbres, Tarathiel qui connaissait mieux les bois que quiconque au monde procédait à un léger ajustement et... c'était comme si les arbres eux-mêmes se poussaient pour les laisser passer !

Pikel raffolait de ce genre de miracle.

Seul Ivan, fidèle à lui-même, restait renfrogné. La veille, des chants elfiques nocturnes l'avaient empêché de dormir sur ses deux oreilles. Et s'il ne demandait pas mieux, la plupart du temps, que de joindre sa voix aux joyeux fêtards du monde entier, à chanter des hymnes à la gloire des dieux nains, des héros d'antan ou des trésors perdus et retrouvés, les mélodies elfiques, elles, le faisaient toujours penser à de longues plaintes dédiées à la lune et aux étoiles...

Il n'aspirait qu'à une chose : rallier enfin Mithral Hall. Très peu connu pour son amour de la subtilité, il n'avait cessé de rebattre les oreilles de Tarathiel et d'Innovindil de ses doléances.

Bientôt, les quatre compagnons atteindraient la Surbrin. De là, les nains pourraient s'orienter en direction de Mithral Hall. Selon Tarathiel, ce serait l'affaire d'une dizaine de jours – moins, s'ils descendaient le fleuve de nuit en radeau.

En chemin, Pikel et Innovindil bavardaient à bâtons rompus, partageant des informations et des idées sur la diversité de la flore ou de la faune. Une fois ou deux, Pikel attira un oiseau pour lui chuchoter quelque chose à l'oreille. Et peu après, plusieurs revenaient se poser sur les branches pour jouer leur sérénade aux voyageurs... Enchantée, Innovindil applaudit avec un sourire émerveillé pour le petit druide. Même Tarathiel, si grave et pondéré de nature, parut tout à fait enchanté par cette délicate initiative.

Seul Ivan bougonna dans sa barbe, à propos du « stupide Peuple-Fée ».

A la grande joie des elfes, Pikel convainquit ses amis les oiseaux de faire mine de piquer sur le bougon…

— Tu pourrais me passer ton arc, Tarathiel ? grinça Ivan, les yeux levés vers les frondaisons où les petits effrontés venaient de retourner se percher. J'ai justement une petite faim…

— Hi hi hi !

— Nous ne vous accompagnerons pas à Mithral Hall, précisa Tarathiel.

— Qui vous l'a demandé ? grogna Ivan. (Devant l'air froissé des elfes surpris par sa véhémence, il se radoucit.) Bah, pourquoi rechercheriez-vous la compagnie des nains, hein ? Si vous y tenez tant que ça, pourquoi pas… Mon frère et moi nous assurerons qu'on vous réserve un accueil aussi *chaleureux* que le vôtre dans votre antre puant… hum… je voulais dire votre *magnifique* forêt !

— Tu nous inondes de compliments, Ivan Larmoire…, ironisa finement Innovindil, avec un clin d'œil pour son époux et Pikel, qui pouffa de rire.

Ivan ne saisit pas l'ironie de la remarque.

— Hum. Certes.

— Nous devons nous entretenir avec le roi Bruenor, ajouta Tarathiel. Si vous pouviez le prier d'envoyer un émissaire dans la forêt des Sélénæ… Drizzt Do'Urden serait le bienvenu.

— L'elfe noir ? se récria Ivan. Vous, des elfes de lune, vous me demandez de vous envoyer un *Drow* ? Attention, Tarathiel… Que diront les vôtres en apprenant que vous accueillez maintenant les nains et les elfes noirs ?

— Certes pas *les* elfes noirs ! Sans l'appeler notre ami, nous réserverions un bon accueil à Drizzt Do'Urden. A lui seul. Nous avons des informations à lui communiquer. C'est important.

— Peut-on savoir ?

— Désolé, je ne peux pas en dire plus. Et je ne voudrais pas vous accabler d'un long récit à rapporter au roi Bruenor… Ignorant tout de la question, vous risqueriez de vous embrouiller si je vous chargeais de tout dire.

Devant l'air renfrogné d'Ivan, Innovindil se hâta de préciser :

— N'y vois aucune méfiance de notre part. Nous avons un protocole à respecter, tout simplement. Ce message est de la première importance. Nous nous en remettons à toi pour en convaincre le roi.

Pikel brandit un poing en l'air.

— Oi oi !

Tarathiel allait l'imiter quand il se reprit, très surpris. Après quelques regards circonspects à la ronde, il mit pied à terre.

— Qu'a-t-il vu ? demanda Ivan.

A son tour, Innovindil eut l'air grave.

Après avoir fait signe au nain de rester silencieux, Tarathiel s'agenouilla au bord du chemin, tête inclinée, comme à l'écoute…

Ivan ouvrait la bouche quand, d'une main levée, Innovindil le rappela à la prudence.

Pikel parut alarmé.

— Ooooo…

Agacé par tant de mystère, Ivan sautilla sur place.

— Que se passe-t-il à la fin ? Tarathiel ?

Mais l'elfe était trop concentré pour répondre.

— Pikel ? ajouta Ivan.

Le petit druide se pinça l'arête du nez.

— Des orcs ?

— Yup yup !

Hache aussitôt en main comme par magie, Ivan se mit en garde, sondant la pénombre.

— Eh bien, qu'ils y viennent, les salauds ! Ça ajoutera du piquant au voyage !

— Je les sens aussi, ajouta Innovindil.

— Dere, renchérit Pikel en désignant le nord.

Les deux elfes hochèrent la tête.

— Récemment, des orcs ont violé notre territoire, expliqua Innovindil. Nous les repousserons jusqu'au dernier ! Ne vous en faites pas. Continuez vers l'ouest et le sud, où votre route vous mènera.

Bras croisés, Pikel secoua vigoureusement la tête.

— Uh uh…

— Bah ! grinça Ivan, indigné. Vous voudriez vous amuser sans nous, peut-être ? Vous qui vous posez en hôtes parfaits, vous n'hésiteriez pas à nous chasser sitôt qu'il y a de l'orc à étriper ?

Surpris, les deux elfes se regardèrent.

— Oui, je sais. Et non, je ne vous aime pas ! Mais je hais vos ennemis, là ! Alors, qu'est-ce qu'on attend ? Allons-nous de ce pas *raccourcir* des orcs ou prétendriez-vous nous éloigner ? Dans ce cas, ne comptez pas trop qu'on se souvienne de votre message auprès du roi Bruenor !

Innovindil haussa les épaules. A son époux de trancher.

— Si vous y tenez tant que ça…, capitula Tarathiel. Voyons ce que nous pourrons apprendre avant d'alerter mon peuple. Et tâchez d'être discrets.

— Discrets ? protesta Ivan. On risque de voir les orcs repartir à leur guise !

Tarathiel remonta en selle, et peu après, Crépuscule put prendre son envol en direction du nord.

Ils revinrent très vite, et guidèrent leurs trois compagnons à proximité des lieux de l'intrusion. Une clairière…

Porteurs de cognées – et d'arcs longs –, douze à vingt orcs évoluaient à l'ombre des arbres.

— Nous devons prévenir notre clan, chuchota Innovindil.

Tarathiel plissa le front. Ils cheminaient en forêt depuis deux jours… Alertés, les autres elfes ne surviendraient pas à temps pour éliminer les intrus.

— Ils ne doivent pas s'échapper.

— Tuons-les ! souffla Ivan.

— Nous sommes à cinq contre un, souligna Innovindil.

— Ce sera rapide, assura le nain, hache au poing.

Pikel se coiffa de son heaume-marmite.

— Oo oi !

Tarathiel consulta sa femme du regard.

Elle sourit.

Il se rapprocha du pégase pour lui chuchoter quelque chose à l'oreille. Crépuscule s'éloigna sans un bruit.

Tandis que les elfes prenaient position en silence, les nains marchèrent sur leurs ennemis en piétinant fort peu discrètement les brindilles et les feuilles mortes...

Pendant que des orcs sciaient des arbres, d'autres avaient lancé des cordes dans les hautes branches pour aider à l'abattage.

Autant outré par un tel sacrilège que les elfes eux-mêmes, Pikel ouvrit une bourse remplie de baies rouges. L'air très grave, il se rapprocha d'un grand chêne, posa le front sur son écorce, ferma les yeux et marmonna tout bas.

Avant d'y *disparaître*, comme englouti par le tronc.

Les deux elfes en restèrent bouche bée.

— Oui, je sais..., soupira Ivan dans un murmure. Il fait ça tout le temps... (Il leva la tête.) Regardez-le, là-haut...

A plus de vingt pieds au-dessus du sol, Pikel était réapparu sur une branche haute qui surplombait la clairière.

— Ton frère est très intriguant, murmura Innovindil. Il a plus d'un tour dans son sac...

— Et nous aurons besoin de tous les atouts possibles, ajouta Tarathiel.

Il se doutait que quoi qu'il dise, les nains, fougueux et impatients de nature, passeraient bientôt à l'attaque. Accroupi dans les broussailles, il fit signe à sa femme de se préparer...

Sans plus attendre, en effet, Ivan se redressa et entra dans la clairière.

— Alors ? Comme ça, on en est réduit à frapper sur ce qui ne bouge pas ?

Les bûcherons cessèrent toute activité. Leurs congénères stupéfaits également.

Dans un bel ensemble, les monstres tournèrent vers le nouveau venu leurs yeux jaunâtres injectés de sang.

— Eh bien ? les défia Ivan. C'est la première fois que vous regardez la mort en face ?

Deux ou trois monstres aboyant des ordres, loin de foncer sur le nain, le groupe d'intrus se déploya lentement.

— Vous voyez les chefs ? chuchota Ivan à ses amis cachés. A vous de jouer !

Sans sourciller face au nain solitaire qui se dressait devant eux, les orcs armèrent leurs arcs et le mirent en joue.

Leurs deux chefs guidaient la manœuvre.

Ils furent pris de vitesse par les elfes. La flèche de Tarathiel foudroya le premier à la gorge, celle d'Innovindil le second à l'abdomen.

Au même instant, l'air *gauchit*. Un peu comme la surface d'une mare que le vent ride... Et les traits décochés par les orcs, soudain mous comme chique, finirent leur course un peu partout sauf dans la cible...

Seule une flèche fila droit. Par chance, Ivan la vit à temps pour se jeter à genoux et la dévier de sa hache brandie. Elle rebondit sur sa cuirasse, à l'épaule, sans le blesser.

— Tu en as laissé un m'avoir, crétin ! fulmina Ivan.

Caché dans les frondaisons, Pikel gloussa.

Sidérés, les orcs regardaient leurs arcs inutilisables, tordus par magie. Ecœurés, ils les lâchèrent au profit de l'épée et de la lance, avant de foncer sus à l'ennemi.

Les deux plus véloces s'écroulèrent en pleine course, foudroyés par les traits elfiques.

Ivan Larmoire résista à la folle envie de se ruer aussi sus à l'ennemi – *et* de relever les yeux vers son frère à la cervelle de linotte, histoire de s'assurer qu'il n'avait pas déjà la tête ailleurs...

Après un autre tir elfique, Innovindil et son époux bondirent à découvert, couteau et épée dégainés.

Dans une cacophonie de cris de guerre gutturaux, les orcs survivants chargèrent.

Une poignée de baies rouges lancées du haut du chêne se métamorphosèrent en projectiles. Autant d'impacts douloureux pour les monstres...

Ivan et les elfes profitèrent de la confusion. Le nain multiplia les coups de hache au visage, aux flancs, au torse et à la nuque des orcs.

Mais ce furent les elfes, non le féroce Ivan, qui inspirèrent un « *Oooo !* » émerveillé à Pikel.

Côte à côte, les époux formaient un redoutable duo, évoluant avec un synchronisme parfait. Ils semblaient véritablement ne faire qu'un...

Sous-estimant gravement les elfes, un orc plus téméraire que les autres crut voir une ouverture, se précipita... et eut sa lance déviée avec une folle aisance par Tarathiel, pendant que sa femme portait le coup de grâce à un autre orc blessé.

Dans un mouvement fluide, Tarathiel poignarda le premier monstre et lança sa dague ensanglantée dans les airs pour la rattraper par la pointe, faisant mine de la décocher...

L'orc qui se crut visé hésita.

Innovindil en profita pour l'égorger.

Alors qu'elle était encore en mouvement, Tarathiel la ceignit par la taille pour la soulever de terre, la faire passer par-dessus sa hanche et s'en servir comme d'un bélier vivant contre les orcs suivants. En effet, jambes tendues,

Innovindil balaya comme fétus de paille les monstres qui se dressaient encore devant eux.

Tarathiel s'immobilisa pour mieux inverser la rotation de sa femme, qui joua de la dague…

En quelques instants à peine, par cette superbe figure acrobatique, les elfes venaient d'étaler cinq adversaires pour le compte.

— *Oooo !* refit Pikel.

Il baissa un regard dubitatif sur ses baies rouges.

Un mouvement attira son attention… Deux autres orcs levaient leur arc…

Il leur lança ses baies magiques à la tête, aveuglant et blessant les archers. Doigts tendus, le druide paracheva son œuvre en ordonnant aux ronces et aux lianes, qui s'animèrent, d'enserrer les monstres…

Si Ivan n'avait ni la grâce efficace, ni l'extraordinaire coordination de mouvement des elfes, il compensait par sa férocité… Un orc qui se rua sur lui l'apprit à ses dépens. Il encaissa de rudes coups sur son bouclier, avant d'être blessé à l'épaule.

Deux autres orcs s'en prirent au nain qui, d'un jet de pierre, déséquilibra le premier. Et, d'un coup de hache en plein abdomen, il arracha le second de terre, le projetant en l'air sous la violence de l'impact… Puis il régla le compte du premier, sonné, en le frappant à la poitrine.

Il tourna les talons et courut vers une grosse roche, poursuivi par les monstres survivants. Il bondit dessus avant de disparaître… Les orcs contournèrent l'obstacle, pensant que le nain avait roulé derrière.

Pour la peine, le plus rapide encaissa un coup de hache au flanc gauche, le suivant au flanc droit…

Les deux derniers monstres éliminés, Ivan resta seul face aux elfes…

Dans le regard qu'échangèrent alors les vainqueurs passa tout le respect du monde.

La clairière était jonchée de cadavres et de moribonds. Les rares survivants fuyaient à travers bois.

— J'en ai eu huit ! annonça fièrement Ivan.

Il baissa les yeux sur un orc blessé, qui tentait de se redresser. Tarathiel l'égorgea.

Le nain haussa les épaules.

— Bon… Disons sept et demi.

— Je dirais que celui d'entre nous qui a le moins tué d'orcs a le plus contribué à cette victoire facile, lança Innovindil, avec un regard appuyé à Pikel.

Ravi, le petit druide venait de les rejoindre.

Par une journée radieuse, les quatre compagnons atteignirent la pointe nord-ouest de la forêt des Sélénæ. Perché sur une crête, Tarathiel désigna, au loin, le ruban scintillant de la rivière Surbrin qui longeait les contreforts de l'Epine Dorsale du Monde. Elle coulait du nord au sud.

— Elle vous guidera jusqu'aux portes est de Mithral Hall, expliqua l'elfe. Ou à proximité, au moins. Ensuite, vous n'aurez aucune difficulté à trouver votre chemin.

— Et nous comptons sur vous pour transmettre notre message au roi Bruenor, ainsi qu'à l'elfe noir, Drizzt Do'Urden, ajouta Innovindil.

— Yup, répondit Pikel.

— Nous le leur dirons, renchérit son frère.

Les elfes se regardèrent en souriant. Puis les quatre amis se séparèrent, pleins d'un respect nouveau les uns envers les autres.

Surtout Ivan et Tarathiel.

QUATRIÈME PARTIE

VIRAGE

Nous devons vivre notre vie et nos relations dans l'instant présent. C'est ainsi. Vis-à-vis de Catti-Brie, l'appréhension m'étreint... Vivre ici et maintenant, parcourir des routes balayées par les vents hurlants, combattre et combattre encore tous les ennemis que le destin jette dans nos jambes... Nous devons embrasser une cause, définir des objectifs puis chercher à les remplir en lançant toutes nos forces dans la bataille, en nous investissant à fond... Même s'il s'agit de simples aventures. Quand nous nous dévouons corps et âme à une cause, Catti-Brie et moi nous affranchissons en fait des sombres réalités de notre héritage respectif. Tant que ça dure, nous sommes en mesure de vivre pleinement notre vie à l'aune de l'amitié sincère et de l'amour, aussi proches l'un de l'autre que deux personnes douées de raison peuvent l'être.

Mais dès que nous cherchons à entrevoir l'avenir... les problèmes commencent.

Au nord de Mithral Hall, Catti-Brie a récemment frôlé la mort. Et cela l'a mise face à sa fragilité d'être humain. Brutalement. Elle a cru sa dernière heure venue, et a regretté par-dessus tout de mourir sans avoir donné la vie ni vu ses enfants grandir...

Elle a été confrontée à la mortalité véritable. Celle qui fauche les vies en ne laissant derrière aucune trace des victimes...

Et Catti-Brie a détesté ça.

Une fois de plus, elle a échappé à la mort. Nous avons tant de fois frôlé le pire... Wulfgar a repoussé les orcs, sauvant notre amie.

Après cette pénible expérience, de sombres pensées agitent Catti-Brie.

Car dès aujourd'hui, un gouffre béant pourrait s'ouvrir sous nos pieds, et réduire à néant tout ce que nous avons pu vivre jusqu'ici.

Un mauvais virage suffirait à tous nous précipiter dans l'abîme.

Quel futur pouvons-nous espérer, en somme ? Quand on considère nos relations au jour le jour, seules la joie, l'aventure et l'excitation semblent avoir droit de cité.

Catti-Brie aura-t-elle des enfants ? Pourrait-elle porter les miens ? Certes, des demi-elfes existent partout dans le monde, issus d'unions entre les humains et les elfes. Mais... des demi-Drows ?

Qui en a entendu parler ?

A en croire de folles rumeurs, la Maison Barrison Del'Armgo se serait livrée à d'horribles expériences de ce type sur des prisonnières humaines, dans une tentative visant à augmenter la taille et la force physique des guerriers nés de ces accouplements forcés.

Comment savoir s'il y aurait là-dessous un fond de vérité ? Mais si c'est vrai, les résultats n'ont pas dû être encourageants, ou ça aurait fini par s'ébruiter !

Bref, j'ignore si notre union serait féconde. Et dans ce cas, les répercussions risqueraient d'être graves... Certes, j'adorerais retrouver chez nos enfants les qualités de leur mère : la sagacité, le courage, la compassion, la détermination, la beauté... Quel parent n'en serait pas ivre de fierté ?

Mais à quel genre d'existence condamnerions-nous notre propre rejeton en le mettant au monde ? Un monde où les Drows n'ont aucune place ?

Dans les villes où ma réputation me précède, je commence à rencontrer une certaine tolérance à mon égard. Mais combien d'années faudra-t-il à des demi-Drows pour être enfin acceptés ? A moins de se cantonner à Mithral Hall ? Et jusqu'à quand ?

Tout cela est si complexe et déroutant... J'aime Catti-Brie. Et je sais qu'elle m'aime aussi. Avant tout, nous sommes amis, et c'est la beauté de notre relation. Ici et maintenant, le vent nous porte, nous affrontons nos ennemis, et je ne saurais rêver meilleure compagne à mes côtés. En tout point, elle me complète.

Mais d'ici dix, vingt ans... ? J'entrevois des virages de plus en plus serrés, des gouffres toujours plus profonds... J'aimerai Catti-Brie jusqu'à la fin, vieille et infirme alors que je serai toujours à la fleur de l'âge... Pour moi, ce ne serait pas un fardeau. Je ne ressentirais pas le besoin d'avoir une compagne plus compatible, comme une elfe, voire une Drow...

Un jour, Catti-Brie m'a demandé si mes limites étaient d'ordre externe ou interne. Me sentais-je plus limité par la façon dont les gens me voyaient, un elfe noir, ou par la façon dont je les considérais ? Car si notre route commune suivra forcément un certain trajet, Catti-Brie en redoute plus que moi les écueils. Elle craint surtout mes réactions, je pense, et voudrait m'épargner des épreuves. Dans trente ans, quand elle en aura soixante, elle sera vieille, pour une humaine. J'approcherai de mon premier siècle d'existence et serai, pour un Drow, considéré comme un très jeune adulte, à peine sorti de l'adolescence...

Ce fait incontournable nous attriste autant l'un que l'autre.

Reste le problème de notre éventuelle progéniture. Si nous devions fonder une famille, nos enfants seraient confrontés à de terribles pressions et à des préjugés tenaces. Sans compter qu'ils deviendraient très vite orphelins de mère...

Je ne sais plus où j'en suis.

Alors, je m'en tiens à l'instant présent.

Oui, c'est vrai, j'ai peur.

— Drizzt Do'Urden

CHAPITRE XXI

L'AURA DE LA SOUVERAINETÉ

Même après l'accueil de la garde de Haut-Fond, le lendemain matin, celui des citadins laissa Bruenor et son entourage muets de surprise quand ils franchirent les portes de la petite ville.

Le long des parapets et au sommet de la tour solitaire, au nord, on sonna de la trompette. Si aucun des trompettes n'avait franchement l'oreille musicale ni n'arborait l'armure scintillante en vogue à la cour de Sylverymoon, Bruenor n'avait jamais entendu quelqu'un jouer en y mettant tout son cœur.

Plus de cent citadins réunis pour l'occasion applaudirent les visiteurs en leur lançant des poignées de pétales. Il y avait plus de femmes que Bruenor ne s'y serait attendu dans une ville frontalière, et même quelques enfants et des bébés. Il devrait peut-être s'aventurer plus souvent hors de Mithral Hall pour suivre de près le développement prometteur de ces bourgs. Une perspective qui n'avait rien de déplaisant... Haut-Fond tenait manifestement à s'implanter dans la durée, au contraire des autres communautés de parias et de hors-la-loi de tout poil, qui grouillaient ordinairement le long des frontières.

Bruenor repensa à l'évolution des dix petits bourgs devenus Dix-Cités. Une évolution impressionnante aux yeux de quelqu'un qui, comme lui, était arrivé au Val Bise des siècles plus tôt...

Marchant en tête de la procession qu'acclamaient les bonnes gens de Haut-Fond, Bruenor remarqua les logis robustes : de la pierre, surtout, de solides poutres de soutènement... On bâtissait pour longtemps. Aimant ce qu'il voyait, le nain se tourna vers la tour blanche emblématique de la ville. Au sommet claquaient ses armes : des étoiles dorées sur champ de gueules entourant deux mains... Le symbole du sorcier de Haut-Fond.

Précisément, la foule s'écarta devant un vieillard à la barbe blanche, coiffé d'un chapeau pointu et vêtu de longues robes rouges mouchetées d'étoiles dorées.

Difficile de ne pas deviner tout de suite à qui on avait affaire...

— Bienvenue dans notre humble bourg, roi Bruenor de Mithral Hall, dit le sorcier en ôtant son chapeau pour s'incliner bien bas. Je suis Withegroo Seian'Doo, le fondateur de Haut-Fond et son actuel dirigeant. Vous nous faites un grand honneur, Sire.

— Salutations, Withe…

— Withe*groo*.

— … Withegroo. Et je ne suis pas encore roi. Pas *encore*… si vous voyez ce que je veux dire.

— Le décès de votre ancêtre, Gandalug, nous a beaucoup attristés.

— Il a eu une vie longue et haute en couleur. Que peut-on demander de plus ?

Où que Bruenor tourne ses regards, tout le monde avait une mine enjouée et souriante. Ses amis et lui pourraient enfin se détendre en bonne compagnie. Même Drizzt…

— La nouvelle nous est parvenue au Val Bise, précisa Bruenor, où nous étions installés.

— Et en route pour Mithral Hall, vous vous êtes perdus ?

Le nain secoua la tête.

— Nous sommes tombés sur des citadins de Felbarr en détresse… (A point nommé, Tred s'inclina devant le sorcier.) Des orcs les avaient attaqués.

Withegroo se rembrunit. Des mèches de ses cheveux blancs en bataille rebiquaient sous les larges bords de son chapeau pointu.

Bruenor aussi était devenu très grave.

— Vous connaissez Talons Claquants ?

Plusieurs citadins hochèrent la tête.

— Eh bien, il a été rayé de la carte, annonça Bruenor sans prendre de gants. Les orcs et les géants ont massacré tout le monde.

Ceux de Haut-Fond furent atterrés.

— Nous les avons pourchassés et tués, ajouta le nain. Une poignée de géants et près d'une centaine d'orcs… Nous avons jugé nécessaire de venir vous prévenir du danger.

— Nous ne sommes pas sans défense, répondit Withegroo en se redressant de toute sa taille.

Il était pratiquement aussi grand que Wulfgar. Mais au contraire du barbare, il était mince et sec, faisant environ la moitié de son poids – soixante-dix kilos.

— Nous avons souvent essuyé les attaques des orcs et des géants, assura le sorcier. Ils n'ont jamais pu battre nos murailles en brèche.

— Le vieux Withegroo les foudroie toujours ! s'écria un gaillard.

Des vivats éclatèrent.

Flatté, Withegroo se rengorgea, puis ramena le calme.

— Je fais mon possible. Je ne suis pas un novice en matière de combat. J'ai affronté avec succès toutes sortes de monstres au fond de leur tanière. Cela a fait ma fortune et ma réputation.

— Et vous avez fini par vous acheter une ville…

Bruenor avait parlé sans la moindre ironie.

— J'ai construit une tour, corrigea le sorcier. L'endroit me plaisait, pour étudier et profiter de mes souvenirs. Peu à peu, ces bonnes gens sont venus s'implanter ici avec moi. Et ma tour, qui se voit de loin, attire les marchands nains.

Son clin d'œil exagéré fit sourire Bruenor.

— Et avoir un sorcier armé de foudres pour repousser les monstres est un avantage certain…

Withegroo fut sensible au compliment du roi.

— Je fais mon possible.

— Je n'en doute pas.

— Bon… Votre sollicitude à notre égard est un grand honneur, Bruenor Battlehammer. Vous voyez que nous sommes forts. Mais de grâce, ne nous quittez pas tout de suite. Nos constructions en pierre ont de chaleureux feux de cheminée, et nos conteurs ont beaucoup de récits palpitants en réserve. Mes amis, soyez tous les bienvenus à Haut-Fond !

La foule se répandit en vivats.

Les voyageurs se détendirent en se dispersant. Bruenor rejoignit ses proches amis.

— Quel accueil ! s'exclama Drizzt. Ça nous change de Mirabar…

— Mirabar…, répéta le nain en grognant. Il faudra que je pense à raser cette ville pourrie !

— Pas d'orcs dans les parages, résuma Catti-Brie, une communauté bien défendue…

Elle hocha la tête d'approbation.

— Et la route du sud nous attend, ajouta Wulfgar.

— Pas encore, répondit la jeune femme. Nous devrions rester un peu, histoire de nous assurer que ces braves gens ne courent aucun danger.

— Tu as un pressentiment ? demanda Bruenor. C'est ça ?

Catti-Brie jeta des regards à la ronde. En dépit des rires, de l'humeur festive et d'une scène parfaitement normale en apparence, une ombre passa sur son visage.

— Moi aussi, avoua Bruenor. Mais pas d'inquiétude. Bientôt, nous rallierons la Surbrin, à l'est. D'après Tred, il y a deux autres villes par là, à prévenir. Nous verrons si elles sont aussi accueillantes envers le roi et *tous* ses amis…, ajouta-t-il avec un regard pointu envers Drizzt.

Le Drow haussa les épaules comme si ça n'avait aucune importance.

Et en vérité, c'était le cas.

— L'appel de la gloire en fera sortir dix mille de plus de leurs trous, prédit Ad'non Kareese.

Il revenait d'une mission de reconnaissance entre la cachette des elfes noirs et le fief de Gerti.

— Vingt mille, rectifia Donnia. Au bas mot. En montagne, les grottes pullulent de ces petits monstres. Seule leur stupidité crasse les y retient. Ou la peur. Si Obould et Gerti obtiennent la tête du roi nain...

— ... Les monstres grouilleront à ciel ouvert, termina Kaer'lic.

— Le chaos est notre réconfort, lança Tos'un, amusé.

— Parlé en vrai citoyen de Menzoberranzan, répondit Kaer'lic.

Le sourire de Tos'un s'élargit.

— Le chaos est notre profit et notre joie, ajouta Tos'un.

La prêtresse haussa les épaules.

— J'ai contacté les chefs de diverses tribus d'orcs et de gobelins, continua Ad'non. L'une d'elles aurait des liens avec les trolls du Sud.

— Les gobelins fanfaronnent souvent, le mit en garde Donnia. Si ça pouvait t'impressionner, ils t'expliqueraient sans rire que les géants des montagnes leur font des courbettes...

— Leurs tunnels s'enfoncent loin sous terre, répondit Ad'non.

— Je suis prêt à croire que nous y arriverons, lança Tos'un, et que nous nous amuserons beaucoup. Au début, j'étais très sceptique vis-à-vis d'une possible alliance entre Obould et Gerti. J'aurais parié que la géante étranglerait l'orc en apprenant la mort de quatre de ses guerriers... Et regardez un peu la situation aujourd'hui ! Les éclaireurs d'Obould sillonnent la montagne, tout près de traquer le roi Bruenor en personne ! Quand Gerti se vengera...

— Des milliers se rallieront à la cause d'Obould, fit Ad'non. Les tourbillons que nous provoquerons s'étendront à la contrée entière !

— Et ? lâcha Kaer'lic.

— Et ce sera la mêlée générale entre les nains et les humains ! triompha Ad'non. Nous en profiterons dans les grandes largeurs !

Donnia sourit.

— Il y a de quoi en saliver d'avance.

Kaer'lic hocha la tête.

— Nos alliés doivent savoir qu'un Drow en particulier n'est pas leur ami, conseilla la prêtresse.

Ses compagnons se penchèrent sur la suite des opérations. Tant d'excitation était contagieuse. Pourtant, Kaer'lic restait préoccupée par d'autres problèmes. Elle repensa à certaines expériences du passé, avant de rencontrer ses trois associés. A une époque, mandatée par les prêtresses, elle avait quitté Ombre-Terre pour le monde de la surface...

Drizzt Do'Urden n'était pas le premier renégat que Kaer'lic la Terrible ait affronté. Elle n'avait contre lui aucun grief personnel, mais... comment l'histoire finirait-elle ? Des occasions inespérées permettraient-elles de régler de vieux comptes ? La réputation d'un renégat profiterait-elle à la Reine Araignée ? Et, plus important, à une prêtresse tombée en disgrâce ?

Elle sourit en regardant ses associés fébriles. Ils semblaient tellement plus pressés qu'elle de voir comment les choses tourneraient...

Kaer'lic la Patiente.

Les trompettes alertèrent les orcs. Par-delà le ravin, ils voyaient clairement la tour du sorcier, eux aussi. Celle que Drizzt et ses amis avaient
aperçue la veille seulement...

Les éclaireurs se hâtèrent de retourner aux contreforts où patientait
Urlgen, le fils d'Obould.

— Bruenor est en ville ! annonça l'un d'eux.

Le chef cruel eut un rictus triomphal. Il avait hâte de se racheter aux
yeux de son père. Seule la mort de Bruenor Battlehammer lui vaudrait un
retour en grâce. Obould et Gerti l'accusaient tous deux de la débâcle
récente.

Le roi Bruenor, isolé dans une petite ville, inconscient de la mort qui
s'apprêtait à fondre sur lui...

Urlgen prit ses dispositions. Ses messagers presseraient Obould d'agir
avec toute la diligence voulue. Le rat était piégé !

Le laisser filer, à ce stade, serait exclu.

Epuisé, l'orc avait passé la journée à rallier les autres à sa cause. Mais
Obould savait qu'il devait prendre les choses en main, en se gardant bien
de confier la nouvelle – on venait de localiser Bruenor – à un messager
quelconque.

Il trouva Gerti perchée tout au bord de son trône, le front plissé... Toute
l'attitude d'un prédateur sur le point de bondir.

— Vous avez repéré le roi Bruenor ? lança-t-elle de but en blanc à son
visiteur.

— Une petite ville à la tour caractéristique, répondit Obould.

Gerti hocha la tête. Dans une région connue pour ses villages disséminés, les réseaux souterrains des nains et les fortins des gobelins, Haut-
Fond se singularisait.

— Votre armée est prête ?

— Elle est déjà en marche, répondit Obould.

Les yeux ronds, la géante parut sur le point d'exploser.

— Juste pour passer au sud, s'empressa d'expliquer l'orc. Là-bas, le sol
est plat et facile d'accès. Il faut que Bruenor reste en ville.

— Vos guerriers se chargent d'établir des barrages sur les voies d'accès,
et ça s'arrête là ?

— Oui.

Gerti fit signe à un géant des glaces musclé en armure scintillante, qui
s'inclina et sortit.

— Yeki commandera mes guerriers, dit-elle. Ils sont prêts à partir.

— Combien ?

— Dix.

— Plus un millier d'orcs...

— Alors, nous aurons contribué à part égale à la chute du roi Bruenor.

Obould faillit lâcher une remarque désobligeante. Se rappelant de justesse sa position, il ricana.

Gerti n'avait pas envie de rire.

— Nous devons partir sans tarder, reprit l'orc. Il faudra trois jours pour atteindre la ville.

— Deux, décréta la géante. (Il hocha la tête, s'apprêtant à prendre congé.) Ne me décevez plus.

Il se redressa de toute sa taille, soutenant son regard intimidant.

Il avait dix géants à ses ordres.

Dix !

Et mille orcs !

CHAPITRE XXII

UN AVERTISSEMENT TROP CLAIR

Pikel avait d'abord suggéré de se laisser porter par le courant jusqu'aux portes est de Mithral Hall. Mais en bivouaquant au soir du troisième jour, loin de la forêt, le petit druide surprit son frère en s'éloignant dans la pénombre pour ramasser du petit bois et des branches mortes. Au matin, quand Ivan se réveilla en bâillant, Pikel avait confectionné un radeau de fortune aux rondins entrecroisés assujettis par des lianes et de la corde.

La première réaction d'Ivan, les poings sur les hanches, fut le scepticisme.

— Tu nous ferais bien noyer, animal !

Peu après, tous deux pagayaient au fil du fleuve, heureux de reposer leurs pieds endoloris... Pikel avait bien conçu le radeau, équipé de « sièges » confortables et même d'un hamac, à l'arrière.

Ivan n'eut pas à lui demander où il avait appris à faire ça. De toute évidence, la magie druidique était encore à l'œuvre. Certaines pièces en bois, comme le siège qu'il occupait, semblaient façonnées, non sculptées. Et la pagaie de Pikel s'ornait de motifs végétaux tellement fins et sophistiqués qu'il aurait fallu au moins dix jours à un ébéniste chevronné pour les réaliser.

Une nuit avait suffi à Pikel.

Le lendemain, le fleuve les rapprocha des pics, à l'est de l'Epine Dorsale du Monde. Des parois grises festonnées de verdure et de traînées blanches caractérisaient la berge droite tout du long. Une telle configuration se prêtant à merveille aux embuscades, Ivan préférait rester sur ses gardes.

Sur son insistance, le deuxième soir, ils hâlèrent leur radeau au sec, sur une rive, pour se réapprovisionner.

Le lendemain, il tomba une bruine persistante qui les rendit misérables. Au moins, le paysage était devenu moins accidenté, avec des pentes plus douces.

— Tu crois que nous les trouverons aujourd'hui ? demanda Ivan.

— Yup yup.

D'humeur introspective, les frères revinrent en pensée sur les raisons de leur périple : assister au couronnement de Bruenor, découvrir une forteresse de légende qui surpasserait sans doute en beauté celle de leur enfance, retrouver le rythme joyeux du battement du fer sur l'enclume, les odeurs familières du charbon, du soufre et surtout de la bière…

Oui, autant qu'Ivan aimât Cadderly, Danica et leurs enfants, être réuni avec son peuple, participer de nouveau de ses us et coutumes lui feraient un bien fou.

Ce salutaire retour aux sources guérirait-il Pikel de ses étranges lubies ? De quelles œuvres d'art magnifiques le druide ne serait-il pas capable avec la pierre et le métal ?

Au milieu des fantasmes d'Ivan, Pikel appela un oiseau incroyablement laid, qui vint se poser sur son bras tendu… Tous deux eurent une longue conversation avant que le vautour ne file à tire-d'aile.

L'air très grave, Pikel désigna alors la rive ouest et y orienta le radeau.

Ivan ne se fatigua pas à protester. Les « conversations » de Pikel avec la faune s'étaient souvent révélées vitales. En outre, le courant s'accélérait de façon inquiétante. Ivan ne fut pas fâché de retrouver la terre ferme.

Dès que le radeau fut hissé au sec, Pikel attrapa son baluchon, en sortit son heaume-marmite pour s'en coiffer et s'éloigna à grandes enjambées…

Son frère le rattrapa peu après en haut d'une butée. Pikel montrait, au sud-ouest, les contreforts où régnait une certaine activité.

— Des nains…

Une main en visière, il confirma sa propre remarque d'un hochement de tête. Des nains, en effet, originaires de Mithral Hall… Ils paraissaient ériger des fortifications…

Les frères foncèrent sans hésiter.

— Halte ! Qui va là ?

Ivan et Pikel s'immobilisèrent devant des grilles. Un nain roux armé jusqu'aux dents surgit.

— Vous n'avez pas l'air d'orcs… Vous n'en avez pas l'odeur infecte non plus. Quoique…, ajouta-t-il, suspicieux, en étudiant Pikel de plus près.

— Doo-dad.

— Ivan Larmoire, pour vous servir. Vous devez être au service du roi Bruenor… Voilà mon frère, Pikel. Nous arrivons de Carradoon et des Monts-Flocons. Le haut prêtre Cadderly Bonaduce nous envoie pour le représenter au couronnement du roi.

Quelque peu rassuré sur le compte des étrangers, le garde hocha la tête.

— Cadderly est l'ami de ce fameux elfe noir, ajouta Ivan. Le couronnement est pour bientôt ?

— Oui.

— Ouf ! Nous avions peur d'arriver trop tard.

— Ç'aurait été le cas sans les orcs. Notre roi, qui en a croisé sur sa route, est occupé à les repousser au fond de leurs antres puants…

Ivan hocha la tête avec une admiration sincère.

— Ce sera un grand roi.

Le garde rayonna de fierté.

— Bah, cette misérable bande d'orcs sera vite éliminée ! Venez, nous commençons à manquer un peu de bière mais ça ne fait rien. Nous nous sommes dépêchés de construire ici un camp retranché, pendant que nos frères en établissent un autre, plus à l'ouest.

— Une misérable bande ? répéta Ivan, sceptique.

— Pas question de prendre des risques, Ivan Larmoire. Ces derniers temps, les combats n'ont plus de cesse. Et il n'y a pas si longtemps que nous avons affronté les Drows maudits… Je n'ai jamais entendu parler de votre Carradoon ou des Monts-Flocons, mais nous sommes dans un pays sauvage.

— Nous venons justement d'affronter des orcs, nous aussi, répondit Ivan en désignant l'est. Là-bas… dans la forêt des Sélénæ. Mon frère nous avait quelque peu égarés…

— Ooo ! protesta Pikel.

— Mais oui, tu nous as d'abord précipités dans un nid d'elfes ! (Ivan se retourna vers le garde.) Les orcs pullulent, c'est ça ? Eh bien, nous voilà au bon endroit, au moins.

Appréciateur, le soldat lui flanqua une bourrade amicale.

— Allons visiter votre camp, conclut Ivan. Je pourrais vous transmettre un ou deux trucs côté construction dont vous n'aviez pas entendu parler…

— Tu sors ? fit une voix douce.

Drizzt Do'Urden releva la tête de ses préparatifs, regardant approcher Catti-Brie. Ces derniers jours, tous deux s'étaient peu adressé la parole. La jeune femme avait fait retraite en elle-même…

Pourquoi ?

Drizzt n'était plus certain de comprendre.

— Je tiens à m'assurer que les orcs ont bien été chassés d'ici.

— Withegroo a envoyé des patrouilles.

Drizzt grimaça, sceptique.

— Oui, c'est aussi mon avis…, reconnut Catti-Brie. Mais au moins, ils connaissent le terrain.

— Ce sera bientôt mon cas.

— Laisse-moi prendre mon arc et je surveillerai tes flancs.

— C'est une nuit sans lune.

Incrédule, elle regarda le Drow comme s'il venait de la gifler.

— J'ai mon serre-tête magique…

Elle le sortit d'une sacoche pendue à son ceinturon, et qui lui assurait une vision améliorée en cas d'éclairage très bas.

— Ça ne remplacera jamais l'acuité de ma vision, remarqua Drizzt. Le terrain accidenté est traître, tu sais.

Elle allait lui rappeler que le serre-tête lui avait pourtant permis de s'aventurer jusqu'en Ombre-Terre, et que la question ne s'était jamais posée entre eux, quand l'elfe noir l'interrompit alors qu'elle ouvrait la bouche :

— Tu te souviens de notre ascension le long de la falaise, à l'arrière de la maison de Deudermont ? Tu as bien failli ne jamais y arriver... Après la pluie, les rocs d'ici seront tout aussi glissants.

Catti-Brie accusa le coup. Comme si Drizzt venait de la souffleter.

Pourtant... Il avait raison. Le jour, elle pouvait à peine soutenir son allure. Alors, la nuit... Mais qu'était-il vraiment en train de lui dire ? Qu'elle le ralentissait ? Pour la première fois depuis son exil de Menzoberranzan, avait-il décidé de se passer de ses amis ?

Avec un fin sourire, il mit sa sacoche à l'épaule et se détourna.

Catti-Brie le rattrapa par un bras, l'obligeant à pivoter vers elle.

— Tu sais que j'en suis capable.

Il la dévisagea avant de se radoucir.

— Il n'y a pas meilleure partenaire au monde que toi.

— Mais ce soir, tu préfères être seul...

Il hocha la tête.

Elle l'attira dans ses bras pour l'étreindre dans un élan d'amour teinté de tristesse.

Peu après, Drizzt eut quitté Haut-Fond. Il gardait sur lui la figurine magique de Guenhwyvar, certain de pouvoir compter sur elle. A cinquante pas à peine du portail éclairé aux torches, le Drow se fondit dans l'ombre.

A plusieurs reprises, au cours de la nuit, il croisa les patrouilles de Haut-Fond, les entendant venir bien avant de les voir. Il les évita sans peine. Il ne voulait pas de compagnie. En chasse, il sillonnait les pistes et les bois, aussi silencieux qu'une ombre. Il ne s'attendait pas à de mauvaises surprises. Mais laisser un calme trompeur endormir sa méfiance était le plus court chemin vers le désastre...

Et de fait, il repéra des traces suspectes, au milieu d'un cercle de pierres. Des empreintes fraîches... Pourtant, il n'y avait pas eu de feu de camp. Et Drizzt ne décela pas de traces résiduelles de torches non plus. Il faisait nuit depuis un moment. Or, les patrouilles de Haut-Fond se composaient d'humains, porteurs de torches.

Alors... On était passé par là, discrètement, à la faveur de l'obscurité. Deux orcs, à en juger par les empreintes... Et, visiblement pressés, ils n'avaient pas jugé bon d'effacer leurs traces, ou de chercher à les maquiller.

Une demi-heure plus tard, Drizzt s'était considérablement rapproché d'eux. Pas un instant il ne regretta d'être seul, ni ne laissa ses pensées vagabonder. Le danger guettait à chaque seconde.

Embusqué sous une branche basse, le Drow les repéra, sur une crête proche... Au milieu de buissons de lilas, ils observaient dans le lointain la ville bien éclairée de Haut-Fond.

A pas de loup, le Drow se rapprocha encore.

Les orcs faillirent bondir de terreur en découvrant, comme surgies du néant, deux cimeterres soudain pointés sous leur gorge...

Le premier leva aussitôt les bras.

Le second fit mine d'empoigner son épée.

Sans cesser de menacer le premier monstre de son cimeterre droit,

Drizzt dévia l'épée du second. Et il aurait facilement pu l'abattre dans la foulée. Mais cette fois, semer des cadavres l'intéressait moins que faire des prisonniers... Il pressa la pointe de sa lame contre la cage thoracique du monstre, espérant l'inciter à se rendre sans plus de résistance.

D'un entêtement peu commun, l'orc préféra bondir en arrière... dans le vide.

Drizzt se rapprocha du bord du gouffre, et le vit s'écraser au fond.

Le second orc en profita pour détaler.

Là aussi, l'elfe noir aurait pu facilement l'abattre. Il se lança à ses trousses.

L'orc fonçait vers un bosquet... Il multiplia les coups d'œil par-dessus son épaule en croyant avoir semé son poursuivant.

En fait, Drizzt se contentait de le pister en parallèle. Puis il se décida à couper sa trajectoire de fuite. Sautant sur la branche basse d'un arbre, il courut jusqu'au tronc qu'il contourna pour continuer le long d'une branche opposée et, prenant son élan, retomber sur le sol d'une roulade avant. Un genou en terre, il pointa ses lames vers l'orc qui arrivait maintenant droit sur lui...

Terrifié à la vue du Drow brusquement surgi devant lui, le monstre tenta de s'écarter à la dernière seconde... et perdit l'équilibre.

Drizzt pressa la pointe de ses cimeterres sur sa nuque, le *persuadant* de ne plus bouger.

Dans le lointain, la lumière tremblotante de torches et des éclats de voix lui apprirent qu'une patrouille arrivait vers eux... L'elfe noir demanda aux soldats d'emmener le prisonnier auprès du roi Bruenor et de Withegroo pour un interrogatoire.

De son côté, il continuerait à ratisser le secteur.

Quand, quelques heures plus tard, Drizzt fut de retour à Haut-Fond, l'expression de Bruenor le déconcerta. De la part de son ami, il se serait attendu à de la frustration (due au silence obstiné de l'orc, peut-être) ou à de la colère, au souvenir de la tragédie qui avait frappé Talons Claquants...

En fait, Bruenor avait les traits crispés, un teint de cendre...

Drizzt s'installa à côté de lui, près de l'âtre. Haut-Fond avait gracieusement mis une maison à la disposition de ses visiteurs.

— Qu'a-t-il dit ?

— Ils seraient un millier..., répondit Bruenor, l'air sombre. Tous avides de nous massacrer...

— Une ruse, raisonna Drizzt. Notre prisonnier espère nous obliger à l'épargner.

Le nain ne fut pas convaincu.

— Jusqu'où es-tu parti ?

— Je ne suis pas allé très loin. Je cherchais les traces éventuelles de petites bandes isolées décidées à semer le trouble.

— Au sud d'ici, les orcs pulluleraient...

— Le prisonnier doit mentir.

— Non. Dans ce cas, il parlerait en toute logique du nord, pas du sud. Ce serait plus plausible. Et nous aurions plus de mal à en avoir le cœur net... Alors, s'il dit vrai, cette armée doit être toute proche, en fait. Et puis, ce chien avait trop mal pour réfléchir et chercher à nous embrouiller, tu peux me croire ! Il a vite retrouvé sa langue, le bougre...

Soupirant, Bruenor prit une flasque, posée près de son fauteuil, et but une autre gorgée de bière.

— Avant de rallier Mithral Hall, nous aurons des combats épiques à livrer, dirait-on...

— Et ça te contrarie ?

— Naturellement pas ! se récria le nain. Mais un millier d'orcs... C'est beaucoup, admets-le !

Riant, Drizzt lui tapota le bras.

— Allons, nous savons très bien que les orcs ne savent pas compter.

Il réfléchit néanmoins à la situation. Elle s'annonçait très préoccupante.

— Je devrais peut-être retourner patrouiller...

— Régis, Wulfgar et Catti-Brie le font déjà. Sans compter les patrouilles de la ville. Withegroo a promis de recourir à des yeux magiques. Nous ne devrions pas tarder à être fixés sur notre sort.

Drizzt se radossa à son siège et baissa les paupières, se félicitant de pouvoir compter sur des amis aussi capables. Il sombra dans un repos profond.

Bruenor continua à parler tout seul.

— Dagnabbit réfléchit au meilleur moyen pour nous de repartir d'ici vivants, si les orcs étaient vraiment trop nombreux. En tout cas, on ne risquera pas de s'ennuyer ! Je suis ravi de ne pas être retourné trop vite à Mithral Hall. Et de pouvoir étriper des orcs ! A moi seul, j'en tuerai plus que mes enfants réunis ! N'en doute pas une seconde.

Il trinqua à sa propre santé.

CHAPITRE XXIII

ÉPÉE CONTRE ÉPÉE

Ces frontaliers et ces chasseurs, par nécessité, se doublaient de guerriers. Dans tout Haut-Fond, il n'était pas une femme ou un homme qui ne sût manier l'épée ou la dague. Pas un qui n'ait jamais eu à se défendre et à verser le sang...

En ces terres farouches, les orcs et les gobelins pullulaient.

Les gens de Haut-Fond connaissaient bien les habitudes des créatures qui se terraient dans les montagnes, leurs tendances et leurs ruses...

Ils les connaissaient trop bien.

Cette nuit-là, en dépit des avertissements du roi Bruenor et de ses amis, malgré la nouvelle du massacre de Talons Claquants, la patrouille ne fut pas particulièrement sur ses gardes. Alors que Drizzt était de retour, dix guerriers quittaient la ville par les portes sud et s'enfonçaient d'un pas rapide en territoire connu...

Ils repérèrent très vite des signes typiques... et conclurent au passage de deux ou trois orcs, au plus. Avides d'exercice, ils se mirent en chasse au lieu d'essayer d'en apprendre plus. Au pied d'une pente abrupte, dans un petit vallon rocailleux, ils surent qu'ils approchaient des orcs en maraude et empoignèrent leurs armes.

Une femme se glissa à plat ventre entre deux grosses roches, imaginant déjà les orcs sur le point d'être embrochés...

Quand elle les avisa, son sourire s'envola.

Ils n'étaient pas deux ou trois mais au moins vingt !

Et ils attendaient les humains de pied ferme, armés jusqu'aux dents...

La femme recula en rampant, espérant avoir le temps de prévenir ses compagnons, se retourna et...

... Une expression de terreur se peignit sur ses traits.

Derrière ses amis, une multitude d'ennemis venait d'apparaître.

Les humains atterrés firent volte-face.

Des bruits de pas précipités incitèrent la femme à se terrer d'instinct entre les grosses pierres. Elle avait été sur le point de rejoindre ses congénères… Des dizaines d'orcs fondaient sur leurs proies.

Les oreilles assaillies par les hurlements de ses amis, elle se recroquevilla sur elle-même. Elle vit un homme être catapulté dans les airs et retomber sur la pointe de trois lances d'orcs dressées pour s'y embrocher.

De terreur, la femme réussit à se faufiler dans une anfractuosité noire, sous une des deux roches. Elle tenta de ravaler ses sanglots, de maîtriser son souffle heurté… Si elle ne voyait plus rien du carnage, elle entendait encore…

Quand le silence revint, la survivante resta longuement dans sa cachette.

Elle savait qu'un de ses compagnons au moins avait été fait prisonnier.

Elle n'y pouvait rien.

Au bout de cette nuit de terreur, l'épuisement rattrapa la femme, qui s'endormit.

Le lendemain matin, le gazouillis des oiseaux la réveilla. Encore sous le coup de l'épouvante, elle dut se faire violence pour s'obliger à quitter son refuge. Autant physiquement qu'émotionnellement, l'épreuve lui coûta beaucoup. A chaque instant, alors qu'elle reculait sur le dos, à l'aveuglette, elle s'attendait à encaisser un coup de lance dans le ventre.

Enfin, elle put s'asseoir au soleil.

Alors, elle vit les restes macabres de ses amis… Un bras par ici, une tête par là…

Non contents de massacrer les humains, les orcs avaient pris un malin plaisir à les dépecer, morts ou vifs.

Quand la survivante tenta de se remettre debout, la nausée la précipita à genoux, puis à quatre pattes.

Elle fut malade.

Après un long moment, elle réussit à se relever.

Ses compagnons, ses partenaires de chasse, ses amis… taillés en pièces…

Elle ne chercha pas à rassembler les restes et à compter les cadavres pour déterminer si un ou plusieurs avaient bien été faits prisonniers.

Dans ce cas, ils étaient déjà décédés.

Ou ils appelaient la mort de tous leurs vœux.

La femme progressa prudemment sans retrouver trace de l'ennemi. A pas lents et circonspects, elle s'éloigna du vallon, théâtre du carnage.

Progressivement, la survivante accéléra l'allure pour finir par courir jusque chez elle.

— C'est injuste ! brailla un nain éméché perché sur un siège en martelant la table de frustration. Comment peut-on balayer ainsi tant d'années, bon sang ? Plus que vous n'en vivrez jamais ?

Il pointait un index accusateur sur des humains attablés près de là, dans l'auberge bondée.

Au comptoir, Shingles suivait la scène, résigné. Il savait déjà comment ça finirait.

Un homme lança au nain soûl de se « rasseoir et de la boucler ».

Qui, dans tout Mirabar, n'avait pas récemment eu son compte de plaies et d'horions à force de jouer des poings ?

— Bon sang, bougonna un vieux nain, près de Shingles, ça n'en finira donc jamais ?

— Agrathan ? souffla Shingles, surpris.

Le conseiller était venu se mêler à la foule, crotté et déguisé. Il posa un doigt sur ses lèvres.

— Oui, murmura-t-il, s'assurant par des regards discrets que personne ne les épiait. J'ai entendu dire que ça chauffait, en ville...

— Ça chauffe depuis que ton stupide marquis a fait jeter Torgar Frappe-marteau en prison ! Les rixes se multiplient jour et nuit. Et maintenant, ces crétins d'humains viennent jusqu'ici histoire d'envenimer encore les choses !

— Les citoyens de la ville haute y voient un test de loyauté.

— Envers notre peuple ou notre cité ?

— Notre cité. Pour eux, c'est primordial.

— Tu parles toujours comme un humain, le prévint Shingles.

— Je te dis ce qui est, protesta Agrathan. Si entendre la vérité te déplaît, ne pose pas de questions.

— Bah ! (Shingles vida à demi sa chope de bière d'une seule lampée.) Et la loyauté que le marquis doit à ses concitoyens ? Hein ? Ça ne compte pour rien ?

— Elastul pense avoir agi au mieux des intérêts de son peuple, justement, en empêchant Torgar de rallier Mithral Hall avec nos secrets en poche...

Un argument dont on rebattait les oreilles des nains contestataires.

Le braillard haussa encore le ton, le poing brandi.

— Plus d'années que tu n'en connaîtras jamais entre le moment où ta mère t'a pondu et celui où on te mettra en terre !

Il descendit de son perchoir improvisé pour tituber vers les humains qu'il avait pris à parti.

Et qui se levèrent aussitôt.

Les compagnons du soûlard firent de même – pour le retenir.

— Et plus d'années que le marquis en vivra, lui, ses aïeux et ses successeurs..., ajouta Shingles à voix basse. Torgar et les siens servent Mirabar depuis sa fondation. On ne peut pas incarcérer quelqu'un comme ça sans que la grogne monte.

— Elastul est persuadé d'avoir bien agi.

Shingles crut déceler une ombre, sur le visage du conseiller.

Les regrets ?

— Alors, dis-lui que c'est un imbécile, au moins !

Agrathan reprit une mine sévère.

— Prends garde. En siégeant au conseil, j'ai fait serment d'allégeance à Mirabar comme à Elastul.

— Serais-tu en train de me menacer ? répliqua Shingles à voix basse.

— Je te rappelle à la raison, c'est tout. Nous ne sommes pas seuls. Beaucoup d'espions nous ont à l'œil, et plus d'une oreille traîne. Crois-moi. Le marquis Elastul a parfaitement conscience de la situation.

— Ça l'apprendra à traiter Torgar comme un criminel !

Agrathan soupira à pierre fendre.

— Je venais te demander de m'aider à calmer un peu les esprits. Nous vacillons au bord du désastre…

L'ivrogne venait d'échapper à ses camarades pour se jeter sur les humains qu'il avait dans le nez…

L'échauffourée empira vite.

Agrathan dut brailler pour se faire entendre par-dessus le tumulte.

— Eh bien ? Es-tu avec moi ou contre moi ?

Ilot de calme dans un océan de furie, Shingles réfléchit. Comme il le faisait en fait depuis un mois… Autour de lui, le chaos se déchaînait. Homme contre nain, nain contre nain… Dernièrement, Shingles s'était en effet efforcé d'apaiser les esprits, de limiter ces rixes nocturnes, choisissant la voie de la diplomatie avec l'espoir qu'Elastul libérerait bientôt Torgar. Et pourquoi pas, qu'il admettrait ses erreurs…

— Je suis avec toi si tu peux m'assurer que Torgar sera libéré prochainement.

— Rien n'a changé. Ce sera chose faite dès que Torgar reconnaîtra en public qu'il a mal agi.

— Ça, vous pouvez attendre longtemps…

— Alors, il végétera longtemps au fond de sa geôle… Là-dessus, Elastul est intraitable.

Un corps – nain ou humain ? – transformé en bolide passa entre eux deux.

Il était grand temps de vider les lieux.

— Bon… Avec moi ou contre moi ? insista Agrathan.

— Je croyais t'avoir répondu il y a trente jours.

Histoire de rafraîchir la mémoire au conseiller, Shingles l'assomma d'un coup de poing.

Et pour tous les nains, cette nuit-là, qui comme lui hésitaient entre l'amour de leur ville et l'amour de leur peuple, ce fut le signal. Il fallait défendre Torgar !

Pour leurs opposants, ce fut un véritable appel aux armes.

En un rien de temps, la mêlée fut générale, gagnant les rues. La cause de Shingles comptait le plus de partisans… Leurs adversaires, en nette infériorité numérique, allaient donc l'emporter quand la Hache de Mirabar survint en force pour ordonner aux belligérants de se disperser.

Mais cette fois, les défenseurs de Torgar Frappemarteau étaient décidés à faire entendre leur cause en haut lieu.

Beaucoup d'entre eux détalèrent à la vue de la garde… pour revenir en masse en tenue de combat. Les alliés de Shingles étaient de plus en plus nombreux.

Le *statu quo* se prolongea. Mais à mesure que les rangs des nains grossissaient, passant d'une centaine à deux, trois, puis quatre, la Hache, qui se composait pour l'essentiel d'humains, commença à reculer en direction des monte-charge.

— Vous ne voulez pas de ce combat ! la défia Shingles, posté en tête des émeutiers. Pas au nom d'un prisonnier !

— La parole du marquis… ! cria le chef des gardes.

— … Ne vaudra plus très cher quand vous serez tous morts ! riposta Shingles.

Par les dieux, comment en était-on arrivé là ? Comment pouvait-il prononcer de telles paroles ? Après le choc et l'émotion à vif des premiers jours, qui expliquaient les bagarres, la discorde avait pris une tournure inquiétante. Les uns et les autres s'étaient endurcis, campant sur leurs positions…

Après les émeutes, la révolte grondait.

— Vous avez le choix ! continua Shingles. Mais d'une façon ou d'une autre, nous ramènerons Torgar parmi nous, c'est sa place !

Du coin de l'œil, il vit Agrathan, ensanglanté, le supplier du regard de ne pas aller si loin, au risque de mettre la ville entière à feu et à sang.

Derrière Shingles, les centaines de nains lancèrent des vivats avant de se mettre en branle, avec toute l'inexorabilité d'une lame de fond.

Autant les soldats de Mirabar étaient plongés dans le doute, autant les nains affichaient leur résolution commune.

La bataille fut pratiquement terminée avant de s'engager : après quelques coups à peine, la Hache de Mirabar préféra battre en retraite.

Les nains suivirent leur chef le long d'un couloir de service qui les ramènerait à la surface.

Agrathan tenta encore d'enrayer la spirale en se dressant devant eux.

— Ne faites pas ça !

— Hors de notre chemin ! répliqua Shingles avec calme mais fermeté. Tu as tenté de faire libérer notre frère à ta façon, je le sais. Mais puisque Elastul refuse de t'écouter, il faudra bien que nous, il nous prête l'oreille !

Les clameurs noyèrent la réponse du conseiller. A ce stade, de toute façon, Agrathan n'y pouvait plus rien. Alors que la foule entonnait un antique chant de guerre, il tourna les talons et courut en avant, le cœur tout près d'être brisé.

Il courut jusqu'au palais.

— Que se passe-t-il ? lança Shoudra Brillétoile, en le rejoignant.

— La révolte a sonné !

Si la jeune femme fut choquée, malgré tout, ce n'était guère surprenant. Tous deux se hâtèrent côte à côte.

— Si Elastul ne libère pas Torgar Frappemarteau, je crains qu'une guerre civile n'éclate !

Campé devant les portes de la salle d'honneur, Djaffar affectait la pose d'un ennui profond.

— Les nouvelles ont couru plus vite que vous...

— Nous devons agir de toute urgence ! s'écria Agrathan. Réunir le conseil ! Il n'y a plus une minute à perdre !

— Le conseil n'a pas à s'en mêler, rétorqua Djaffar.

— Le marquis a signé l'ordre de libération ? intervint Shoudra.

— C'est le travail de la Hache, pas du conseil, répondit Djaffar, plein d'assurance. Les nains seront matés.

Agrathan trembla comme s'il allait exploser... Et c'est exactement ce qu'il fit, sautant à la gorge de l'homme.

Tous deux roulèrent sur le parquet.

Un éclair aveuglant les sépara. Ils se relevèrent, sidérés.

Shoudra les regardait sans aménité.

— Voilà ce qui vous pend au nez !

La nuit bruissait du choc des armes, au-dehors.

— C'est pure folie ! s'écria Agrathan. Cette ville est sur le point de sombrer dans le chaos en raison de...

— ... Des actes d'un seul ! grogna Djaffar.

— De l'entêtement d'Elastul ! rectifia Agrathan. Va-t-il rester assis là pendant que Mirabar tout entière s'abîme dans les flammes ?

L'air buté, Djaffar ouvrait la bouche, mais Shoudra se campa devant lui, le défiant du regard.

— Marquis ! cria-t-elle.

Une porte s'ouvrit à la volée.

Elastul parut, flanqué des trois autres Marteau.

— Agrathan, je vous avais dit de contrôler les nains ! vociféra-t-il.

— Plus rien ne les contrôlera à l'heure qu'il est ! riposta le conseiller sur le même ton.

— Rien sinon la Hache ! souligna Djaffar.

— Pas même votre Hache ! grogna Agrathan, excédé. D'ailleurs, Torgar en fait partie, ou l'auriez-vous déjà oublié ? Parmi les deux mille gardes, il y a cinq cents nains ! *Si* vous avez de la chance, un soldat sur quatre ne prendra donc pas part aux combats. Sinon, un quart de vos effectifs se retournera contre vous.

— Allez leur parler, Agrathan, ordonna Elastul. Mon bon nain, votre peuple est en nette infériorité numérique. Voudriez-vous qu'il se fasse massacrer ?

Se mordillant les lèvres, le conseiller trembla de plus belle. Puis il ressortit en trombe et fonça, guidé par le tumulte en direction des prisons.

— Vous avez tort de sous-estimer les nains, lança Shoudra Brillétoile.

— Nous les vaincrons.

— A quelle fin ?

N'étant pas directement en danger, Elastul semblait s'en ficher. Mais s'il faisait si peu cas de la vie de ses soldats, il serait peut-être plus affecté par la question des profits et pertes… De fait, Shoudra éveilla vite l'intérêt du marquis.

— Les nains sont nos mineurs de fond, les seuls capables d'exploiter les bons filons.

— Nous en recruterons d'autres. (La jeune femme lui lança un regard sceptique.) Que voudriez-vous que je fasse ?

— Libérez Torgar Frappemarteau.

Il frémit.

— Vous n'avez pas le choix, insista Shoudra. Laissez-le partir. Beaucoup s'exileront avec lui, mais pas tous. Si vous refusez encore, ce sera la guerre civile, et personne n'en sortira vainqueur. Mirabar sera en ruine.

— Vous surestimez l'esprit fraternel des nains.

— Vous le sous-estimez. Aux yeux de n'importe lequel d'entre eux, le clan est une valeur plus précieuse que l'or et les bijoux. Or, à la base, tous font partie d'un seul et même clan, les Delzoun. C'est leur conviction. Je vous parle en ma qualité d'amie et de conseillère. Libérez vite Torgar, avant qu'il ne soit trop tard.

Songeur, Elastul baissa les yeux. La colère puis la peur se lurent sur son visage. Enfin, il se décida.

— Djaffar, exécution.

— Marquis !

— J'ai dit, exécution ! Courez le libérer, en lui interdisant de remettre les pieds à Mirabar.

— Il verra peut-être dans votre clémence une invitation voilée à rester, avertit Shoudra.

Cela suffirait-il à réconcilier les humains et les nains ?

— Pas question qu'il reste ou revienne, sous peine de mort.

— Beaucoup de nains trouveront la sentence inique, prévint la jeune femme.

— Eh bien, qu'ils partagent le sort de ce traître ! cracha Elastul. Qu'ils courent les routes et y perdent la vie, je m'en moque ! Qu'ils aillent pourrir Mithral Hall avec leur déloyauté et leurs atermoiements ! Ils ont fait assez de mal comme ça à notre ville !

« Djaffar, qu'attendez-vous ? Débarrassons-nous d'eux une bonne fois pour toutes !

Avec un des Marteau, l'homme sortit exécuter les ordres. Shoudra les suivit.

Aux abords de la prison, la situation n'avait pas encore dégénéré en bataille. Mais ça ne tarderait plus, en dépit des appels répétés au calme d'Agrathan.

Plusieurs centaines de nains décidés à obtenir la libération de Torgar affrontaient deux fois plus de soldats – des humains, exclusivement. La mine sombre, les bras croisés, les nains de la Hache s'étaient rangés à l'écart.

Djaffar les toisait avec mépris.

— Ne pensez même pas à outrepasser les ordres du marquis, l'avertit le Sceptre de Mirabar. Ni à retarder les choses histoire de jeter de l'huile sur le feu...

Djaffar eut une moue dédaigneuse.

— J'ai des sortilèges en réserve.

Du bluff... Mais Shoudra était décidée à tenir tête.

Comme il ne faisait pas mine de revenir à la raison, elle ajouta :

— Personne ne gagnera si on en arrive là. Regardez-les donc, Djaffar... Vos propres soldats se sont alignés à l'écart, tiraillés...

Sa tenue toute fripée comme si on venait de l'empoigner par le col et de le secouer (ce qui était le cas), le conseiller Agrathan les rejoignit.

— Ils refusent d'entendre raison !

— Djaffar s'apprête à annoncer la libération de Torgar, sur ordre du marquis. Après restitution de ses biens, il sera libre de partir.

— Grâce soit rendue à Dumathoin ! soupira Agrathan, soulagé.

Il s'empressa de répandre la bonne nouvelle.

— Qu'on en finisse avec cette mascarade ! cracha Djaffar à Shoudra, s'avouant vaincu. Que tous ces nabots puants fichent le camp, pour ce que j'en ai à faire !

La jeune femme ne s'émut pas outre mesure de ces piques, les prenant d'où elles venaient. Elle ne s'attendait à rien de mieux de la part d'un homme comme Djaffar des Marteau.

Par le biais d'un éclair magique, elle attira sur elle l'attention générale et confirma la nouvelle que tant de nains de Mirabar voulaient désespérément entendre.

Quand, peu après, Torgar Frappemarteau sortit de prison, ce fut sous des applaudissements nourris.

Le Sceptre de Mirabar se dressa devant lui.

— Vous n'êtes pas entièrement libre de vos choix : vous devez quitter la ville séance tenante.

En dépit de cette déclaration, l'attitude corporelle et le ton de la jeune femme prouvaient qu'elle n'agissait pas en ennemie.

— J'en avais bien l'intention, assura Torgar.

— Shoudra, permets au moins qu'il se repose une nuit avant de nous quitter. Et qu'il ait le temps de faire ses adieux.

— Ses adieux à qui ?

Cette voix grincheuse était celle de Shingles, qui arrivait vers eux. Il avait passé une tenue de voyage, et portait un gros sac dans le dos.

Il n'était pas le seul...

Semblablement équipés, toujours plus de nains affluaient, prêts à l'exil.

— Vous n'êtes pas sérieux ! gémit Agrathan.

Shoudra hocha la tête, sombre et résignée.

Peu après, Torgar Frappemarteau quittait Mirabar pour la dernière fois, à la tête de quatre cents congénères – le cinquième de la population naine de la ville. Beaucoup d'entre eux y vivaient pourtant avec leurs familles depuis des siècles. Tous partaient tête haute, avec une conviction : le roi de Mithral Hall ne les repousserait pas. Et ils ne subiraient plus d'avanies.

Djaffar, Agrathan et Shoudra assistèrent à l'exode.

— Je n'aurais pas cru cela possible…, souffla le conseiller.

— A la première voie d'eau, les rats quittent le navire, commenta Djaffar. C'est bien connu. Ces chiens cupides rêvent déjà d'harponner les richesses de Mithral Hall !

— Ils veulent surtout une vie meilleure, le reprit Shoudra. La première des richesses, Djaffar, c'est le respect. Et dans tous les Royaumes, peu d'êtres le méritent plus que les nains de Mirabar.

Agrathan allait ajouter, cynique, les nains de Mithral Hall quand il se rappela qu'il restait mille six cents de ses congénères. Et en ces temps troublés, il fallait donner l'exemple.

Mirabar se remettrait de ce schisme douloureux.

Mais pas avant longtemps.

CHAPITRE XXIV

AVEC UN TALENT SURPRENANT

Drizzt, Catti-Brie, Wulfgar et Régis étudiaient la carte de la ville et de ses abords que le petit homme venait de dessiner. L'elfe noir y avait ajouté quelques détails. Les amis étaient d'humeur morose. Le prisonnier orc avait parlé d'une immense armée... Et maintenant, une femme, seule rescapée d'une des patrouilles de la veille, était revenue terrifiée. Le drame confirmait à quel point la situation devenait préoccupante...

Et le témoignage de la survivante laissait supposer beaucoup de coordination chez un ennemi soudain plus redoutable qu'il n'y paraissait.

Si personne ne le mentionna, la tragédie de Talons Claquants était dans tous les esprits. Plus étendue et mieux défendue que le hameau, la ville avait néanmoins des soucis à se faire.

Renfrogné, Bruenor reparut et, se glissant entre Régis et Wulfgar, étudia la carte à son tour.

— Quelle bande d'entêtés !

— Withegroo ne peut pas écarter le témoignage d'une survivante, protesta Drizzt.

— Oh, il y croit. Seulement, ses concitoyens et lui sont persuadés qu'il s'agit d'une petite bande isolée, c'est tout ! Et ils fourbissent leurs armes.

— Contre des ennemis trop nombreux pour être vaincus ? lança Catti-Brie.

— Je viens de vous dire que pour eux, il n'y a pas d'armée sur le pied de guerre, grommela Bruenor.

Catti-Brie prit son arc, Drizzt son manteau et Wulfgar Aegis-fang.

— Je viens aussi, lança Régis.

— Partageons-nous le périmètre, proposa la jeune femme. Wulfgar, et toi Régis, prenez les abords de la ville. Drizzt patrouillera le plus loin, et moi, j'explorerai la bande de terrain intermédiaire.

— Devrions-nous attendre la nuit ? demanda le petit homme.

— Ce serait avantager les orcs, qui se battent mieux la nuit que le jour, rappela Catti-Brie.

— Et le temps presse, renchérit Drizzt. Bruenor, il faut au moins que les faibles et les infirmes puissent quitter la ville pour se mettre en sécurité.

— Dagnabbit étudie la question. Mais les citoyens de Haut-Fond mesurent mal la gravité du danger. C'est leur foyer depuis des générations maintenant. Ils s'y sentent parfaitement à l'abri... Surtout avec un sorcier comme Withegroo. Il est tout à fait compétent.

— Hélas, cette fois, la situation s'annonce très différente, répondit l'elfe noir. Tous les signes laissent à penser qu'avant longtemps, la population de cette ville regrettera amèrement son entêtement.

— Va, Drizzt. Pendant ce temps, je tâcherai de faire entendre raison à ces braves gens. Tout sera prêt pour le départ : les paquetages faits, les chariots et mes guerriers... Je retourne de ce pas voir Withegroo.

— Crois-tu avoir plus de succès ? demanda Catti-Brie.

Haussant les épaules, il lui lança une œillade appuyée.

— Ne suis-je pas le roi ?

Sur cette note plus légère, les quatre éclaireurs quittèrent la maison puis la ville. Wulfgar et Régis gravirent les collines environnantes. Catti-Brie s'éloigna d'une centaine de pas, et Drizzt continua sur sa lancée.

D'autres patrouilles évoluaient aussi dans les parages mais en comparaison, elles manquaient cruellement d'organisation et de discrétion.

L'une d'elles s'arrêta devant Wulfgar et Régis pour les saluer. Elle comptait sept soldats.

— Vous feriez mieux de préparer les défenses de votre ville de l'intérieur en cas d'attaque, dit le barbare au chef.

Il s'agissait d'un jeune homme à l'expression renfrognée. La remarque de Wulfgar ne sembla guère lui plaire.

— Nous ferons un rapport complet à vos dirigeants, ajouta le fils de Bruenor. Il n'y a pas meilleur éclaireur que Drizzt Do'Urden.

Loin de se radoucir, le citoyen parut prendre ces observations comme un affront personnel.

— Hors de la ville, nous sommes tous en danger, persista Wulfgar sans céder un pouce de terrain. Si Haut-Fond perd encore sept hommes robustes avec vous, ça risque d'aggraver une situation déjà inquiétante.

Les narines frémissantes, le visage du chef de la patrouille se ferma.

Régis lui fit signe de s'écarter.

— Il y a d'autres éléments à considérer...

Il adressa un clin d'œil subreptice à Wulfgar.

L'air innocent, le petit homme attira à sa suite le guerrier d'abord réticent. Ils eurent une petite conversation privée, puis le citadin sourit.

Il revint vers ses compagnons.

— Retournons en ville. Nos amis ont raison. Inutile de nous disperser alors que nous ne savons même pas ce qui nous attend.

Surpris, les autres patrouilleurs suivirent néanmoins leur chef.

— Tu utilises toujours ton rubis magique sans la moindre vergogne, Régis ?

— Pour sauver les gens d'eux-mêmes, absolument ! répondit-il avec un grand sourire. Nous avons entendu arriver cette patrouille à cinquante pas de distance, toi et moi ! Alors, les orcs… (Il se tourna vers le sud.) Et s'ils sont aussi nombreux que nous le craignons, je viens juste de sauver sept jeunes gens de la mort.

— Une simple rémission ? souffla Wulfgar.

Régis en perdit le sourire. Tous deux échangèrent un long regard. Soudain, les yeux bleus du barbare se dilatèrent en s'écartant du petit homme.

Régis fit volte-face, et vit accourir Catti-Brie, très agitée. Il frémit.

Wulfgar se porta le premier à la rencontre de la jeune femme, la rattrapant à point nommé alors qu'elle trébuchait dans sa précipitation. Ses amis virent alors que des archers la pourchassaient.

Les patrouilleurs revenaient à toutes jambes…

— Courez aux remparts ! cria Régis. Et qu'on tienne les portes ouvertes pour nous !

Une horde d'orcs avalait le terrain à toute vitesse…

Les trois amis se furent bientôt réfugiés derrière les murailles de Haut-Fond, les portes refermées sur leurs talons. Ils grimpèrent aux parapets.

L'alerte générale fut donnée d'un bout à l'autre de la ville.

Les orcs vociférants arrivaient en masse… Loin de foncer au pied des remparts, toutefois, ils se replièrent soudain, retournant au sud…

— Drizzt…, lâcha Régis.

— Il nous gagne du temps, ajouta Catti-Brie.

Wulfgar et elle échangèrent un regard inquiet.

Peu après le coucher du soleil, la première pierre percuta les remparts de Haut-Fond. Elle avait jailli du nord, par-delà le ravin…

Les guetteurs sonnèrent du cor ; les miliciens prirent position le long des créneaux, aux côtés des nains de Dagnabbit, du roi Bruenor et de ses amis, qui scrutaient l'obscurité, au nord.

Un deuxième boulet s'écrasa contre les murailles.

— On ne les voit même pas ! s'écria Bruenor.

— Là ! lança Régis.

Ils virent enfin dans le lointain des silhouettes caractéristiques.

Catti-Brie encocha une flèche et visa, relevant légèrement sa ligne de mire pour compenser la grande distance. Le trait magique traça comme une traînée lumineuse dans le ciel obscur.

S'il ne fit pas mouche, l'éclair qui salua son impact eut au moins le mérite de renseigner les observateurs sur le secteur. Catti-Brie allait renouveler sa tentative quand un violent coup de boutoir la fit vaciller. Elle se rattrapa à Wulfgar.

— Tous aux abris ! cria une sentinelle.

La jeune femme qui encochait une deuxième flèche dut renoncer bien vite lorsque le boulet suivant s'écrasa dans la cour intérieure, puis un autre... Une pierre de jet dérapa le long de la muraille est.

— Bon sang, combien y a-t-il de géants ? s'exclama Bruenor.

— Trop ! grogna Régis.

— Nous devons trouver une parade, continua le nain.

Au mur sud, des cris attirèrent leur attention sur des problèmes plus pressants...

Quand Bruenor, Wulfgar, Régis et Catti-Brie eurent rejoint Dagnabbit et les autres nains, les orcs étaient en pleine charge... Une horde immense, remplissant l'air de ses ululements aigus... Les monstres déferlaient par centaines.

Une première vague de flèches tombées des remparts les freina à peine.

— Ça va faire mal..., grogna Bruenor.

— Prenons le centre ! cria Dagnabbit à ses quinze guerriers restants. Que pas un seul n'escalade les remparts !

Aux cris de « Mithral Hall ! » et « vive le roi Bruenor ! », les petits guerriers bien entraînés se massèrent dans le secteur le plus vulnérable des remparts sud de Haut-Fond. Avec un bel ensemble, ils empoignèrent leurs arcs, leurs marteaux de guerre superbement conçus et se mirent en position de défense.

Les orcs décochaient leurs lances et leurs flèches. Les nains tinrent bon jusqu'au tout dernier instant, puis bondirent pour jeter leurs marteaux sur les premiers monstres, brisant leur élan.

Les archers de Haut-Fond entrèrent en action. Catti-Brie fit le meilleur usage de Chercheccœur, ses tirs précis et efficaces éclaircissant les rangs ennemis à vue d'œil.

Un hurlement éclata, derrière eux... Un des défenseurs venait d'être atteint par un boulet des géants. Les explosions et les tremblements de sol prouvèrent que les monstres ne s'étaient nullement interrompus.

Les nains de Dagnabbit décochèrent une deuxième volée d'acier avant de quitter leur position, sur les remparts, pour descendre dans la cour prêter main-forte aux défenseurs des portes. Bruenor se joignit à eux.

Catti-Brie et les archers continuèrent leur œuvre.

Les assiégeants lancèrent des grappins et des cordes le long des remparts. Au mépris du danger, les orcs commencèrent l'escalade... En contrebas, leurs camarades jetèrent toutes leurs forces contre les portes, cherchant à les abattre sous leur masse.

Régis fut terrifié.

— Si seulement Drizzt était là !

— Mais il ne l'est pas ! grogna Wulfgar.

Tous deux se regardèrent. Puis, d'un commun accord, ils coururent sur le chemin de ronde, le long des parapets. Le puissant barbare fonçait sur les premiers grappins et cordes pour les tirer, en dépit du poids des grimpeurs... Le monstre le plus rapide prit pied sur le parapet à l'instant où Wulfgar pivotait avec un cri. Gourdin brandi, l'orc rugit...

... Et une flèche à la traîne argentée se planta dans son aisselle avant d'exploser.

Après un regard de gratitude à Catti-Brie, Wulfgar délogea le grappin pendant que Régis abattait son fléau d'armes sur le grimpeur suivant.

— Plus à l'est ! cria le barbare en courant colmater une autre brèche...

Des orcs prenaient pied un peu plus loin, avec des archers de Haut-Fond pour seuls adversaires.

Régis allait rejoindre Wulfgar quand il s'arrêta devant un des monstres, en train de se hisser sur les remparts... Fléau brandi, il se ravisa soudain au profit de son rubis magique.

L'orc fut aussitôt subjugué par l'éclat ensorceleur du bijou monté en pendentif, qui promettait monts et merveilles à sa nouvelle victime... En une seconde, le monstre fut convaincu que le détenteur du rubis était son meilleur ami.

— Quelle est votre force ? demanda Régis.

L'orc ne comprit pas.

— La force ? insista le petit homme en gonflant ses – maigres – biceps.

Le monstre sourit.

Régis lui fit signe de redescendre un peu pour reprendre la corde en main, et de rester dans cette position sans plus laisser passer personne.

L'orc s'y plia de bonne grâce.

Ce serait au moins une corde de sabotée...

Régis surprit le regard incrédule de Catti-Brie et haussa les épaules.

Un peu plus loin, il vit Wulfgar empoigner un assaillant à bras-le-corps pour le jeter contre deux de ses semblables...

Les trois monstres emmêlés basculèrent dans le vide.

Dans d'autres secteurs, les défenseurs furent rapidement débordés. Et les orcs investirent la cour d'honneur.

Où les attendaient de pied ferme, au centre, dix-sept nains aguerris, à commencer par Bruenor et Dagnabbit.

Ils se ruèrent hache et marteau hauts sur les envahisseurs.

Bruenor faucha les jambes du premier, le précipitant le nez dans la poussière, et percuta de toutes ses forces le bouclier d'un deuxième. A demi assommé par la violence du choc, il secoua vigoureusement la tête, histoire de se remettre les idées en place, et brandit sa hache en position défensive.

Alors, il découvrit que l'orc, lui, était assommé pour de bon.

Bruenor hésita. Mais à la guerre, tous les coups étaient permis... Il bondit de nouveau dans la mêlée, après avoir fendu au passage le crâne du monstre sans défense.

La férocité de l'assaut prit Drizzt au dépourvu. En négociant une pente abrupte, il aperçut la masse des orcs... Les éviter ne fut pas difficile, mais quand le Drow qui revenait sur ses pas fut en vue de Haut-Fond, la horde était déjà loin devant lui... Au loin, il repéra ses trois amis, qui fonçaient également en direction de la ville pour s'y réfugier.

Il poussa un grand soupir de soulagement quand ce fut chose faite.

A l'ombre d'un arbre, le Drow regarda les orcs déferler sur Haut-Fond, envisageant de leur sauter dessus... Il ne pouvait plus rejoindre ses amis ni, peut-être, mourir à leurs côtés.

Il resta plaqué au tronc de son arbre, tout en réfléchissant. Ces monstres allaient tuer ses amis... Refusant de se laisser aveugler par l'émotion, il chassa ces pensées de son esprit pour se concentrer sur la situation. Il pouvait se joindre à la bataille ou... profiter de la confusion pour espionner l'ennemi et en apprendre plus.

Les orcs continuaient de foncer sur Haut-Fond... Combien d'entre eux un Drow isolé arriverait-il à tuer avant de succomber sous le nombre ? Et quelle différence cela ferait-il, dans une horde pareille ?

Non, Drizzt devrait faire confiance à ses amis pour s'en tirer par leurs propres moyens. Après tout, il s'agissait d'un premier assaut, destiné surtout à évaluer les défenses de Haut-Fond.

Confrontés à la réalité, ceux de Haut-Fond organiseraient mieux la résistance, dorénavant. Et ils commenceraient par localiser le campement ennemi.

Resté seul, Drizzt quitta son arbre et se dirigea non vers la ville mais à l'est, derrière le gros de l'armée orc.

Wulfgar parvenait encore à peine à lever les bras pour distribuer les moulinets sanglants... Il dut faire appel à toutes ses ressources pour continuer la lutte. Et débouter les monstres qui prétendaient investir les remparts sud.

Le barbare avait écopé d'une dizaine de blessures. Régis aussi, qui maniait autant son fléau d'armes que son rubis ensorceleur.

Quand quatre orcs surgirent de nouveau, Wulfgar lança un regard sur sa droite, pour que Catti-Brie le soutienne.

La jeune femme n'était plus là.

Cette seconde d'inattention faillit coûter cher au barbare... Mais une flèche jaillit pour lui sauver la mise. D'un coup d'œil par-dessus son épaule, Wulfgar vit que Catti-Brie avait changé de position, perchée au sommet de la tour solitaire emblématique de la ville.

Elle décocha une autre flèche.

D'un coup de marteau, Wulfgar élimina aussi un orc de plus. Le monstre qui menaçait Régis s'immobilisa, envoûté par le rubis magique qui brillait de tous ses feux sur le torse du petit homme...

Wulfgar encaissa un coup de gourdin à l'avant-bras, mais percuta volontairement le propriétaire de l'arme, se retrouvant nez à nez avec lui. Pour la peine, il faillit être mordu. Il se servit de sa tête comme d'un bélier pour lui éclater le nez et l'assommer à demi... Puis il l'empoigna par le col de son plastron de cuir pour le précipiter du haut des remparts, dans le vide.

De leur perchoir, Catti-Brie et deux archers de la ville continuaient d'arroser les belligérants de leurs traits mortels.

Soudain, Wulfgar vit Withegroo, près d'eux, écarter les bras en incantant.

Des cris, dans la cour d'honneur, lui firent baisser la tête. Les orcs qui pesaient de tout leur poids sur les portes étaient près de les enfoncer... Les nains se précipitèrent pour faire contre-poids.

Du coin de l'œil, Wulfgar vit alors une boule de feu jaillir du haut de la tour et exploser...

La déflagration arracha l'orc de Régis à sa transe, le monstre furieux se fendant aussitôt...

Pour tenter d'échapper au coup de poignard, le petit homme bondit en arrière avec un couinement de détresse.

Wulfgar sauta à la gorge de l'orc, lui serra le cou et lui martela le crâne contre la pierre du parapet jusqu'à ce que le monstre ne lui oppose plus de résistance.

Il lâcha le cadavre.

— Ils ont détalé, mon fils...

Le barbare se tourna vers Bruenor, qui venait de le rejoindre.

— Et Régis ?

D'un signe du menton, le nain orienta le regard de Wulfgar vers le petit homme qui, ensanglanté, ne semblait plus avoir conscience de ce qui se passait autour de lui.

Plusieurs nains l'entouraient pour lui apporter les premiers soins.

— Lui, il doit avoir mal..., conclut Bruenor, l'air sombre.

CHAPITRE XXV

LE PETIT HOMME PROTÉGÉ

Il avait l'impression d'émerger d'un très mauvais rêve... Il avait une douleur au côté, mais ç'aurait pu être pire.

Il revit l'orc lui plonger la dague dans le ventre... Et rouvrit les yeux en sursaut. Il avait tenté de bondir en arrière, trop tard...

Régis se frotta la nuque. Quelle chute ! Car en fait, il avait glissé et perdu l'équilibre en voulant s'écarter. Et ça lui avait sauvé la vie. Dos au parapet, il aurait certainement été embroché.

Se redressant sur les coudes, il reconnut la petite chambre de la maison, qu'il partageait avec ses amis à Haut-Fond. Il faisait sombre. La nuit était sans doute déjà tombée.

Bref, il était en vie, dans un lit douillet, et on l'avait soigné. Les orcs avaient dû battre en retraite.

Un énorme choc ébranla un édifice proche... et le fit violemment sursauter.

Encore un jet de pierre des géants...

— Je reste en vie pour me battre une journée de plus..., maugréa le petit homme.

Il allait quitter le lit quand des voix familières, dans la pièce voisine, lui firent tendre l'oreille.

— Un millier, au moins..., dit l'elfe noir.

Nouvel ébranlement, dans la ville...

— Nous pourrions effectuer une percée, avança Bruenor.

Dans le silence qui suivit, Régis imagina Drizzt en train de secouer la tête. Il traversa la chambre à pas de loup et, par la porte entrebâillée, épia la scène. Sur une petite table brillait une chandelle. Ses quatre amis étaient assis autour. Wulfgar en particulier disparaissait presque sous les pansements.

— Le ravin nous coupe la route au nord, répondit enfin Drizzt.

— Et des géants ont pris position devant, renchérit Catti-Brie.

— Leur bombardement durant depuis des heures, ils sont sûrement plus d'une poignée, ajouta l'elfe noir. Même eux se fatiguent, à force... Ils ont donc dû se relayer, ne serait-ce que pour renouveler leurs stocks de boulets.

— Bah, ils ne font pas beaucoup de dégâts, grommela Bruenor.

— Plus que tu ne crois, le contredit Catti-Brie. Surtout qu'ils concentrent maintenant leurs tirs contre la tour de Withegroo. Rien que dans l'heure passée, ils l'ont touchée une dizaine de fois.

— Le sorcier s'est montré en lançant sa boule de feu, rappela Drizzt. A présent, nos ennemis l'ont pris pour cible.

— Espérons qu'il a plus d'un tour dans son sac qu'une simple boule de feu, observa Catti-Brie.

— Et espérons que nous saurons faire face, ajouta Wulfgar.

L'air sombre, les amis restèrent quelques instants plongés dans leurs réflexions.

Pivotant, Régis s'adossa au mur. Revoir Wulfgar vivant et apparemment pas trop mal en point nonobstant lui apportait un grand soulagement. Il avait craint que le barbare soit abattu en tentant de lui porter secours.

Depuis les combats contre les bandits de grands chemins, sur la route du Val Bise, Régis s'efforçait de s'intégrer au mieux, et surtout, de prouver qu'on pouvait compter sur lui...

Or, jusqu'à présent, il volait de succès en succès. Il se rappelait particulièrement ses prouesses dans la tour de guet de l'Epine Dorsale du Monde... Une tour envahie par les orcs.

En vérité, il était très fier de ses récents exploits. Depuis qu'il avait reçu un coup de lance à l'épaule, à l'époque où ses amis et lui voulaient rapporter l'Eclat de Cristal à Cadderly, Régis en était venu à reconsidérer sa place dans le monde. Auparavant, il avait toujours recherché activement la voie de la facilité. Jadis partisan acharné du moindre effort, il devait maintenant lutter contre ses tendances naturelles... La culpabilité le taraudait.

Car ce jour-là, ses amis lui avaient sauvé la vie. Des amis qui, pour l'arracher des griffes du pacha Pook, avaient traversé la moitié du monde. Les mêmes qui, depuis tant d'années, le portaient – parfois littéralement – à bout de bras.

Depuis ce jour, il cherchait donc de toutes ses forces à prouver sa gratitude, à se révéler un compagnon de valeur.

Tôt ou tard, sa chance l'abandonnerait. Il le savait.

Au sommet de cette tour de guet investie par les orcs, il aurait dû mourir.

Sur les remparts de Haut-Fond, il aurait dû mourir.

Il posa une main distraite sur son ventre.

Se retournant, il en revint à son observation des quatre amis – de vrais héros.

Oui, après la défaite d'Akar Kessel, les bonnes gens de Dix-Cités l'avaient porté en triomphe sur leurs épaules.

Oui, après la chute de Pook, il avait tenu le pouvoir authentique entre ses mains... même s'il avait choisi de ne pas continuer dans cette voie.

Oui, les populations du Nord voyaient en lui un des compagnons...

Mais au fond de lui, il ne pouvait nier la vérité.

C'étaient eux les héros, pas lui.

Il bénéficiait d'amis extraordinaires, voilà tout.

Prêtant de nouveau l'oreille à leur conversation, le petit homme comprit qu'ils débattaient stratégie. Evacuer en douce les citadins, ou donner l'alerte au sud pour obtenir des renforts...

Après avoir pris une grande inspiration, Régis ouvrit la porte et entra.

— Pas question de se passer de toi ou de ton félin, Drizzt, dit Bruenor. Pointepique est trop loin d'ici. A supposer que tu parviennes à le rejoindre, tu reviendrais à la tête de renforts pour enterrer des cadavres !

— Mais comment faire sortir en douce cent personnes de Haut-Fond et rallier le sud ?

A cet instant, Drizzt et les autres se tournèrent vers Régis.

— Tu es debout ! s'écria Bruenor.

Catti-Brie lui offrit son siège, mais Régis, qui avait toujours mal au côté, préféra rester debout.

— Tu es plus robuste qu'il n'y paraît, Régis de Bois Isolé, observa Wulfgar.

Il leva son verre à sa santé.

Régis sourit.

— De toute façon, reprit Catti-Brie, les gens de Haut-Fond ne nous suivront pas au-dehors. Ils sont résolus à défendre leur ville jusqu'au bout. Ils ont foi en eux-mêmes, et plus encore en leur sorcier.

— Un peu trop, hélas, commenta Drizzt. Car cette fois, ils ont affaire à forte partie. Et le bombardement des géants risque de se prolonger des jours entiers. Dans les parages, les pierres ne manquent pas !

— Bah, ils ne font pas de gros dégâts ! persista Bruenor. Ou en tout cas, rien d'irréparable.

— Aujourd'hui, ces jets de pierres continuels ont fait un mort et deux blessés, objecta Drizzt. Or, dans pareille situation, chacun de nous compte.

Régis s'écarta, les laissant continuer dans cette veine. Bruenor avait parlé de « baisser la tête et de lever sa hache ». Mais après la férocité du premier assaut, le petit homme n'était plus certain d'être du même avis.

Les géants n'avaient pas traversé le ravin. Pourtant, à eux seuls, les orcs avaient failli battre en brèche les défenses de Haut-Fond. Et leur masse considérable avait affaibli les portes sud. Alors qu'en toute logique, les rangs des défenseurs s'éclairciraient au fil des jours et des combats, ceux des assaillants grossiraient au contraire. Dès que la victoire paraîtrait imminente, les monstres des alentours accourraient pour réclamer une part du butin.

Régis faillit annoncer qu'il partait pour le sud chercher des renforts. Il reviendrait à la tête d'une armée de nains. Il devait bien ça à ses amis.

Mais il ne dit mot. A la perspective de tenter de traverser une horde d'orcs sanguinaires, il en tremblait déjà. Plutôt mourir aux côtés de ses amis qu'être capturé et torturé...

Il frissonna.

Intriguée, Catti-Brie l'interrogea du regard.

— J'ai un peu froid…

— Tu as perdu beaucoup de sang, rappela Drizzt.

— Retourne te coucher, ordonna Bruenor. Avec nous, tu es en sécurité ! Sois sans crainte.

Oui, songea Régis, non sans une pointe d'amertume. Avec eux, il était toujours en sécurité. Ils le protégeaient.

Le deuxième assaut aurait pour signal le coucher du soleil.

Ils le savaient.

— Ce calme ne me dit rien qui vaille, Drizzt…, souffla Bruenor.

Tous deux se tenaient sur les remparts nord, observant le ravin, dans le lointain.

— Les géants n'approcheront pas, raisonna Drizzt. Tant que nos défenses tiennent, du moins. Pourquoi se risqueraient-ils à essuyer les foudres d'un sorcier quand il leur suffit de nous bombarder à distance ?

Bruenor et lui venaient de débattre de la possibilité d'éliminer quelques géants, ou de les distraire…

— Eh bien, nous tiendrons bon sans toi, le temps que tu ailles porter le combat dans leur camp, Drizzt. Nous nous occuperons des petits orcs.

Le Drow inspira à fond.

— Tu te poses encore plein de questions, c'est ça ? ajouta le nain. Tu penses que tu as peut-être eu tort de dire à Catti-Brie de ne pas y aller. Tort de vouloir y aller toi-même. Et qu'au fond, tu as tort sur toute la ligne. Allons… Tu sais très bien à quoi t'en tenir ! Et si tu répugnes à t'éloigner de tes amis, tes amis aussi rechignent à se passer de toi.

Drizzt sourit.

— Mais ta conviction est faite. Je devrais y aller…

— Il faut au minimum freiner l'attaque des géants, à défaut de les éliminer tous. Ou Haut-Fond sera bientôt réduit à des décombres fumants, comme Talons Claquants… De mon point de vue, c'est très simple. Toi seul peux traverser assez vite ce ravin pour faire la différence. Quoi qu'en dise ma fille.

Drizzt se retourna vers la haute tour, où Catti-Brie, arc au poing, veillait au grain. Quand elle vit l'elfe noir lever les yeux vers elle, la jeune femme lui fit signe.

Il lui rendit son salut.

— Je ne serai pas long, promit le Drow.

— Prends tout le temps qu'il faudra, répondit Bruenor. Si au prochain assaut, tu peux empêcher les géants de se joindre aux orcs, nous arriverons peut-être à effectuer cette fameuse percée au sud.

— Ou au moins à envoyer des messages à Gaspard Pointepique, fit Drizzt.

— Dagnabbit y travaille, assura le nain avec un clin d'œil.

Nul besoin d'ajouter quoi que ce soit. Tous deux savaient à quoi s'en tenir. Haut-Fond devrait résister aux deux assauts suivants, ou pour affaiblir assez les orcs afin d'effectuer une percée, ou pour les contraindre à s'avouer vaincus.

Alors que le disque solaire se posait à l'horizon, commençant à sombrer, Drizzt se faufila hors de la ville en passant par la tour de garde du nord-ouest, évitant les portes nord qui faisaient certainement l'objet d'une surveillance ennemie. Il progressa avec la plus grande discrétion, de roche en roche, de buisson en buisson... Il rampait à plat ventre dans les zones découvertes.

Parvenu au bord du ravin, il s'arma de patience, et guetta son heure.

La nuit ne tarderait plus. Au sud, Drizzt entendait les préparatifs des orcs, et de l'autre côté du ravin, les raclements des pierres que les géants empilaient, en vue d'un nouveau pilonnage en règle. Son manteau resserré autour de lui, l'elfe noir ferma les yeux et sombra dans une transe de méditation. Il redevenait l'archétype du guerrier... En toute honnêteté, il ignorait de quelle façon parvenir à distraire les géants. C'était pourtant ce dont ses amis et les assiégés avaient désespérément besoin.

Repenser à ceux qu'il venait de laisser derrière lui suffit à briser sa transe. Il jeta un coup d'œil par-dessus son épaule... Il revoyait sans cesse Catti-Brie au sommet de la tour, l'air sombre et résigné...

Elle devait remuer dans sa tête les mêmes cogitations que les siennes. En tentant d'affronter une adversité écrasante, les compagnons avaient dû se séparer.

Quel en serait le prix ?

Drizzt reverrait-il ses amis vivants ?

Le front posé contre la terre, l'elfe noir ferma de nouveau les yeux. Il n'avait pas peur pour lui-même. Mais au vu de la masse des orcs, sans compter les géants... Ces monstres-là étaient organisés, déterminés...

Etait-ce donc la fin pour Drizzt et ses amis ?

Entêté, le Drow redressa la tête et la secoua vigoureusement. Des souvenirs affluèrent à sa mémoire...

L'antre des verbeeg, avec Wulfgar et Guenhwyvar...

La reconquête de Mithral Hall...

La poursuite effrénée dans les rues de Calimport pour sauver Régis...

Le combat épique contre l'armée de Menzoberranzan...

Autant de victoires contre une adversité écrasante, là encore...

Drizzt se concentra pour redevenir un guerrier jusqu'au bout des ongles.

Le soleil disparut à l'horizon.

Telle l'ombre de la mort, le Chasseur entama sa descente au fond du ravin.

Le deuxième assaut débuta presque comme le premier. Des boulets s'abattirent sur la ville tandis qu'une horde d'orcs vociférants fonçait... La défense suivit son cours habituel, avec Wulfgar sur les remparts, et les nains aux portes.

Cette fois néanmoins, Bruenor était aux côtés du barbare – et de Régis, qui refusait de rester alité.

Catti-Brie décocha ses premières flèches magiques, jetant de vives lueurs sur la scène.

A une cinquantaine de pas de leur objectif, les orcs furent foudroyés en pleine charge par des tirs nourris de flèches et par une des boules de feu de Withegroo.

Mais tous ceux qui moururent furent aussitôt piétinés par leurs camarades suivants, qui s'empressèrent de lancer leurs grappins au sommet des remparts. Un groupe chargé d'un gros bélier fonça sur les portes.

Et dès le premier choc, elles faillirent céder.

Le long des remparts, Bruenor, Régis et Wulfgar affrontèrent les assaillants les plus véloces. D'un coup de marteau magistral, le barbare expédia dans le vide le premier orc qui se présenta. Dans sa chute, le monstre entraîna un de ses congénères.

Face à son adversaire, Bruenor feinta, plongea et lui faucha les jambes, l'expédiant non au pied des remparts, mais de l'autre côté, dans la cour d'honneur.

Agrippant par l'épaule Régis qui faisait mine de s'en mêler pour le pousser derrière lui, Bruenor affronta l'orc suivant et lui régla rapidement son compte.

Le petit homme aurait donné cher pour soutenir ses amis au combat. Mais en vérité, il passait déjà le plus clair de son temps à éviter les coups en retour de Bruenor – beaucoup plus qu'à esquiver ceux des orcs eux-mêmes.

Quant à Wulfgar, lui aussi était tout à la frénésie de la lutte. Aegis-fang faisait des ravages chez les orcs qui tentaient de prendre pied.

Régis ne savait plus où se mettre pour échapper tant aux monstres qu'à ses féroces amis…

Quand néanmoins deux orcs voulurent prendre Wulfgar en tenailles, le petit homme fonça tête baissée dans les jambes du premier pour le déséquilibrer.

Mal lui en prit : l'orc l'entraîna dans sa chute…

— Régis ! brailla Bruenor, horrifié.

Le petit homme atterrit en contrebas roulé en boule pour tenter d'amortir le choc… Sa blessure rouverte, il faillit s'évanouir. Il était tombé à l'ouest des portes sud, sur le point de céder. Il chercha des yeux son fléau d'armes, le récupéra et rejoignit les nains, conscient qu'il ne leur serait d'aucune aide.

Il sut alors ce qu'il lui restait à faire.

Tournant les talons, il courut vers le mur ouest, sourd aux appels de Dagnabbit, et le longea à toute vitesse. Il se retrouva bientôt sur les traces de Drizzt, au nord-ouest, et eut le temps de croiser le regard incrédule de Catti-Brie, du haut de la tour du sorcier, avant de sauter…

Withegroo s'arrachait les cheveux. Mal orientée, sa dernière boule de feu avait fait peu de victimes chez les assaillants, les freinant à peine dans leur élan.

Appuyé au parapet sud du sommet de sa tour, près de Catti-Brie et de trois ou quatre autres archers, il suivait le déroulement de la bataille. Il n'avait guère de sortilèges puissants dans son répertoire. Il devrait donc faire le meilleur usage de son maigre arsenal.

Détectant une brèche, au sud-est des remparts, où des orcs commençaient à s'infiltrer pour atterrir dans la cour d'honneur, Withegroo faillit lancer un de ses éclairs magiques. Mais les nains fondirent à bras raccourcis sur les envahisseurs pour les éliminer.

Alors que le vieux sorcier soupirait de soulagement, il vit s'ouvrir une autre brèche, et deux orcs s'infiltrer par le sud-ouest... Loin de chercher à sauter dans la cour, ceux-là levèrent leurs arcs, visèrent...

Grâce à ses rayons magiques, Withegroo en élimina un avant qu'il ne puisse décocher. Mais le second changea de cible, visant le sorcier... Plus rapide, Catti-Brie l'abattit.

Impressionné, Withegroo lui tapota l'épaule. La jeune femme choisissait déjà ses cibles suivantes.

A l'est et à l'ouest, des hurlements éclatèrent... Des orcs arrivaient, chevauchant des worgs.

Les jets de pierres se multiplièrent.

Haut-Fond trembla sur ses fondations, pilonnée sans merci. Les portes sud cédèrent...

Drizzt traversa le ravin aussi vite qu'il le put, bondissant de roc en roc, rampant parfois à quatre pattes. Quand il atteignit la face nord, il sut qu'il avait eu raison : plus de cinq géants bombardaient la ville. Au moins le double... Depuis le premier assaut, ils se relayaient par équipes de deux ou trois, conservant ainsi leurs forces.

Mais là, tous participaient au pilonnage. C'était spectaculaire, et accablant.

Savoir ses amis prisonniers de cette ville attrista profondément Drizzt.

Il entreprit d'escalader la paroi opposée du ravin. Mille et une pensées bourdonnaient dans son esprit. Pourtant, il sut atteindre l'état de transe nécessaire à ses objectifs. Comment combattre une dizaine de géants ? De quelle façon les distraire de leur but afin de gagner un répit à ses amis et aux vaillants défenseurs de Haut-Fond ?

Dès qu'il atteignit le sommet, il aperçut les monstres, et leur tas de pierres. Neuf... Il sortit sa figurine magique, invoqua Guenhwyvar et lui ordonna de se poster au nord pour attendre son signal.

Le Drow jeta un coup d'œil en arrière, vers Haut-Fond... Comment évacuer ses amis en danger ? Mais même si Bruenor, Wulfgar, Catti-Brie et

Régis étaient en ce moment avec lui, ils trouveraient très difficile d'affronter neuf géants des glaces, bien plus puissants et redoutables que ceux des collines…

Drizzt vit arriver un dixième monstre, chargé d'un sac de pierraille.

Sur quel genre de terrain les combattre en mettant le plus de chances de son côté ?

En tout cas, impossible d'espérer surprendre les géants des glaces – pas compte tenu du ravin à traverser… Les monstres auraient beau jeu d'enterrer vifs au fond de la dépression les adversaires qui s'y risqueraient.

Drizzt allait tirer ses cimeterres au clair quand il se ravisa. En une occasion déjà, il avait trompé les géants des glaces…

Il se redressa et avança à découvert.

— Arrêtez ! Un autre ennemi s'est révélé au nord-ouest d'ici !

Les géants se regardèrent, incrédules. Certains eurent l'air dubitatif.

— Un deuxième bataillon de nains arrive en renforts ! Il ignore tout de votre position, j'en suis sûr.

— Combien sont-ils ? demanda une géante.

Du coin de l'œil, Drizzt vit des monstres empoigner des pierres.

— Une quarantaine, improvisa-t-il.

— Une quarantaine…, répéta un géant, ironique.

La ruse du Drow était clairement éventée.

D'instinct, il détala en zigzag, évitant de justesse une volée de roches. Invoquant un globe de noirceur pour protéger sa fuite, il fonça vers le terrain le plus accidenté.

Cinq ou six géants lui donnèrent la chasse.

Tout espoir de tromperie dissipé, Drizzt était redevenu lui-même : le guerrier né, le Chasseur. L'instinct fait Drow, il captait les mouvements de ses adversaires avant même que sa vision ne les lui confirme tant il les anticipait.

Il vira à gauche, et une roche fila droit sans l'atteindre. Sinon, elle l'aurait écrasé.

Coupant à droite, il se faufila dans un étroit défilé entre deux parois rocheuses, invoqua un autre globe de noirceur, bondit en hauteur et roula derrière un piton minéral.

Mais impossible de se dissimuler là et d'attendre. Il ne s'agissait pas seulement d'échapper aux poursuites. Il fallait distraire les géants de leur but le plus longtemps possible… Dès que les cinq qui le traquaient l'eurent dépassé sans le voir, Drizzt sauta et réussit à balafrer dans le dos le dernier d'entre eux.

Celui-ci hurla à la mort. Ses compagnons s'arrêtèrent et pivotèrent.

Drizzt appela Guenhwyvar à grands cris.

Suivit une course-poursuite effrénée à travers les montagnes.

Elle se prolongerait toute la nuit.

Les orcs se déversèrent par la brèche, avides de pillages et de tueries.

A la grande surprise de Catti-Brie et des nains de Mithral Hall, des hauteurs s'abattirent des éclairs magiques aveuglants qui se démultiplièrent en arcs bleutés crépitants d'énergie.

Ils firent de nombreux morts parmi les envahisseurs. Beaucoup d'orcs restèrent également sonnés, ou aveuglés. Dagnabbit, Tred et les défenseurs eurent tôt fait de les tailler en pièces.

Les marteaux s'abattirent sur les crânes, les haches fendirent les chairs.

Les orcs couinèrent, leurs os broyés.

Mais les survivants tenaient toujours les portes... Et d'autres affluaient, poussant les cadavres dans leur hâte à massacrer les nains, en nette infériorité numérique.

Du haut de la tour, Catti-Brie arrosa les ennemis de traits mortels, avant de se tourner de nouveau vers Wulfgar, Bruenor et d'autres défenseurs, également sur le point d'être débordés. Au-dessus des portes enfoncées, les combats faisaient aussi rage. Le nain et le barbare, dos à dos, ferraillaient d'abondance. Bruenor avait vue sur la cour d'honneur, en contrebas, où les monstres grouillaient.

Horrifiée, Catti-Brie vit son père, après un rugissement, bondir de toute sa hauteur au milieu des orcs massés.

— Bruenor..., souffla-t-elle, le cœur au bord des lèvres.

L'intrépide disparut presque instantanément sous la masse des monstres, comme englouti par un siphon.

S'arrachant à sa fascination morbide, elle tourna son regard vers Wulfgar, seul et magnifique de courage face à la multitude sanguinaire.

Armée de son arc, elle le soutint de son mieux en foudroyant ses adversaires, tantôt à droite, tantôt à gauche. Elle surmontait ses douleurs persistantes, à la main, tout comme Wulfgar devait oublier ses blessures et son immense lassitude pour tenir sa position.

Une autre flèche, un autre orc abattu.

Où était le mérite, se demanda la jeune femme avec amertume, vu la multitude d'orcs ? Impossible de les rater...

Régis plongea derrière une grosse roche, priant pour que les orcs, tout à leur assaut, ne l'aient pas remarqué... Tremblant de terreur, il se recroquevilla. Des worgs et leurs cavaliers, des orcs, passèrent devant sa cachette, d'autres bondissant par-dessus.

Régis parviendrait-il ensuite à s'éloigner sans attirer l'attention ?

Ces nouveaux assaillants se déployèrent le long des remparts et décochèrent des flèches au jugé.

Le petit homme se redressa lentement.

Des grognements le pétrifièrent. Il découvrit des crocs baveux de loup, tout près de son visage. Et le cavalier le visait de son arc...

Désespéré, Régis exhiba son rubis magique en le faisant tournoyer.
— Je vous apporte ça !
Le worg claqua des mâchoires…

— Je les balaierai de nos remparts ! jura Withegroo, outragé.
Les bras en croix, il s'apprêta à lancer un deuxième sortilège dévastateur…
Au même instant, un boulet s'écrasa au sommet de la tour et retomba…
… Sur les jambes du sorcier. Ses yeux roulèrent dans leurs orbites. Catti-Brie et les archers coururent vers lui.
D'autres pierres percutèrent la tour. Les géants venaient manifestement de mettre leur visée au point.
— Nous ne pouvons plus rester là ! s'écria un archer.
Ses compagnons et lui soulevèrent Withegroo en douceur pour le descendre en sécurité.
— Venez ! cria l'homme à Catti-Brie.
L'ignorant, elle préféra tenir bon. Elle devait continuer à protéger Wulfgar de son mieux. Le malheureux avait désespérément besoin de soutien.
Restait à espérer qu'elle ne mourrait pas bientôt, écrasée sous un boulet.

Avec des clameurs de guerre à la gloire de Mithral Hall et du clan Battlehammer – plus une voix isolée qui criait vengeance au nom d'un frère perdu et de la citadelle Felbarr –, les nains se lancèrent à corps perdu dans la mêlée sanglante. Pourtant, au cœur même du tumulte, et à bien y regarder, ils réussissaient à rester en position défensive.
A la tête de la formation en pointe de flèche, Dagnabbit vit Bruenor sauter du haut des remparts et orienta son groupe en direction du roi. Si sa folle intrépidité lui valut d'encaisser d'entrée de jeu une dizaine de coups, Bruenor en rendit deux fois autant. Et alors que les estocs semblaient glisser sur lui, ses attaques tranchaient indifféremment les membres, les têtes et les jambes des orcs, les uns après les autres…
Il luttait sans faiblir, rugissant le nom de son clan à pleins poumons, recrachant le sang, un sourire féroce sur les lèvres… Quand les cadavres commencèrent à s'entasser autour de lui, les orcs ne furent plus si pressés d'affronter pareil fou furieux. Bruenor dut foncer sur les monstres restants pour les obliger à réagir. Terrifié par ce nain sanguinaire, les survivants préféraient souvent tourner les talons…
Inspirés par de tels exploits, les autres nains se jurèrent de n'être pas en reste. Les épées et les gourdins n'arrivaient plus à enrayer leurs élans sauvages.
Les orcs cessèrent progressivement d'affluer dans la cour ensanglantée. Sous une brume rougeâtre, au milieu des cris de douleur et de rage, la marée orc commença à se retirer.

Mais ce repli, dans la cour d'honneur, n'aurait eu aucune importance pour les défenseurs si Wulfgar n'avait pas réussi à tenir bon, en haut des remparts. Tel un robot gnome inépuisable, le barbare continuait de brandir Aegis-fang. Les orcs enjambaient les parapets… et retombaient dans le vide aussi sec.

Un assiégeant voulut renverser Wulfgar en le percutant de l'épaule, après avoir pris tout son élan… Autant vouloir renverser le rempart lui-même !

Le barbare ne bougea pas plus qu'une falaise. Et sa contre-offensive expédia le monstre dépité dans le vide.

Le suivant, un archer, mit Wulfgar en joue…

… Et reçut une flèche en pleine poitrine.

Constater que Catti-Brie veillait toujours sur lui redonna du cœur au ventre au jeune homme. Il continua à repousser les assaillants, inlassablement.

On sonna du cor. Ignorant si cela signalait l'arrivée de plus d'ennemis, ou au contraire d'alliés, les nains ne rompirent pas le combat.

En vérité, ils se battaient pour leur clan et la survie de leur roi. Rien d'autre au monde ne comptait.

Mais les derniers orcs se repliaient… Et bientôt, le combat cessa faute de combattants.

La ville avait résisté au deuxième assaut !

Pas un nain qui ne fût couvert de sang des pieds à la tête et qui n'eût l'air hébété… Tous avaient le souffle rauque.

D'un bout à l'autre de la cour, des orcs, morts ou moribonds…

Mais quel nain, quel défenseur aurait crié victoire en ces circonstances ? Les portes avaient été enfoncées, les murs étaient endommagés… Et les orcs avaient entraîné dans l'au-delà beaucoup de défenseurs, alors que pour Haut-Fond, chaque homme comptait.

— Ils reviendront, souffla Tred.

— Et nous leur flanquerons encore la raclée ! grogna Dagnabbit.

A cet instant, Bruenor voulut faire un geste… et s'effondra. Son saut suicidaire lui avait valu plusieurs coups… Une épée orc, en particulier, s'était glissée dans une faille de son armure pour lui transpercer un poumon.

Epuisé, ensanglanté, Wulfgar s'écroula à son tour. Seul le cri perçant de Catti-Brie l'arracha à son hébétude. Il baissa comme elle les yeux sur la cour, en bas…

CHAPITRE XXVI

POINTE ET CONTREPOINTE

— Il y a trop de morts ! reprocha à mi-voix le roi Obould à son fils.

Il venait d'arriver au sud de Haut-Fond et contemplait le carnage.

En dépit de sa colère et de sa déception devant la résistance acharnée des humains qui mettait ses plans en péril, Obould était content d'avoir amené plusieurs centaines de guerriers supplémentaires. En apprenant que le roi nain de Mithral Hall était piégé à Haut-Fond, maintes tribus réclamaient leur part de gloire dans le massacre annoncé...

— La ville est affaiblie, et a déjà perdu beaucoup de guerriers, elle aussi, protesta Urlgen en haussant le ton.

D'un regard menaçant, son père attira son attention sur la présence de trois chefs de clans, non loin d'eux. Ils suivaient leur conversation.

— Nous pensons que le sorcier est mort, continua Urlgen. Un boulet a ébranlé le sommet de sa tour, et on ne l'a plus revu ensuite.

— Alors pourquoi avoir détalé ?

Ironique, Urlgen renvoya le reproche à la figure de son père :

— Il y a trop de morts !

Loin de se laisser intimider par le regard noir d'Obould, le jeune arriviste bomba le torse.

— Notre prochain assaut aura raison des dernières poches de résistance ! Et avec ces renforts, ce sera vite réglé.

— Pas maintenant.

— Mais le fruit est mûr ! Il ne demande qu'à tomber !

— Il y a trop de morts, insista Obould. Demande aux géants d'abattre les murailles, que les humains n'aient plus aucun refuge. *Alors*, nous les tuerons jusqu'au dernier.

— Un géant sur deux n'est plus là, l'informa son fils.

Le roi écarquilla ses yeux injectés de sang. Il en trembla de colère.

— Ils sont aux trousses d'un éclaireur, s'empressa de préciser Urlgen.

— La moitié d'entre eux ? se récria Obould.

— Il s'agit du Drow à la panthère noire...

Obould se radoucit. Ad'non avait parlé de Drizzt Do'Urden. Donnia avait aussi averti les géants du danger. Vu toutes les révélations d'Ad'non sur cet elfe noir des plus singuliers, s'entendre dire que pas moins de cinq géants le pourchassaient n'était plus si surprenant.

— Que les autres se remettent à pilonner Haut-Fond, ordonna Obould. Et qu'on décoche des flèches de feu ! Il faut brûler cette ville, la raser, la détruire de fond en comble ! Et resserrer les rangs, que personne n'en réchappe vivant parmi nos ennemis !

Le grand sourire carnassier d'Urlgen dévoila ses crocs. Le père et le fils couvèrent d'un regard avide la ville condamnée d'avance.

A leurs yeux, son sort était inexorablement scellé.

Une grosse pierre frappa la paroi rocheuse, juste au-dessus du réfugié, l'arrosant d'éclats minéraux. La tête rentrée dans les épaules, il continua à panser sa foulure à la cheville – un ceinturon lui faisait un bandage de fortune. Cela accompli, il se redressa lentement et, les dents serrées, fit porter tout le poids de son corps sur son pied blessé... Avec succès.

Et maintenant ? Où aller ?

Une poignée de géants l'avait traqué toute la nuit. Il avait recouru à toutes les astuces de sa connaissance pour leur échapper. Revenir sur ses pas, invoquer des globes de noirceur à des points stratégiques, grimper à un arbre afin de passer par les branchages d'arbre en arbre, puis redescendre et continuer sa course dans une tout autre direction...

En pure perte. Il n'avait pas réussi à semer les chasseurs.

Qui guidait donc ces monstres ? Au premier camp de géants où Drizzt s'était présenté, ils l'avaient pris pour l'allié de Drows inconnus...

L'aube pointa. Avec la levée du jour, Drizzt perdrait son meilleur atout. Et sa fidèle compagne avait besoin de repos.

— Guen..., souffla-t-il.

La grande panthère reparut et bondit sur une excroissance rocheuse, non loin du Drow.

— Repose-toi vite, mon amie. Bientôt, j'aurai encore besoin de toi.

Guenhwyvar feula tout bas avant de se volatiliser en une petite brume grisâtre caractéristique, qui se dissipa dans le vent.

Des éclats de voix, proches... Drizzt ne devait pas traîner. Il puisa du réconfort dans le fait qu'il avait réussi à éloigner des géants du champ de bataille, en direction du nord-ouest, vers les hauts-plateaux... De temps à autre, le Drow débouchait sur une crête qui lui offrait une vue de la ville distante. Chaque fois, il espérait que ses amis s'en sortaient bien. Mieux, qu'ils avaient réussi à fuir au sud...

Un nouveau jet et des cris de colère l'arrachèrent à ses rêves. Il reprit sa fuite aussi vite que sa cheville blessée le lui permettait, négociant parfois les zones les plus délicates à quatre pattes. Mais ses forces ne tarderaient plus à l'abandonner... Alors que les géants pouvaient compter sur des ressources physiques quasi inépuisables, en comparaison avec des espèces de taille beaucoup plus petite. Drizzt ne pourrait plus fuir bien longtemps des poursuivants aussi déterminés. Et les affronter serait exclu. Un géant des glaces, deux à la rigueur, oui... Peut-être. Mais pas cinq.

Dans ce cas de figure, tout son génie guerrier ne le sauverait pas.

Il lui fallait une solution, une ligne de fuite alternative... Il la trouva sous la forme d'un orifice sombre, sous un amas de roches, au pied d'une paroi... Il crut d'abord à une simple anfractuosité, puis avisa, au fond, un trou dans le sol par où il pourrait se faufiler sans peine. A plat ventre, il inspecta les lieux de plus près. Ses sens aiguisés de créature d'Ombre-Terre lui soufflèrent qu'en fait de « trou » dans le sol, il s'agissait de quelque chose de bien plus grand et profond.

Drizzt recula à plat ventre, s'interrogeant. Voulait-il que la chasse s'arrête là ? Que les géants repartent bredouille ? Et prêtent main-forte à leurs camarades pour bombarder Haut-Fond de plus belle ?

Pourtant, quel choix avait-il ? D'une façon ou d'une autre, il fallait bien que ça se termine...

Soupirant, le Drow se glissa dans le trou à contrecœur, s'enfonçant dans les ténèbres, puis s'assit et tendit l'oreille. Il laissa sa vision s'accoutumer à l'obscurité.

Quelques minutes plus tard, il entendit les géants, au-dehors. Leurs grognements lui apprirent qu'ils savaient parfaitement où il venait de se terrer. Un filet de lumière filtra quand l'un d'eux écarta une des grosses pierres qui dissimulaient l'orifice. Après d'autres grognements, l'un d'eux suggéra de ramener des orcs en renforts, ou même une dénommée Donnia – un nom drow – pour traquer le fuyard au fond de son refuge... Un géant colla sa trogne à l'orifice pour sonder le trou. Drizzt aurait donné cher pour que Catti-Brie soit à ses côtés et décoche une flèche au monstre !

Le sol trembla... Les géants empilèrent de grosses roches sur l'orifice, le condamnant.

— Merveilleux..., chuchota Drizzt.

Il ne s'inquiétait pas outre mesure, cependant. Un filet d'air frais indiquait l'existence d'un autre débouché à ciel ouvert. Mais combien de temps le localiser lui prendrait-il ?

Quand Drizzt retournerait enfin à Haut-Fond, la ville serait-elle réduite à un charnier et à des décombres fumants ?

La morsure du worg, quand Régis avait levé le bras d'instinct pour se protéger, le lui avait pratiquement ouvert jusqu'à l'os. La vilaine plaie se colorait déjà d'une teinte violacée inquiétante... L'infection s'installerait vite.

Mais il y avait plus urgent. Régis poussait l'orc envoûté à talonner sa monture exténuée... Malgré les limites de leur vocabulaire commun, le petit homme avait réussi à persuader le monstre de l'existence d'un trésor d'exception... La créature peu intelligente avait donc durement rabroué son worg, l'obligeant à prendre Régis en croupe.

Le petit homme n'en menait pas large. Etre perché sur le prédateur hargneux l'inquiétait beaucoup.

La nuit cédant la place au petit jour, l'envoûtement diminuait progressivement... Régis recourait de plus en plus au rubis magique pour garder l'orc sous sa coupe. Fort des techniques qu'il avait su perfectionner dans les rues de Calimport, il bombardait le monstre de visions séduisantes.

Le worg, en revanche, n'était nullement influençable. La seule tentation, en ce qui le concernait, était de mordre de nouveau à belles dents le nabot qui avait osé se hisser sur son dos... En outre, les orcs n'étaient pas connus pour leur patience...

Pire, Régis vacillait au bord de l'évanouissement. S'il finissait par tourner de l'œil, c'en serait fait de lui. Son bras blessé le lançait de plus en plus, et la douleur aiguë le désorientait.

Il repensa à ses amis. Pas question d'échouer maintenant ! Il fallait foncer au sud le plus longtemps possible, avec l'espoir qu'une occasion de se débarrasser du worg et de son maître se présenterait bientôt, ou mieux, qu'il pourrait leur fausser compagnie. En tout cas, à pied, Régis n'aurait jamais couvert une telle distance en si peu de temps.

A l'aube, ils étaient en vue des montagnes du Sud...

L'orc voulait dormir. Mais dès qu'il fermerait l'œil, le worg n'aurait rien de plus pressé que de dévorer Régis.

— Nous bivouaquerons dans la montagne, ordonna le petit homme. Si nous campons ici, les nains nous trouveront.

Grommelant dans sa barbe, l'orc s'exécuta.

A l'approche des contreforts, Régis eut l'œil à tout, en quête d'un endroit propice où s'éclipser sans crier gare... Une petite déclivité, des ronces ou un cours d'eau tumultueux qui l'emporterait au loin avant que ses compagnons éreintés n'aient le temps de réagir...

Il entrevit deux ou trois possibilités, mais s'abstint, la peur au ventre. Il tenta de se redonner du courage en repensant aux épreuves que traversaient ses amis, au nord, mais... il n'arrivait pas à se décider.

Vu les plaintes croissantes de l'orc, pourtant, le petit homme devrait bientôt agir.

— On campe ! grogna le monstre.

Régis chercha désespérément une issue des yeux. Il considéra son fléau d'armes, suspendu à son ceinturon...

Le tirer séance tenante et fendre en deux le crâne du worg ? Y arriverait-il du premier coup ? Il en doutait. Même sans sa blessure au bras, il ne ferait jamais le poids contre un worg, et il le savait. Le loup sauvage refermerait les mâchoires sur sa gorge avant qu'il ait pu lui faire grand mal...

Seul l'orc empêchait encore le worg de lui régler son compte.

Régis faillit mordre la poussière quand leur monture s'arrêta soudain. Il s'empressa de sauter à terre. Le worg fit mine de le mordre... Un coup de pied de son maître le rappela à l'ordre.

Le loup s'écarta, son regard luisant de haine rivé sur le petit homme. Dès que l'orc s'endormirait, le destin de Régis serait scellé.

La petite clairière nichée au pied des montagnes était bordée par des arbres. Epuisé, blessé, la peur au ventre, le petit homme entreprit de grimper sur l'un d'eux.

— Où vas-tu ? grogna l'orc.

— Je prends la première garde.

— Le loup s'en charge.

La bête grogna, révélant ses crocs sur un rictus hargneux.

— Moi aussi ! protesta Régis.

Il continua à grimper aussi vite que son bras blessé le lui permettait, histoire de se mettre hors de portée des monstres.

Il se cala sur une branche haute, dos au tronc et s'assura qu'il ne pourrait pas chuter dans son sommeil. Tous les trois avaient besoin de repos, de toute façon. Naturellement, si le worg tombait raide mort d'épuisement dans la nuit, Régis ne verserait pas des larmes de sang…

Ses regards obstinément tournés vers le nord, il repensait sans cesse à ses amis en difficulté.

Etaient-ils toujours de ce monde ?

— Trois édifices sont en flammes, annonça Dagnabbit à Catti-Brie et à Wulfgar.

Les jeunes gens restaient au chevet de Bruenor.

On avait installé une infirmerie de campagne dans les tunnels de service qui couraient sous la tour de Withegroo, permettant aux inspecteurs de vérifier régulièrement la solidité des fondations. C'était en fait la section la plus robuste de l'édifice, car les nains bâtisseurs engagés par le sorcier avaient commencé par les tunnels, les renforçant pour résister tant aux variations climatiques qu'aux assauts ennemis. Au cours des mois consacrés à la construction, ces tunnels avaient servi de refuge comme de quartiers généraux.

Mais vu leur exiguïté, ce n'était pas l'infirmerie idéale… Réunis dans le seul endroit qu'on pouvait considérer comme une pièce, les amis avaient néanmoins du mal à tenir debout – surtout Wulfgar.

— La plupart des logis sont pourtant en pierre ! lança Catti-Brie.

— Oui, mais avec beaucoup de bois comme structures d'étai, souligna Dagnabbit en s'asseyant au chevet de son roi. Les géants nous ont jeté des brandons avec leurs boulets. Et ça n'arrête plus.

— Ceux-là sont bien organisés, soupira Wulfgar.

— En effet, répondit le jeune commandant. Et ils nous coupent le sud. Nous n'avons plus d'échappatoire possible. (Il regarda Bruenor, si pâle et si faible… Sa respiration soulevait à peine sa poitrine.) A part ces tunnels…

Le blessé les surprit tous en rouvrant les yeux et en tournant la tête vers Dagnabbit.

Catti-Brie se leva aussitôt… Mais il venait de replonger dans un état semi-conscient.

— Où est Rocfond ? demanda-t-elle.

Elle parlait du prêtre qui était resté avec eux quand le corps expéditionnaire des nains avait formé deux groupes.

— Il tente de soigner Withegroo…, répondit Dagnabbit. Hélas, je pense que c'en est fini de notre pauvre sorcier. Rocfond a dit qu'il avait fait tout son possible pour Bruenor. Maintenant, il faut attendre. Et lui comme moi pensons que nous aurions pourtant besoin de Withegroo pour fuir ce traquenard.

Catti-Brie réprima sa folle envie de se répandre en imprécations contre Dagnabbit. Il ne faisait qu'exposer les faits… Au fond, il était aussi bouleversé qu'elle, mais tentait de garder son sang-froid. Avant tout, c'était un être pragmatique. Commandant en chef des armées de Mithral Hall, il choisissait toujours la voie la plus prometteuse, la solution susceptible d'apporter les meilleurs résultats. Il ne laissait pas les émotions lui dicter sa conduite.

Catti-Brie comprit qu'en réalité, il était aussi frustré et courroucé par leur impuissance, alors que Bruenor se mourait à petit feu sous leurs yeux…

Dagnabbit retira à son roi le fameux heaume à une corne.

— Même si nous trouvions un moyen de fuir ces lieux, j'ignore s'il serait transportable, ajouta-t-il à voix basse.

Wulfgar se redressa aussitôt – manquant se cogner le crâne à la voûte…

— Tu l'abandonnerais ici ? rugit-il, scandalisé.

— Si l'emmener nous interdisait tout espoir de fuir nos ennemis, alors oui, avoua Dagnabbit sans se laisser intimider. Bruenor lui-même refuserait de partir avec nous pour voir mourir ceux qu'il aime… et tu le sais.

— Ramène Rocfond ici pour qu'il le soigne mieux que ça !

— Rocfond l'a dit, il ne peut plus rien pour lui. Tu l'as entendu comme moi. Ces maudits orcs lui ont perforé un poumon ! Il faudrait à Bruenor un bien meilleur prêtre que Rocfond pour le tirer de là… Plusieurs, même !

Wulfgar faisant mine de s'en prendre à Dagnabbit, Catti-Brie s'interposa. Dans le regard plein de compassion qu'elle posa sur lui, le barbare lut une complète compréhension de ses frustrations.

Frustrations qu'elle partageait…

— Prenons les jours comme ils viennent, et faisons au mieux…, souffla-t-elle.

— Si nous fuyons vers le sud, je porterai moi-même Bruenor jusqu'à Mithral Hall, s'entêta Wulfgar, avec un regard sévère pour Dagnabbit.

Le nain hocha la tête.

— Dans ce cas, mes guerriers et moi ferons tout pour empêcher les orcs de vous rattraper…

L'assurance calma le jeune homme. Catti-Brie et Dagnabbit avaient pourtant autant conscience l'un que l'autre qu'ainsi parlait le cœur, non la raison. En vérité, en parler semblait tellement vain… Dans les heures qui avaient suivi le dénouement du deuxième assaut, quelques éclaireurs avaient pris le risque de quitter la ville assiégée pour glaner des informations sur les positions ennemies. Leurs rapports sur l'afflux des orcs n'avaient pas permis d'espérer une quelconque amélioration de la situation. Et comment fuir ?

Ils étaient pris au piège.

Bruenor se mourait.

Drizzt et Régis avaient disparu.

Et les restants étaient réduits à l'impuissance...

Comme à l'appui de cet amer constat, un nouveau jet de pierres fit trembler la tour sur ses assises, au-dessus de l'infirmerie. Des cris se répercutèrent le long des tunnels...

Au feu !

— Nous en sommes déjà à trente morts, dit Dagnabbit.

— Soit un tiers de la population, soupira Catti-Brie.

— Et ceux-là étaient l'élite des combattants... Deux de mes guerriers ont trouvé la mort, cinq autres sont trop grièvement blessés pour reprendre le combat. Si nos ennemis reviennent à la charge, je ne suis pas sûr que nous arrivions encore à les repousser...

— Nous tiendrons le choc, jura Wulfgar, les dents serrées.

— Après t'avoir vu lutter en haut des remparts, j'y croirais presque...

— Presque ? releva Catti-Brie.

Dagnabbit haussa les épaules.

— Nous tiendrons bon, dit la jeune femme. Ou nous mourrons.

— Nous devons sortir de là, observa Dagnabbit.

— Ou obtenir de l'aide, ajouta Catti-Brie. Régis a quitté la ville sous mes yeux en sautant par-dessus la muraille. J'ignore s'il a péri ou s'il est parti chercher des renforts. Car juste après son saut, j'ai vu survenir des orcs montés sur des worgs...

Après la bataille, les amis avaient cherché en vain Régis aux abords de la ville. Le petit homme était-il prisonnier ? Mort ? En fuite ?

— Même s'il a réussi à échapper à l'ennemi, dit Dagnabbit, je ne vois pas en quoi ça risque d'améliorer notre situation... Combien de temps lui faudra-t-il pour retrouver Pointepique ? En outre, la brigade Nazetripe ne suffirait pas. Il nous faudrait une armée en renfort !

— Ça prendra le temps que ça prendra, répondit Wulfgar. En attendant, nous devons tenir bon.

Dagnabbit parut sur le point de protester, puis il poussa un long soupir.

— Catti-Brie, reste près du roi Bruenor. Si quelqu'un peut faire que son cœur continue de battre, c'est bien toi... Veille sur lui en notre nom à tous, et fais-lui nos adieux s'il passe de l'autre côté.

« Wulfgar, veux-tu nous aider à renforcer les défenses qu'il nous reste ?

Après un long regard à Catti-Brie, le barbare se redressa et partit restaurer les défenses.

Ou, effectivement, ce qu'il en restait.

Régis revint à lui en sursaut alors qu'il allait glisser de son perchoir. Réalisant la précarité de sa situation – à plus d'un titre –, le petit homme eut fort à faire pour empêcher son cœur emballé de bondir hors de sa poitrine... Si la chute en elle-même ne lui eût sans doute pas coûté la vie, Régis savait trop bien ce qui l'attendait au pied de l'arbre... Un worg hargneux.

Se calmant, le petit homme regarda le campement impromptu. A l'abri de roches, l'orc ronflait comme un sonneur. Et le worg s'était en effet lové au pied de l'arbre.

Merveilleux..., songea Régis.

La journée s'annonçait radieuse.

Comment fausser compagnie aux monstres ? Le temps pressait. Le petit homme savait qu'il n'aurait pas de seconde chance. A son réveil, l'orc le considérerait-il toujours comme un ami ? Serait-il encore aveuglé par les promesses éblouissantes de trésors somptueux et d'armes nouvelles ? Sinon, comment réutiliser le rubis magique sur lui ? Comment se rapprocher assez d'un orc hostile flanqué d'un worg affamé rêvant manifestement d'un petit homme dodu à son menu ?

La tête enfouie entre ses mains, Régis faillit éclater en sanglots. A quoi bon tout ça ? Tous les efforts qu'il avait consentis pour en arriver là ? Il aurait donné cher pour n'avoir jamais quitté Haut-Fond et ses amis. Quitte à mourir, autant que ce soit près de Bruenor et des autres, ceux avec qui il avait fait tellement de chemin !

Mais pas en étant dévoré vif par un worg dans un défilé de montagne...

— Arrête ! se morigéna-t-il, un ton trop haut.

Au pied de l'arbre, le worg releva le museau, grogna longuement puis reposa la truffe sur ses pattes croisées.

— Ce n'est pas le moment de t'apitoyer sur ton sort, reprit Régis à voix basse, en se parlant à lui-même. Tes amis ont besoin de toi. Alors ? Que vas-tu faire ? Rester assis là à te lamenter ?

Se redressant sur son perchoir, il secoua la tête avec une détermination nouvelle. Le geste de défi lui valut de raviver ses douleurs, au bras. Il était temps de se risquer à réveiller l'orc en espérant qu'il serait toujours sous l'emprise du rubis ensorceleur. Ou sinon, d'aviser. S'il devait combattre les monstres, il en serait ainsi. Les responsabilités de l'amitié n'en exigeaient pas moins de lui.

Se sentant plus fort, Régis s'allongea sur sa branche, trouva un point d'appui juste dessous et descendit.

Un projectile insolite l'arrêta net.

Une vieille botte...

Le worg bondit pour la happer au vol et la réduire instantanément en charpie.

Mal lui en prit car ses claquements de dents hargneux provoquèrent une série de petites explosions – assez violentes toutefois pour le catapulter dans une spectaculaire roulade arrière…

La plus curieuse des créatures que Régis ait jamais croisées entra en scène : un nain à la barbe verte, vêtu de tuniques assorties, des sandales glissées à ses pieds crottés… Une marmite en guise de heaume complétait le tableau cocasse.

Le nain ridicule fonça sur le pauvre worg tout ébouriffé en agitant les doigts et en remuant les lèvres.

Cessant de geindre, le gros loup s'immobilisa, les yeux ronds comme des soucoupes.

Puis, la queue entre les jambes, il détala en gémissant.

— Hi hi hi ! triompha le drôle de nain.

— Quoi ? rugit l'orc réveillé en sursaut.

Son cri de protestation fut brutalement écourté. Normal, un coup de hache venait de lui broyer le crâne.

Apparut un deuxième nain, à la barbe jaune d'or celle-là, en tenue plus traditionnelle – n'était le heaume grandiose couronné des andouillers d'un cerf dominant.

— Tu aurais dû tuer ce sale loup galeux ! grogna-t-il, irrité. J'ai l'estomac dans les talons !

Alors que le nain à barbe verte agitait un index plein de reproche, Régis se hâta de descendre de son arbre – aussi vite du moins que sa blessure le lui permettait.

— Qui êtes-vous ?

Les deux nains pivotèrent vers le nouveau venu. Le blond faillit lui décocher sa hache sans autre forme de procès.

— Je ne suis pas l'ami des orcs… contrairement à toi ! rugit-il.

Le bras blessé serré contre son flanc, Régis agita l'autre en signe de dénégation.

— Non, ce n'est pas ce que vous croyez ! J'arrive de Haut-Fond !

Les deux nains se regardèrent, les sourcils levés. Le nom ne leur disait rien.

— Et le roi Bruenor Battlehammer, vous connaissez ?

— Ah là, oui ! Ivan Larmoire, à ton service, petit homme ! Et voilà mon frère…

— … Pikel ! s'écria Régis.

Drizzt et Catti-Brie lui en avaient souvent parlé… sans le préparer en vérité au choc de la réalité.

— Exact, répondit Ivan. Alors… Comment le sais-tu, et que fichais-tu avec ces deux monstres-là ?

— Le temps presse ! Bruenor est en difficulté ! Ils le sont tous ! Je dois rallier Mithral Hall… non, le camp de Gaspard Pointepique, au nord !

— C'est précisément là que nous allons. Nous avons fait un détour, mais un oiseau a renseigné mon frère. Un autre l'a averti au sujet de l'orc et de son loup.

— Pikel parle aux oiseaux ?

— Et aux arbres aussi. Viens. Nous y serons plus rapidement que tu ne crois.

Au nord du Val du Gardien, près de Mithral Hall, Régis et les frères Larmoire tenaient un conseil de guerre avec Gaspard Pointepique et les chefs du second avant-poste nain.

— Le temps joue contre nous ! insista le petit homme. Bruenor et les autres ne tiendront pas quatre jours de plus.

— Trois jours, alors ! grogna un des chefs, Voiturette Tirepierre.

— Trois, c'est encore trop ! protesta Pointepique, qui ne tenait plus en place.

Il brûlait d'envie de foncer au nord. Seuls les ordres du roi l'avaient retenu jusque-là.

— Nous sommes à peine cent ! rappela Voiturette. Et d'après le rapport du petit homme, ça ne suffira jamais !

— Vous avez les Nazetripe ! brailla Gaspard. Les orcs seront vite débordés, croyez-moi !

— Et vous avez des prêtres, renchérit Régis, qui ne tenait plus en place non plus.

Ses amis auraient certainement besoin de magie thérapeutique.

Soupirant, Voiturette mit les poings sur les hanches.

— Nous pourrions encore leur sauver la mise, c'est vrai, si nous arrivons à entrer dans la ville assiégée... Renforcer les défenses, soigner les blessés... Mais la tâche paraît fichtrement ardue.

Pikel sautilla vers son frère et lui chuchota quelque chose à l'oreille, tout excité. Intrigués, les autres se turent, même s'ils ne comprenaient pas un mot sur trois.

Ivan se chargea des explications.

— Mon frère a des baies qui vous aideront à marcher plus vite, à oublier d'avoir faim, soif et sommeil... Nous couvrirons la distance en un rien de temps.

— Rallier Haut-Fond me paraît l'étape la plus facile, de toute façon observa Voiturette.

Pikel recommença à murmurer à l'oreille de son frère.

Renfrogné, celui-ci ne cacha pas son scepticisme face à cette nouvelle suggestion. Il secoua la tête. Pikel insista, tout excité.

Ivan l'écouta attentivement.

Enfin, son frère s'écarta, soutenant son regard incrédule.

— Tu crois ?

— Hi hi hi !

— Eh bien, expliqua Ivan, embarrassé, il a un plan, aussi fou soit-il...

Gaspard brandit un poing au ciel.

— Oui !

— En tout cas, continua Ivan Larmoire, un plan, c'est un plan... Tu crois vraiment, Pikel ?

— Hi hi hi !

— Eh bien ? grommela Voiturette.

— Vous avez des grands chariots ? Le genre solide ?

— Oui, répondit Voiturette.

— Et beaucoup de bois ? Surtout les grosses poutres qui servent d'étai ? Voiturette Tirepierre hocha la tête.

— Eh bien, rassemblez tout ça au plus vite, et préparons-nous au départ, conclut Ivan.

— C'est quoi, ce plan ? s'impatienta Voiturette.

— Mieux vaudrait que je vous en parle en chemin. Au lieu de rester là à jacasser pendant que les pires dangers guettent notre roi... Et puis, à dire vrai... (Ivan regarda son frère ravi avant d'avouer :) Quand vous saurez, vous regretterez déjà de ne pas avoir plutôt attendu notre armée pour partir...

— Hi hi hi ! s'extasia Pikel.

Dans l'heure, les cent nains et Régis eurent quitté l'avant-poste. Leur charroi était chargé de tonnes de bois très solide. Loin de marcher ou de tirer, Pikel papillonnait de chariot en chariot pour investir le bois de propriétés purement druidiques en considérant la place de chaque poutre, chaque rondin dans sa structure globale. Il gloussait comme un petit fou.

Peu importait la gravité de la situation, alors que les nains appelés en renforts étaient sur le point de livrer une bataille désespérée, Pikel gloussait toujours.

CHAPITRE XXVII

QUAND TOUT ESPOIR EST PERDU

A la chiche lumière d'une chandelle, Catti-Brie veillait son père bien-aimé. Il avait une mine de cendre. La jeune femme savait qu'il ne s'agissait pas d'un jeu de lumière. La poitrine du nain se soulevait à peine. Les bandages que Catti-Brie venait de changer s'étaient très vite imbibés de sang frais.

Un autre boulet ébranla les édifices environnants. Le bombardement se poursuivait, inlassable. Il avait même gagné en férocité. Toutes les vingt pierres, en moyenne, les géants lançaient en outre des brandons qui multipliaient les départs de feu dans la ville martyre. Rien que pour la tour du sorcier, les défenseurs avaient déjà circonscrit trois incendies.

Selon Dagnabbit, l'intégrité structurelle de la tour était gravement affaiblie.

Hélas, il n'y avait nulle part où transférer Bruenor et les autres blessés.

Les yeux rivés sur son père mourant, Catti-Brie revoyait en mémoire tout ce qu'il avait fait pour elle, les aventures vécues en commun...

Sa raison lui répétait que tout était fini.

Obstinément, son cœur vaillant lui chuchotait que tout espoir n'était pas perdu.

En vérité, il s'agissait bel et bien d'une veillée funèbre. A quoi bon refuser de regarder la vérité en face ? Dès que Bruenor rendrait son dernier soupir, les survivants sortiraient de leur trou, escaladeraient les murailles et tenteraient le tout pour le tout en fuyant au sud...

Ce serait leur dernier espoir d'en réchapper.

Comment croire que Catti-Brie puisse rester assise là, à regarder son père mourir ? Comment imaginer que ce noble cœur puisse s'arrêter de battre, cette mâle poitrine ne plus se soulever au rythme de ses inspirations... ?

Elle avait toujours pensé que le nain lui survivrait.

Par le passé déjà, elle l'avait cru mort, alors qu'il chevauchait l'Ombre-dragon, dans le défilé de Mithral Hall... Elle se rappelait le vide terrible qui s'était emparé d'elle à cette perspective, son sentiment d'impuissance, l'impression de vivre des instants irréels...

Une expérience qu'elle revivait maintenant. Mais cette fois, elle verrait véritablement son père mourir, de ses yeux, sans espoir d'un quelconque miracle pour le sauver...

Une main se posant sur son épaule, elle se retourna vers Wulfgar, qui l'avait rejointe. La jeune femme s'abandonna contre lui.

— Comme je voudrais que Drizzt revienne..., avoua-t-il à voix basse. Et Régis aussi... En de tels moments, nous devrions être tous réunis.

— Pour assister à la fin de Bruenor ?

— Pour tout. La fuite vers le sud, ou la mort ici. Ce serait plus juste.

Les deux jeunes gens se turent. Ils n'avaient plus besoin des mots pour communier. Ils avaient les mêmes souvenirs et ressentaient les mêmes choses.

Au-dessus, le bombardement continuait.

— Tarathiel, combien d'orcs y a-t-il ? demanda Innovindil.

Loin de leur forêt des Sélénæ, les deux elfes traversaient la nuit sur leurs montures ailées... Innovindil devait crier pour se faire entendre par-dessus la brise.

— Assez pour compromettre la sécurité de nos propres foyers ! répondit son époux.

Ils survolaient les contreforts, au nord de Haut-Fond, où brillaient les centaines de feux de camp de l'ennemi. La ville était en partie la proie des flammes. A commencer par la fameuse tour solitaire...

Les elfes se posèrent sur une haute corniche pour tenir conseil.

Tarathiel fut ému par l'expression d'Innovindil. Mais comme toujours, il était la voix de la raison.

— Nous ne pouvons pas leur venir en aide. A supposer que nous allions chercher notre clan au grand complet, nous ne retournerions jamais ici à temps pour inverser le cours des choses... C'est fichu. D'ailleurs, nous ne devrions même pas le tenter. Notre responsabilité va avant tout à notre chère forêt. Si ce fléau noir fonce ensuite vers l'est et traverse la Surbrin, nous connaîtrons à notre tour la guerre bien assez tôt.

— Tu as raison, reconnut Innovindil. Mais si nous pouvions, par notre intervention, sauver quelques-uns de ces malheureux, malgré tout... ?

Prenant l'air résolu, Tarathiel secoua la tête.

— Nous serions aussitôt assaillis par les traits des archers orcs... Et dès que Crépuscule et Aube s'écraseraient au milieu d'eux, mortellement blessés, de quelle utilité serions-nous pour les assiégés ? Nous serions vite massacrés, nous aussi, sans y avoir changé quoi que ce soit. Pire, qui irait ensuite prévenir notre peuple ?

La mort dans l'âme, Innovindil dut se rendre à l'évidence. Son époux et elle n'y pouvaient strictement rien.

Regarder Haut-Fond mourir leur creva le cœur. Car si les elfes des

Sélénæ n'avaient pas noué de liens amicaux avec les populations humaines de ces contrées, ils n'étaient pas pour autant leurs ennemis.

Innovindil et Tarathiel assistèrent à la tragédie.

Sa foulure à la cheville rendait l'ascension d'autant plus ardue. A la force du poignet, principalement, Drizzt remontait la longue cheminée naturelle.

Le jour déclinait.

Le Drow marqua une pause. Le pire, dans sa situation ? Il avait conscience qu'il venait de passer deux journées entières piégé sous terre. L'étendue du réseau souterrain l'avait stupéfait. L'explorer en quête d'un débouché à la surface lui avait pris pas moins de quarante-huit heures... Guidé par de l'air frais, le Drow s'était néanmoins heurté à de nombreux cul-de-sac, à des crevasses et à des orifices trop exigus pour qu'il s'y faufile.

Cette cheminée ne s'étrécissait-elle pas trop vers le haut, là où brillait encore un maigre carré de lumière ? Refusant de céder au découragement, Drizzt persévéra.

Et ses pires craintes lui furent confirmées quand il crut être arrivé au bout de ses peines.

Par le trou à ciel ouvert, il pourrait au mieux passer la tête, ou un bras. Pas davantage.

Se rappelant que ses amis avaient besoin de lui, le Drow entama courageusement la descente.

Une heure plus tard, il marchait aussi vivement que le lui permettaient sa cheville enflée et l'épuisement qui le guettait. Il envisagea de rebrousser chemin, à l'endroit où les géants avaient empilé des pierres, avec l'espoir de parvenir à les déloger pour s'extirper de là. Mais il secoua la tête.

Des heures passèrent encore avant que le Drow ne déniche une autre ouverture – assez large, celle-là. Il émergea au grand soleil, laissant sa vision s'accoutumer au changement brutal de luminosité. Il prit le temps d'étudier son environnement, en quête d'une caractéristique géologique qui le mettrait sur la voie. Mais l'angle avait changé... Observer le soleil permettait de repérer les quatre points cardinaux. Drizzt s'orienta vers le sud. Il espérait retomber bientôt sur le défilé Fell, et de là, rejoindre Haut-Fond.

Il arracha une de ses manches pour resserrer son attelle de fortune, à la cheville, puis se remit en route au mépris de la douleur qui le tenaillait. Le soleil atteignit son zénith avant d'entamer sa course vers l'ouest.

Des heures plus tard, Drizzt retrouva le défilé Fell, et un terrain familier. Gagné par un sentiment d'urgence, il longea les contreforts, en direction de l'est. Peu après, il discerna une lueur distante, au sud-est. Il gravit une colline pour avoir une meilleure vue et vit, dans le lointain, des flammes s'élancer à l'assaut des nuées.

La tour de Withegroo...

Le cœur battant à tout rompre, Drizzt courut. Du nord au sud, une boule de feu zébra le ciel… et s'abattit sur la ville en voie de destruction.

Loin de bifurquer au sud, le Drow fonça droit sur la position des géants, déterminé à leur mettre des bâtons dans les roues. Sa main vola vers sa figurine en onyx.

— Sois prête, Guenhwyvar… Nous livrerons bientôt bataille !

Dans la nuit, un incendie faussait grandement les distances, rendant hasardeuse toute évaluation. Si le chemin lui parut long pour atteindre enfin les géants, Drizzt n'en fut pas autrement surpris. Il gagna la bordure nord du ravin, face à Haut-Fond, et vit distinctement les défenseurs courir en tout sens. Leur activité se concentrait autour de la tour en flammes.

Celle des géants aussi.

Drizzt posa sa figurine sur le sol, résolu à invoquer la panthère et à foncer au milieu des monstres. Mais dans la fumée et l'obscurité, il discerna soudain un heaume à une corne caractéristique… et une silhouette familière qui en était coiffée, perchée au sommet de la tour.

Le Drow sourit.

— Nargue-les, Bruenor !

Des projectiles percutèrent la tour, soulevant des gerbes d'échardes et de crépitements.

Le nain resta en position pour guider les forces d'intervention, au sol.

Soudain, dans un grondement de fort mauvais augure, Drizzt affolé vit la tour pencher dangereusement… et s'écrouler.

Le malheureux nain, qui s'était trouvé au sommet, fut enterré vif sous des tonnes de pierres.

Hébété, Drizzt ne réalisa même pas que ses jambes ne le portaient plus, et qu'il venait de s'écrouler à son tour dans la poussière.

Aucun être vivant au monde ne pourrait en réchapper.

Le Drow se sentit glacé jusqu'aux os. Ses yeux mauves se remplirent de larmes.

— Bruenor… Bruenor… !

Il tendit les mains, griffant l'air.

CHAPITRE XXVIII

S'INCLINER DEVANT LE MAUVAIS DIEU

Aveuglée, Catti-Brie avait les épaules et les bras écorchés. Des tonnes de poussière virevoltante menaçaient de l'étouffer. Dans le tunnel en partie effondré, elle chercha son père à tâtons. Par chance, l'aire où Bruenor reposait avait été épargnée par la catastrophe. Penchée sur lui, Catti-Brie lui palpa le visage en douceur puis approcha l'oreille de sa bouche, soucieuse de vérifier qu'il respirait toujours.

Elle pivota pour essayer de s'orienter et trouver le chemin le plus court vers la surface. Mais... devait-elle remonter ? Après la chute de la tour de Withegroo, les orcs avaient-ils envahi la ville ? N'aurait-elle pas plutôt intérêt à rester cachée là, près de son père, avant de tenter de fuir au sud plus tard ?

Ça paraissait plus sûr. Mais Wulfgar était là-haut, en train de se battre comme un forcené aux côtés de Dagnabbit et des vaillants défenseurs... Les malheureux livraient leur ultime combat.

Catti-Brie rampa au pied du mur proche et entreprit de creuser la terre. Les ongles cassés, les doigts en sang, elle s'obstina. Au-dessus, la terre trembla, menaçant de s'écrouler encore...

Au risque de périr ensevelie vive d'un instant à l'autre, Catti-Brie persévéra. L'épuisement menaçait aussi de la terrasser...

Quand elle fut devant une pierre trop grosse à bouger, elle continua à creuser sur les côtés... et sursauta en **la** voyant glisser.

La lumière du jour filtra lorsque Wulfgar, la pierre dégagée, apparut par l'ouverture. Il tendit la main ; Catti-Brie se laissa hisser hors du petit tunnel.

— Bruenor ? fit le barbare.

— Son état n'a pas changé. Notre « infirmerie » a été épargnée par l'effondrement. Les constructions des nains sont solides.

La jeune femme regarda autour d'elle. La tour s'était à demi écroulée sur elle-même. Comme beaucoup d'autres édifices. Les murailles ? Des décombres fumants... Au sud, dans le lointain, on entendait l'ennemi sonner du cor et battre le tambour… L'assaut final ne tarderait plus. Les survivants se battraient jusqu'à la mort, de rue en rue, puis de tunnel en tunnel.

L'expression stoïque de Wulfgar aida Catti-Brie à trouver encore le courage d'affronter pareille situation. Avant que les orcs n'aient sa peau, Wulfgar en entraînerait plus d'un avec lui dans la tombe. Et la jeune femme se jura qu'elle ne serait pas en reste.

Elle sourit.

Wulfgar lui jeta un coup d'œil intrigué.

— Au moins, expliqua-t-elle, nous mourrons les armes au poing, en beauté !

C'était ça, ou s'écrouler dans la poussière et pleurer à chaudes larmes.

Les deux jeunes gens se prirent par les épaules.

— Ils arrivent !

Wulfgar et Catti-Brie se retournèrent vers Tred, qui arrivait vers eux. Meurtri et ensanglanté, il brûlait encore visiblement d'en découdre. Une main cachée dans le dos, il tenait de l'autre sa hache à double lame.

Wulfgar désigna le tunnel de l'infirmerie, où se trouvait Bruenor, et ses abords.

— Nous tiendrons ces quatre positions, expliqua-t-il, puis nous nous regrouperons là-devant.

— Et ensuite ? demanda Tred.

— Nous nous replierons dans les tunnels, ou ce qu'il en reste, répondit le barbare. Que les orcs rampent donc à notre poursuite et se fassent massacrer les uns après les autres, jusqu'à ce que nous n'ayons plus la force de lever le bras !

Tred hocha la tête. Même si, comme tous les survivants, la futilité de la situation ne lui échappait pas… Qu'ils se battent jusqu'à leur dernier souffle n'y changerait rien. Les orcs les plus sanguinaires traqueraient certainement leurs proies dans les tunnels, mais tôt ou tard, ces créatures mauvaises comprendraient que le temps jouait pour eux. Pire, ils auraient l'idée de débusquer les derniers survivants en boutant le feu dans les tunnels.

— Mourir aux côtés de votre roi et de ses dignes enfants est un honneur, assura Tred, l'air sombre. Dagnabbit était un vaillant guerrier… La citadelle Felbarr se serait félicitée d'accueillir un chef de cette trempe. Si seulement nous avions le temps d'exhumer sa dépouille pour lui donner une sépulture décente…

— La tour est une dernière demeure digne de Dagnabbit, assura Wulfgar. Il s'est dressé à son sommet pour défier nos ennemis et dans sa chute, il a invoqué les dieux nains… Il savait qu'il mourrait comme il a toujours vécu : avec honneur, courage et dignité. Son peuple et son clan honoreront sa mémoire.

Un silence recueilli salua la vibrante oraison funèbre. Tous trois baissèrent la tête en hommage à l'âme vaillante.

Dagnabbit était tombé au champ d'honneur.

— Bon…, soupira Tred. J'ai des orcs à étriper.

Il tourna les talons après avoir salué une dernière fois les jeunes gens et s'en fut organiser les derniers groupes de résistants pour défendre trois des positions désignées.

Peu après, le bombardement s'accéléra encore. Mais cette fois, les décombres offraient une multitude de refuges aux survivants. Et de toute façon, il restait peu de choses à détruire. Les géants devaient surtout chercher à irriter leurs adversaires.

Le déluge de pierres cessa, et les orcs chevauchant des worgs entrèrent en scène avec des rugissements.

Surgie de derrière un monticule pierreux, Catti-Brie donna le signal en décochant une flèche à la tête d'un worg. Son cavalier désarçonné fut catapulté dans les airs. Les orcs affluant de tout côté, il suffisait de tirer pour être sûr de faire mouche à tous les coups... Catti-Brie multiplia les tirs, arrivant parfois à toucher deux orcs en même temps.

Mais ça ne brisait pas l'élan des monstres.

A grands moulinets furieux, Wulfgar trancha dans les chairs sans relâche, expédiant ses victimes à des mètres en arrière tant il portait ses coups avec violence.

Aux côtés des jeunes gens, les derniers défenseurs de Haut-Fond, humains et nains, livraient un combat âpre. Aucun coup ne semblait pouvoir les atteindre, les cadavres orcs et worgs s'empilant devant eux...

Mais ça ne pouvait pas durer. Les assaillants étaient trop nombreux. En dépit de leur frénésie désespérée, les défenseurs en avaient conscience.

Wulfgar balayait tout devant lui, maniant inlassablement Aegis-fang. De temps à autre, une des créatures parvenait à tromper sa garde... et s'écroulait, foudroyée par une flèche de Catti-Brie.

Le carquois magique de la jeune femme ne se vidait jamais. Chaque fois qu'elle en avait la possibilité, Catti-Brie visait un worg plutôt qu'un orc, d'avis que les loups étaient plus dangereux que leurs maîtres. Mais pour l'essentiel, viser était inutile, dans la masse grouillante de l'ennemi...

Alors que Wulfgar livrait le plus magnifique combat de sa vie, l'issue de la bataille, inexorable, ne faisait pas l'ombre d'un doute.

Catti-Brie décocha une flèche, une autre, virevolta pour occire un orc à bout portant, et un deuxième, un troisième...

Elle faillit appeler Wulfgar à l'aide, se reprit de justesse... La moindre distraction serait fatale au jeune homme assailli de toute part. Armée de Taulmaril, Catti-Brie repoussa ses agresseurs avant d'empoigner Khazid'hea pour dévier un jet de lance, sur sa droite. Elle riposta en se fendant pour poignarder au torse l'orc qui venait de l'attaquer. Puis elle para le coup d'épée d'un deuxième adversaire qui, en combat singulier, n'aurait jamais fait le poids contre la jeune femme.

Mais Catti-Brie affrontait trois orcs acharnés à la prendre en tenailles. Derrière elle, Wulfgar frappait sans relâche. Elle l'entendit encaisser un coup, et grogner de douleur.

Hélas, ils ne pouvaient plus s'aider l'un l'autre.

Catti-Brie revint à la charge avec une hargne nouvelle, détournant les coups. Gagnée par un sentiment croissant de frustration, elle se battait comme une furie pour de maigres résultats, parvenant à peine à repousser ses assaillants.

L'orc qui se trouvait devant Catti-Brie bougea soudain d'une façon qu'elle n'aurait pas pu anticiper... Elle crut d'abord qu'il fonçait sur elle tête baissée. Puis elle réalisa, la seconde suivante, qu'il venait d'être catapulté par un coup de hache magistral... Tred surgit pour régler son compte au deuxième agresseur de Catti-Brie, qui en profita pour se retourner contre le troisième, sur sa gauche. D'un estoc, elle rabattit l'épée du monstre au sol. L'orc réagit en tentant de la bousculer, mais la jeune femme fut trop vive pour lui. Elle l'évita prestement et lui sectionna la moelle épinière.

Tred rejoignit Wulfgar, manquant être décapité par un des moulinets sanglants d'Aegis-fang.

— Nos défenses s'effondrent ! Replions-nous !

Grognant, le barbare se débarrassa de ses adversaires proches avant de reculer derrière les gravats – une barricade de fortune.

Un worg plus téméraire que les autres lui bondit à la gorge.

Arc de nouveau au poing, Catti-Brie faucha la bête fauve d'une flèche au flanc.

Mais les monstres continuaient d'affluer... Alertée par un petit bruit, la jeune femme se retourna et découvrit Withegroo, les traits crispés par la souffrance. Il tenait à peine debout, tremblant de tous ses membres. Mais son regard brillait d'une détermination farouche. La rage au cœur, le sorcier incanta.

Sa boule de feu arrêta net l'élan des monstres, gagnant un répit vital aux défenseurs en plein repli. Mais le sortilège coûta cher à Withegroo... Après un dernier sourire à Catti-Brie, le vieillard s'écroula.

Elle *sut* qu'il était mort.

Les derniers défenseurs reculèrent tandis que dans le lointain, on sonnait encore du cor... D'autres orcs allaient bientôt se joindre à la curée.

A moins qu'il ne s'agisse d'un nouveau signal ?

Les survivants se posèrent la question en voyant leurs ennemis brusquement refluer...

Mais, le mouvement vite inversé, la bataille reprit tout aussi vite. Au coude à coude, les défenseurs de Haut-Fond affrontaient toujours les monstres, le temps que les premiers d'entre eux cherchent refuge dans les tunnels.

Puis il y eut un nouveau flottement dans les combats. Inexplicablement, les orcs reculaient.

Au sud, on sonnait du cor... Wulfgar prit le risque de courir se percher sur le plus haut monticule des parages pour tenter de voir ce qui se passait.

— Par les Neuf Enfers !

Tred, Catti-Brie et quelques autres rejoignirent le barbare, aussi incrédules que lui par ce qu'ils découvrirent.

Un immense totem en bois avançait dans leur direction, tiré par un étrange attelage de vingt mules...

La statue géante d'un faciès d'orc à l'œil grotesque.

— Gruumsh ! cracha Tred McJointures, comme si ce nom seul l'écœurait. Ils ont fait venir leurs prêtres... En vue de leur triomphe, sans doute.

Les orcs massés au sud de la ville dansèrent avec de grands cris d'allégresse. Beaucoup se prosternèrent devant l'image de leur dieu révéré.

Par-delà le ravin, Drizzt entendit sonner le cor. Mais d'où il était, alors qu'il rampait pour mieux surprendre les géants, il ne pouvait pas voir ce qui se passait.

En tout cas, les monstres semblaient tout excités.

Drizzt vit Guenhwyvar se préparer à bondir. D'un geste de la main, il attira l'attention du félin, lui indiquant de rester en position. Du regard, il chercha un meilleur point de vue qui ne puisse pas le trahir. Soudain, le ton des géants qui parlaient toujours entre eux avec animation devint franchement colérique.

Drizzt ne comprenait guère ce qu'ils disaient, mais il retira néanmoins de leur diatribe la nette impression qu'ils reprochaient aux prêtres orcs de vouloir s'arroger tout le mérite de la victoire...

L'alliance ennemie était-elle sur le point de s'effriter ? Hélas, même dans ce cas, ce serait beaucoup trop tard pour la malheureuse ville de Haut-Fond.

Pelotonné sous ses tuniques, le cocher fit claquer son fouet au-dessus de l'attelage. Les créatures poilues tirèrent plus fort l'immense chariot et la statue de Gruumsh le Borgne, le dieu des orcs, le long de la pente rocailleuse.

Les envahisseurs s'étaient détournés de Haut-Fond et de ses défenseurs, réduits à une poignée, pour assister au spectacle. Ravis, ils tombèrent à genoux, en adoration devant leur dieu.

— Que se passe-t-il ? demanda un commandant au chef de l'armée, Urlgen.

Se mordillant les lèvres, celui-ci avait l'air parfaitement dépassé par la tournure des événements.

— Obould s'est fait beaucoup d'alliés...

Il ne voyait pas quoi répondre d'autre.

Son père avait-il décidé de dédier la victoire au dieu ? De l'attribuer à quelque édit divin ?

Il l'ignorait. Imité par ses guerriers intrigués, il se rapprochait peu à peu de l'étrange procession. Au contraire de ses congénères, cependant, il ne se focalisa pas entièrement sur l'idole. L'attelage le rendait assez perplexe... Quelles bêtes curieuses, toutes poilues... S'agissait-il de mules ? De petits bœufs ? Des rothé, peut-être, transplantés d'Ombre-Terre ?

Plus malin que les autres, Urlgen examina les cochers, avec un petit, et un grand à la belle carrure… En tout cas, tous les deux semblaient bien menus pour des orcs. Et ils gardaient une capuche rabattue sur leurs oreilles…

Pourquoi ?

Le chariot s'arrêta à une centaine de pas de la ville en ruine. Quelle stupidité ! pensa Ulrgen, qui avait appris à respecter les talents d'archère de l'horrible femme…

D'un coup d'œil vers Haut-Fond, le fils d'Obould constata que les défenseurs suivaient également la scène, aussi intrigués que leurs ennemis.

Le grand cocher se redressa, les bras levés au-dessus de la tête. Les manches qui glissèrent révélèrent des mains noueuses et des bras poilus qui n'avaient pas l'air bien… orcs.

Avant que l'armée d'Urlgen puisse réagir, l'étrange cocher empoigna un levier, situé juste sous la gueule hérissée de crocs de la statue.

Avec un petit gloussement insolite, « hi hi hi ! », il le baissa.

— Eh bien, grogna Catti-Brie avec une détermination amère, ça fera toujours un prêtre de moins pour ce maudit Gruumsh !

Taulmaril en position, elle visa le cocher qui venait de se dresser.

Tred lui saisit le poignet.

— Un de plus, un de moins, ça ne fera pas grande différence. Mais de toute façon, quelque chose cloche…

Catti-Brie dut admettre qu'elle retirait la même impression de cette scène inattendue.

Même à distance, l'attelage et ses cochers semblaient… insolites.

La jeune femme écarquilla les yeux en entendant grincer le levier baissé par le chamane orc. Ils s'arrondirent encore plus en voyant la statue géante se désagréger subitement en quatre côtés, révélant.

… La brigade des Nazetripe au complet !

Le chef se reconnaissait tout de suite à son armure noire et à son heaume surmonté d'une grande pique

— Gaspard Pointepique ! s'écria Catti-Brie.

Tête baissée, il commença par embrocher l'orc le plus proche tout en bondissant sur un deuxième pour le piétiner sauvagement.

L'instant suivant, la jeune femme le perdit de vue. Elle frémit, connaissant bien sa technique de combat… Pour l'essentiel, celle-ci consistait à se rouler frénétiquement sur ses adversaires pour les réduire en charpie au moyen d'une cuirasse hérissée de piques. L'ennemi soumis à ce régime était vite transformé en bouillie sanguinolente…

Et les autres Nazetripe ne furent pas en reste. Bolides mortels, tous sautèrent au milieu des orcs stupéfaits. Il leur suffisait de courir sur toute la longueur des côtés abaissés de la structure élaborée par Pikel pour prendre leur élan et atterrir dans la masse des monstres désemparés…

L'instant suivant, d'autres nains surgirent de sous les couvertures ensorcelées qui leur avaient donné l'apparence de mules, et chargèrent

Profitant de la confusion des premiers instants, et de la position éminemment vulnérable de leurs adversaires pris au dépourvu, à genoux, tête basse, ils firent un massacre.

Les survivants affolés détalèrent. Et comme toujours avec les gobelins, cet élan de fuite se propagea comme une tache d'huile. Au premier signe de débâcle, les monstres se débandaient.

Par contraste, les nains avancèrent sur la ville en rangs serrés.

Tred McJointures, qui se réjouissait déjà, sauta sur le côté pour éviter un nouveau jet de pierre.

— Maudits géants !

Catti-Brie courut aux ruines des remparts nord.

— Change continuellement de position ! lui cria Wulfgar.

A la première flèche tirée, en effet, un tir nourri de pierres y répondit.

Voir ces traits caractéristiques fendre les airs redonna du baume au cœur de Drizzt, embusqué de l'autre côté du ravin. Mais cette bonne nouvelle – Catti-Brie était apparemment encore en vie –, ne le dévia pas de son but. Les géants recommençaient leur pilonnage. Pas question de les laisser faire !

Drizzt gagna une hauteur que les monstres n'avaient pas remarquée, et fit signe à Guenhwyvar.

Sans un bruit, il bondit dans le dos du plus proche, ses cimeterres mordant profondément les chairs. Alors qu'il retombait sur le sol, il blessa un autre géant au genou et courut se réfugier derrière un amas de rocs.

Un bras levé, un des monstres s'apprêta à faucher le fuyard d'une grosse pierre…

… Et reçut en pleine face six cents livres de félin sanguinaire, toutes griffes dehors…

Loin de chercher à le tuer, Guenhwyvar se contenta de lui crever les yeux avant de filer.

Cependant, quoi qu'ils fassent, Drizzt et sa panthère ne tiendraient pas les géants longtemps occupés… Les relancer à leurs trousses en les éloignant de Haut-Fond, peut-être…

L'elfe noir revint à la charge, prenant au dépourvu le monstre le plus proche qu'il larda de coups avant de s'esquiver de nouveau.

Cette fois, le géant ulcéré le prit en chasse. Lui et plusieurs de ses congénères…

Ça allait chauffer !

Coincé, Drizzt recula contre une paroi, déterminé à vendre chèrement sa peau.

Le monstre le plus proche chargea.

Et s'arrêta brusquement avec une grimace de douleur. Quand il tituba, le Drow stupéfait découvrit, plantées dans son cou, deux flèches…

Et dans le ciel, il avisa deux elfes blancs, sur des chevaux ailés !

Les géants détalèrent.

Drizzt en profita pour en blesser encore un au passage avant de bondir de pierre en pierre. Cette fois, les monstres ne lui prêtaient pratiquement plus attention. Ils ramassèrent des pierres pour en bombarder les elfes volants.

Pas question de les laisser s'organiser ! Drizzt prit position à l'ouest, sur un éperon rocheux. Et dès qu'un monstre se pencha pour attraper un gros caillou, il lui bondit dessus, lui sectionnant les doigts.

Furieux, le géant, flanqué d'un autre, reprit le Drow en chasse.

Drizzt détala à son tour en criant ses instructions à Guenhwyvar. Le Drow entendit un pégase hennir de douleur, sans doute touché par une pierre. Mais d'un coup d'œil, il s'assura que les elfes volaient toujours dans le ciel, arc au poing.

Il piqua un sprint en terrain découvert...

D'un autre coup d'œil en direction de Haut-Fond, il avait vu un essaim d'orcs charger... Mais il n'avait pas le choix.

Deux ou trois géants aux trousses, il fuyait plein nord.

— Nous n'avons plus le temps ! brailla Gaspard Pointepique en fonçant dans les décombres de Haut-Fond. Ramassez vos affaires, regroupez vos blessés et suivez-moi dans le chariot !

— Nous avons besoin d'un prêtre ! hurla Wulfgar sur le même ton. *Tout de suite !* Tous nos blessés ne sont pas transportables !

— Alors, laissez-les !

— L'un d'eux est Bruenor Battlehammer ! s'égosilla Wulfgar.

— *Prêtre !* rugit Gaspard. Hep, toi, là, cria-t-il à un autre nain, cours chercher Barbe Verte ! Il a plus de tours dans son sac à malice qu'une brochette de sorciers ivres morts !

— Filons ! brailla encore un autre nain. Portons les blessés et nos morts dans le chariot. Pas question d'abandonner des Battlehammer aux charognards ou aux orcs !

— Comment nous avez-vous si vite retrouvés, Gaspard ? demanda Catti-Brie.

La seconde suivante, elle sourit en ayant sa réponse en la personne du second cocher, qui venait de rabattre sa capuche sur les épaules.

— Régis !

Le cœur débordant de gratitude, elle voulut le serrer dans ses bras, mais suspendit son élan en le voyant grimacer de douleur.

Le petit homme penaud haussa les épaules.

— Le loup avait faim...

Accroupie, Catti-Brie posa un baiser sur son front, le faisant rougir.

Peu après, les survivants et leurs sauveurs quittèrent les décombres de Haut-Fond. Tel un essaim d'abeilles furieuses, les petits guerriers bourdonnaient autour des défenseurs épuisés. Sur les cent humains et les vingt-six nains qui avaient défendu la ville contre les monstres, moins d'une vingtaine repartaient sur leurs deux jambes. Et dix autres, dont Bruenor, respiraient encore.

Triste « victoire ».

CHAPITRE XXIX

CARREFOURS

Deux colonnes flanquaient les chariots. Les blessés, dont le roi Bruenor Battlehammer et Régis, étaient installés dans le plus grand.

Pikel Larmoire soignait Bruenor à l'aide de ses baies magiques et de racines aux vertus curatives.

— Il extirpera le mal, assura Ivan à Tred et à Wulfgar. Mon frère ne manque certes pas de ressources, vous verrez !

L'air sombre, le jeune homme hocha la tête. Catti-Brie lui avait dit que leur père semblait en effet moins mal. En tout cas, il se reposait.

— Ce n'est pas ce qui m'inquiète le plus, commenta Tred. Il y a des traces d'orcs partout dans les parages, et s'ils revenaient maintenant à la charge…

— Sans leurs amis les géants, souligna Wulfgar, qui sont restés de l'autre côté du ravin…

— Exact. Mais même avec vos guerriers de Mithral Hall, la prochaine bataille sera plus âpre encore. Surtout que nous n'aurons plus l'avantage de la surprise…

Wulfgar ne trouva rien à répondre. Il avait vu l'armée orc… Et malgré les débandades, des rangs sensiblement éclaircis après la bataille de Haut-Fond, dans une bataille rangée, les orcs garderaient l'avantage. Depuis leur fuite, la veille, les survivants en avaient tous conscience : leur seul réel espoir était que les orcs se soient trop dispersés pour les rattraper à temps… *avant* l'arrivée à Mithral Hall.

Un espoir vain ?

La nuit durant, les nains, fortifiés par les baies magiques de Pikel, avaient progressé sous les hurlements distants des worgs…

Tôt le deuxième jour, ils avaient repéré un nuage de poussière, au nord… Leurs ennemis étaient à leurs trousses.

Ce matin-là, Pointepique avait élaboré un plan. Selon toute probabilité, les orcs chevauchant des worgs chercheraient à devancer les nains pour leur barrer la route, le temps que leur armée les rattrape et les écrase… Dans ce cas, décidèrent les nains, ils fonceraient tête baissée sur l'ennemi.

Wulfgar espérait ne pas en arriver là. Il leur restait tout juste assez de forces pour tirer le chariot des blessés et avancer. Même Gaspard et sa fameuse brigade seraient bientôt à bout. Les baies de Pikel, pour étonnantes et revigorantes qu'elles fussent, n'insufflaient pas de force magique à qui les mangeait. Elles permettaient juste de puiser dans des ressources insoupçonnées. Après la fuite au nord, les combats désespérés, et le retour amorcé vers le sud, Wulfgar constatait que ces ressources physiques touchaient à leur fin.

Pire, ceux qui avaient défendu Haut-Fond, le jeune barbare compris, souffraient de graves blessures.

Par là-dessus, une bataille de plus les achèverait. Wulfgar n'aurait plus aucun espoir de ramener vivant à Mithral Hall son père bien-aimé.

Cet après-midi-là, quand les éclaireurs eurent signalé un nuage de poussière, à l'ouest, le barbare rejoignit Catti-Brie, Régis et Bruenor.

— La fin est proche…, souffla la jeune femme, les yeux rivés sur le nuage.

Son comportement, aux antipodes de la Catti-Brie débordante d'optimisme que Wulfgar avait toujours connue, le surprit autant que Régis.

— Nous les vaincrons ! jura le petit homme. Jusqu'au dernier !

— C'est certain, renchérit Wulfgar. Moi vivant, aucun orc ne mettra ses sales pognes sur Aegis-fang ! Quitte à exterminer tous les orcs des contrées du nord… Et je ramènerai Bruenor vivant à Mithral Hall, où il se rétablira vite pour monter sur le trône qui lui revient de droit !

Subjugués par l'absolue conviction du barbare, Régis et Catti-Brie, plongés dans l'admiration, sourirent.

— Oo oi ! lança Pikel Larmoire, plein d'enthousiasme.

Les compagnons éclatèrent de rire.

Marchant toujours à vive allure, les nains resserrèrent les rangs autour du chariot de leur souverain. Gaspard commença à répartir ses troupes en vue d'assurer la meilleure ligne de défense possible.

Puis il se rapprocha du grand chariot.

— Selon les rapports de mes éclaireurs, annonça-t-il, les orcs seront quelques centaines… Rien dont mes guerriers et moi ne puissions venir à bout ! ajouta-t-il avec un clin d'œil appuyé.

Wulfgar et ses compagnons hochèrent la tête, le cœur lourd. Etre interceptés par des centaines de monstres serait déjà une catastrophe. Mais à supposer qu'ils s'en sortent encore, ils auraient alors à affronter l'armée des orcs, qui les aurait rattrapés dans l'intervalle…

— Tiens, Catti-Brie, dit Wulfgar en lui tendant Taulmaril. Que toutes tes flèches fassent mouche !

— Je devrais peut-être tenter de parlementer…, fit Régis en palpant ostensiblement son rubis magique.

Wulfgar secoua la tête.

— Tu mourrais vite, répondit Catti-Brie, même si tu réussissais à en piéger quelques-uns avec tes mensonges.

— Mes promesses, souligna le petit homme, pas des mensonges.

Haussant les épaules, il remit le joyau sous sa tunique.

Les rangs des nains se resserrèrent encore. A l'évidence, la force d'interception les avait repérés... Les défenseurs étaient faits comme des rats. Tourner à l'est serait vraisemblablement se jeter dans les bras d'autres orcs. S'arrêter pour monter une meilleure ligne de défense permettrait au corps d'armée orc de les rattraper à son tour...

Les dents serrées, armes au poing, les nains continuèrent.

— Nous atteindrons cette crête avant eux ! jura Gaspard Pointepique en désignant un haut plateau.

Les petits guerriers redoublèrent d'efforts. Ils furent bientôt parvenus au pied du terrain choisi.

Mais ils n'y étaient pas les premiers.

— L'aile n'est pas brisée, seulement contusionnée, annonça Innovindil. Crépuscule ne volera plus pour l'instant.

Chevauchant Aube, Tarathiel venait de rejoindre sa femme dans la grotte où ils s'étaient réfugiés, au nord-est de Haut-Fond.

— Les géants ont abandonné, je pense, répondit Tarathiel. Ils ne nous trouveront pas.

— Mais nous ne sommes pas près de retourner dans notre forêt, rappela Innovindil. Ou pas tous les deux, quoi qu'il en soit.

A l'évidence, elle voulait que Tarathiel rallie leur communauté sylvestre sans plus perdre un instant.

— Je doute que notre clan soit tout à fait préparé à ce qui l'attend, quoi que nous puissions dire...

— Qu'as-tu vu ?

Tarathiel eut l'air plus sombre que jamais.

— Ils sortent de leur trou, partout ! A l'ouest et au nord. Les orcs, les gobelins, les géants... Ceux qui ont détruit Haut-Fond constituaient un faible contingent, en comparaison, de leur force réelle de frappe.

— Raison de plus pour que tu voles prévenir notre peuple du danger.

Après un regard à sa monture, Tarathiel qui hésitait se décida.

— Je ne te quitterai pas, Innovindil. Quoi que je fasse, les elfes des Sélénæ ne seront pas pris au dépourvu.

Elle allait protester quand elle se ravisa presque aussitôt. Elle n'avait aucun réel désir de rester seule dans cette contrée sauvage, qu'elle connaissait bien moins que son époux. Et elle s'inquiétait beaucoup pour Aube, qui avait fait preuve d'un grand courage en affrontant les géants et leurs jets de pierres... Il fallait maintenant que le pégase bénéficie d'un repos réparateur.

Les elfes le protégeraient. Au prix de leur vie, s'il le fallait.

— En outre, ajouta Tarathiel, nous aurons peut-être l'occasion unique d'en apprendre davantage.

— Tu penses que le Drow a échappé aux géants...

— Il est possible qu'Ellifain soit aussi dans les parages.

— Il est probable qu'Ellifain soit morte, objecta Innovindil.

Tarathiel hocha la tête.

Après le choc initial, la montée d'adrénaline à la perspective d'une nouvelle bataille sanglante, les foudres de guerre et les autres guerriers de la caravane furent plongés dans la confusion... Car devant eux se tenait une armée de nains...

Aux couleurs non de Mithral Hall mais de Mirabar.

— Qui êtes-vous ? lança le chef en enlevant son heaume.

— Torgar ! s'écria Régis, sûr de le reconnaître.

Perplexe, le commandant de Mirabar fit signe aux siens de se déployer avant d'avancer à la rencontre de la caravane...

Wulfgar et ses compagnons eurent tôt fait de raconter toute l'histoire. Ils battaient en retraite à Mithral Hall.

— Eh bien, quelle que soit l'issue de cette guerre, conclut Torgar, nous nous battrons à vos côtés. Nous venions demander son amitié au roi Bruenor. A nous maintenant de prouver la sincérité de notre démarche ! Continuez votre route, nous formerons l'arrière-garde.

— Nous donnerons aux orcs une bonne raison de courir ! jura Gaspard Pointepique.

Les cinq cents guerriers de Mirabar, des renforts inespérés, prirent place dans la colonne.

— La chance nous sourit, souffla Wulfgar à Catti-Brie.

Dans le chariot-infirmerie, Pikel continuait inlassablement de prodiguer ses soins à Bruenor et aux autres blessés. La jeune femme lui sourit, mais ses regards se tournaient sans cesse vers le nord.

— Tu penses à Drizzt..., observa Wulfgar.

Régis se joignit à la conversation.

— Dès que Bruenor sera en sécurité à Mithral Hall, nous nous lancerons à sa recherche.

Catti-Brie secoua la tête.

— Il sait se défendre, comme il sait que nous saurons nous en sortir seuls. Sa mission accomplie, il nous rejoindra à Mithral Hall.

Surpris, Wulfgar et Régis durent néanmoins en convenir. Jusqu'à preuve du contraire, ils devraient s'en remettre à l'elfe noir pour agir au mieux. Et en vérité, qui était mieux armé que lui pour survivre dans une région hostile infestée d'orcs ?

En outre, aucun fuyard n'aurait la force de revenir en arrière. Régis moins que quiconque.

Sans s'en apercevoir, Catti-Brie se mordillait nerveusement les lèvres.

Wulfgar lui serra doucement le bras en signe de réconfort.

— Elastul te l'a dit, Shoudra ?

Nanfoodle venait de retrouver la jeune femme dans le couloir de leurs appartements.

— Il m'a demandé de partir avec toi.

Au ton qu'elle employait, de tels ordres ne l'agréaient guère...

— Il persiste dans ses erreurs, observa le gnome. D'abord, il chasse Bruenor comme un malpropre, ensuite, il jette Torgar en prison, et maintenant...

— Ce n'est pas comparable.

— Ah non ? En quoi est-ce différent ? Les nains qui sont restés à Mirabar seront-ils ravis d'apprendre les nouvelles, pour Mithral Hall ? Avons-nous seulement une chance de réussir, vu que quatre cents de nos concitoyens au moins nous y auront précédés ?

— Elastul compte précisément là-dessus pour nous gagner la confiance de Bruenor et de son entourage.

— A quelle fin ? grommela le gnome, morose. La perfidie ?

Shoudra haussa les épaules.

— A Mithral Hall, nous verrons bien ce que nous trouverons...

Après un petit silence, Nanfoodle retrouva le sourire.

— Je suivrai ton exemple dans les cavernes du clan Battlehammer, quitte à m'écarter des édits du marquis Elastul.

L'air contrarié, la jeune femme jeta des regards circonspects alentour.

Au fond d'elle, cependant, elle partageait l'avis de son ami. Les instructions d'Elastul étaient simples et directes : aller à Mithral Hall surveiller les traîtres, et en profiter pour se livrer à quelques judicieux sabotages...

Mais après le schisme désastreux qui avait frappé Mirabar, ce serait peut-être, au contraire, l'occasion inespérée de contracter une alliance avec le roi Bruenor... de nature à bénéficier à tous.

Soupirant, Shoudra regretta que les choses ne soient pas différentes. Car elle connaissait assez Elastul pour mesurer l'absurdité de ses chimères.

ÉPILOGUE

A chaque pierre qu'il retournait, Drizzt Do'Urden retenait son souffle. Allait-il tomber sur le cadavre d'un de ses amis… ? Selon ses estimations, la destruction de la ville était complète. Il n'avait pas la plus petite idée de ce que pouvait être l'amas de bois sculpté, au sud de Haut-Fond, mais il supposait que les orcs avaient eu recours à des engins de siège, pour l'assaut final.

Etrange, vu les dégâts écrasants infligés par les géants bombardiers…

La multitude de cadavres d'orcs et de worgs lui remit du baume au cœur. Mais que beaucoup d'entre eux jonchent les abords des tunnels – l'ultime ligne de défense, en toute logique –, prouvait que la fin avait dû être amère.

Dans le réseau souterrain, Drizzt ne retrouva pas de cadavres. Ses amis avaient dû être faits prisonniers, pas tués.

Il dénicha un heaume unicorne familier…

Retenant sa respiration, il le ramassa et le retourna entre ses mains. La couronne de Bruenor Battlehammer… En cette nuit terrible, quand la tour en flammes s'était écroulée, il avait espéré avoir mal vu… Contre toute attente, Bruenor avait pu sauter à l'écart et éviter le pire…

Le Drow se força à fouiller les décombres, près de l'endroit où gisait le heaume. Et là, sous des tonnes de pierres, il découvrit une main broyée de nain…

La tombe de Bruenor, crut-il.

Etait-ce aussi celle de Wulfgar et de Régis ?

Et Catti-Brie… ?

Drizzt Do'Urden fut accablé par les réminiscences. Il se rappela avoir estimé qu'une vie d'aventures palpitantes serait toujours préférable à l'enracinement d'une existence sédentaire… Fût-ce au prix de sa vie ou de celle de Catti-Brie..

Creuses conclusions, confrontées à la terrible réalité !

Etrangement, Drizzt repensa à Zaknafein, à sa famille, à Menzoberranzan et à la vie qu'il y avait menée, aux tragédies qui avaient jalonné son adolescence..

Il repensa à Ellifain, à tout ce qu'il avait tenté pour l'arracher à son destin en cette nuit fatidique, au clair de lune... et à sa triste fin annoncée.

Il repensa à ses amis, probablement morts, et fut accablé par la futilité de tout ça... Son existence, depuis les jours qu'il avait passés auprès de Zaknafein, son exil de Menzoberranzan, son séjour avec Montolio, puis les aventures vécues en compagnie d'amis qu'il en était venu à aimer par-dessus tout, au Val Bise...

En définitive, Drizzt Do'Urden avait suivi des préceptes fondés sur la discipline et un irrépressible optimisme. Il se battait au nom d'un monde meilleur parce qu'il croyait possible d'améliorer le monde, précisément. Certes, il n'avait jamais espéré pouvoir accomplir ce miracle à lui seul. Mais il avait toujours tenu pour valable et gratifiant de vouloir changer en mieux le petit bout de territoire où on évoluait au cours de sa vie.

Puis il y avait eu Ellifain.

Et maintenant Bruenor.

Les yeux baissés sur le heaume, il continua à le retourner entre ses mains.

Selon toute vraisemblance, il venait de perdre ses amis les plus chers.

A une exception près...

Guenhwyvar vint se frotter contre le Drow.

Trois jours plus tard, assis sur une pente rocailleuse, à flanc de montagne, Drizzt Do'Urden écoutait sonner le cor et observait la progression des porteurs de torches, le long des sentiers, un peu partout... Tous ces épisodes dramatiques avaient donc été un simple prélude, comprit le Drow. Les orcs se rassemblaient en masse, avec les gobelins. Pire, ils s'étaient alliés aux géants des glaces... Qui aurait pu anticiper une calamité pareille ?

Après l'attaque d'une caravane marchande en provenance de la citadelle Felbarr, l'escalade de la violence avait vu deux bourgs saccagés et rasés... A présent, toutes les populations des contrées nord étaient menacées par ce soulèvement des monstres.

De toute évidence, Mithral Hall serait bientôt attaqué.

Or, croyait l'elfe noir, Mithral Hall n'avait plus de roi.

En vérité pourtant, ces constats touchèrent à peine le cœur et l'âme de Drizzt Do'Urden, par cette sombre nuit en montagne. Quand il repéra un petit feu de camp, à l'écart, il n'eut plus de pensée que pour l'instant présent.

Par le truchement de sa figurine d'onyx, il invoqua Guenhwyvar, dégaina ses cimeterres et se mit en chasse.

Comme taillé dans le marbre, son visage, indéchiffrable, ne trahissait plus d'émotion.

Il était temps d'entrer en scène.

Achevé d'imprimer sur les presses de

BUSSIÈRE
GROUPE CPI

à Saint-Amand-Montrond (Cher)
en mai 2005

FLEUVE NOIR
12, avenue d'Italie
75627 Paris Cedex 13
Tél. : 01-44-16-05-00

— N° d'imp. : 052178/1. —
Dépôt légal : juin 2005.

Imprimé en France